GCSE Spanish for OCR

Students' Book

Isabel Alonso de Sudea
Vincent Everett
María Isabel Isern Vivancos
Shirley Buckley
Emma Díaz Fernández

OCR
RECOGNISING ACHIEVEMENT

OXFORD
UNIVERSITY PRESS

Official Publisher Partnership

OXFORD
UNIVERSITY PRESS

Great Clarendon Street, Oxford OX2 6DP

Oxford University Press is a department of the University
of Oxford.

It furthers the University's objective of excellence in research,
scholarship, and education by publishing worldwide in

Oxford   New York
Auckland   Cape Town   Dar es Salaam   Hong Kong   Karachi
Kuala Lumpur   Madrid   Melbourne   Mexico City   Nairobi
New Delhi   Shanghai   Taipei   Toronto

With offices in

Argentina   Austria   Brazil   Chile   Czech Republic   France
Greece   Guatemala   Hungary   Italy   Japan   South Korea
Poland   Portugal   Singapore   Switzerland   Thailand
Turkey   Ukraine   Vietnam

Oxford is a registered trade mark of Oxford University Press
in the UK and in certain other countries

British Library Cataloguing in Publication Data

Data available

ISBN 978 019 918071 4

10 9 8 7 6 5 4 3 2 1

Printed in Spain by Cayfosa-Impresia Ibérica

Paper used in the production of this book is a natural,
recyclable product made from wood grown in sustainable forests.
The manufacturing process conforms to the environmental
regulations of the country of origin.

Acknowledgements
The publishers would like to thank the following for permission
to reproduce photographs:

8a Dean Mitchell/Shutterstock.com, 8b Monkey Business Images/
Shutterstock.com, 8c Monkey Business Images/Shutterstock.com,
8d Yuri Arcurs/Shutterstock.com, 8e Galina Barskaya/Shutterstock.com,
8f Felix Mizioznikov/Shutterstock.com, 12a1 Alex Segre / Alamy, 12a2
Content Mine International / Alamy, 12a3 Mitchell Gerber/CORBIS, 12a4
Frantzesco Kangaris/epa/Corbis, 12b and 25a Lisa Peardon/Getty, 12c and
25b Isabel Sudea, 12d and 25c and 14a David R. Frazier Photolibrary,
Inc. / Alamy, 12e , 172b, 172d and 25d and 17d purchased from www.
bigstock.com, 15a Alex Segre / Alamy, 15b Mitchell Gerber/CORBIS, 15c
Content Mine International / Alamy, 15d Frantzesco Kangaris/epa/Corbis,
20a David R. Frazier Photolibrary, Inc. / Alamy, 28a and 30b Cro Magnon
/ Alamy, 28b 2002 Getty Images, 28c Robert Harding Picture Library Ltd /
Alamy, 28d Hans Georg Roth/Corbis, 28e Serge Lamere/Shutterstock, 28f
Cristian Baitg, 30a and 27b DEA/A.GAROZZO/ Getty, 30c Jo Chambers
/ Alamy, 32b Angela Hampton Picture Library / Alamy, 32c Andresr/
Shutterstock.com, 34a purchased from www.bigstock.com, 35a Atlanpic
/ Alamy, 35d AFP/Getty Images, 36b Photos 12 / Alamy, 36c Allstar Picture
Library / Alamy, 44r Michael Reynolds/epa/Corbis, 44s Robert Vos/epa/
Corbis, 45a Basque Country - Mark Baynes / Alamy, 45b purchased from
www.bigstock.com, 45c imago/Cordon Press Diario AS, 45d imago/Icon
SMI, 45e Gerard Vandystadt/Tips Images, 45f 2000 Getty Images, 46a
Getty Images, 46b AFP/Getty Images, 46c Getty Images, 46d Black Star

/ Alamy, 46e Universal/TempSport/Corbis, 52a Galvezo/zefa/Corbis, 52d
Adrian Nakic/ Getty, 52g Juan Carlos Tinjaca/Shutterstock.com, 52j David
R. Frazier Photolibrary, Inc. / Alamy, 63a purchased from www.bigstock.
com, 67a Paul Doyle / Alamy, 73a Jean Dominique DALLET / Alamy, 73b
AFP/Getty Images, 84a Alex Segre / Alamy, 84b kind permission given
by www.picafort.net, 84c Zigzag Images / Alamy, 85a David Young-Wolff
/ Alamy, 85b CuboImages srl / Alamy, 85c David R. Frazier Photolibrary,
Inc. / Alamy, 85d Steve Dunwell/www.photolibrary.com, 92a Getty Images,
92b Universal Pictures, 92c DreamWorks Pictures/Bureau L.A. Collection/
Corbis, 92d Pictorial Press Ltd / Alamy, 92e Andrew Ross/Corbis, 94a
Content Mine International / Alamy, 94b Allstar Picture Library / Alamy,
96a Getty Images, 96b Allstar Picture Library / Alamy, 96c Allstar Picture
Library / Alamy, 96d Allstar Picture Library / Alamy, 99a Mauricio-José
Schwarz, 100b "G y J España Ediciones", 105a Warner Bros.Pictures, 108a,
108b, 112b, 116b and 183a purchased from www.bigstock.com, 108c
Travelshots.com / Alamy, 108d Galen Rowell/CORBIS, 108e Getty Images,
112a David R. Frazier Photolibrary, Inc. / Alamy, 113a Juerg Heinimann
/ Alamy, 116a Martin Garnham / Alamy, 116c Getty Images, 116d chris
stock photography / Alamy, 121a David Keith Jones / Alamy, 124a Mira /
Alamy, 124bDavid Hoffman Photo Library / Alamy, 124c narvikk/iStock.
com, 124d Penny Tweedie/ Getty Images, 124e copyright © 2008 Mitchell
Kanashkevich, 124f WILDLIFE GmbH / Alamy, 124g photoBlueIce/iStock.
com, 124h OUP, 128a Tim Graham/Getty Images, 129a, 130a purchased
from www.bigstock.com, 129b Jordi Bas Casas/NHPA/Photoshot, 130b
David R. Frazier Photolibrary, Inc. / Alamy, 130c Isabel Sudea, 131a Lisa
Peardon/Getty, 131b Robin Stewart robinstewart.com, 131c Gary Cook
/ Alamy, 132a Mitchell Gerber/CORBIS, 132b Frantzesco Kangaris/epa/
Corbis, 132c Content Mine International / Alamy, 133a David Mercado/
Reuters/Corbis, 137a photo kindly given by www.gvnfoundation.org, 137b
Artkot/Shutterstock.com, 140a Jaume Gual/AGE/www.photolibrary.com,
140b Jim Craigmyle/Corbis, 140cB2M Productions, 142a Robert Fried /
Alamy, 142b Phil Crean / Alamy, 144a Index Stock/www.photolibrary.com,
144b OUP, 146a Adrian Nakic, 146b Kevin Dodge/Corbis, 146c OUP, 146d
Itani / Alamy, 159a Emma Rian/www.photolibrary.com, 159b ImageState
/ Alamy, 159c REUTERS/Str Old, 159d TravelStockCollection - Homer
Sykes / Alamy, 159e Bubbles Photolibrary / Alamy, 159f Penny Tweedie /
Alamy, 159g Victor Watts / Alamy, 159h Margo Silver/ Getty Images, 164a
Bernhard Lang/Getty Images, 164b Helene Rogers / Alamy, 164c Ausloeser/
zefa/Corbis, 164d Scott Barrow/www.photolibrary.com, 172c Michael
Blann/Getty, 172e Isabel Sudea, 175a Westend 61 / Alamy, 176a Horacio,
Villalobos/epa/Corbis, 178a Andreas Pollok/ Getty Images, 178b Michael A.
Keller/zefa/Corbis, 180a REUTERS/Sergio Moraes, 180b Getty Images, 182a
Allstar Picture Library / Alamy, 182b Photos 12 / Alamy, 186a Isabel Sudea,
187a Imagestate Media Partners Limited - Impact Photos / Alamy, 190a
AFP/Getty Images.

Illustrations by: Kessia Beverley Smith, Phillip Burrows,
Stefan Chabluk, Moreno Chiacchiera, Peter Donnelly/
www.hardwickstudios.com, Mark Draisey, Gemma Hastilow,
Bill Houston, Mike Lacey, Mike Phillips, Pulsar Studio,
Andy Robb, Pete Smith, Simon Tegg, Laszlo Veres, Ian West.

Picture research by: Hardwick Studios

Cover image: Photodisc/Getty

The authors and publishers would like to thank the following
people for their help and advice:

Amy Hodson; Abigail Hardwick; Joanne Askew; Janine Drake;
Emma Nightingale; Timothy Guilford; Leonora King

Every effort has been made to contact copyright holders of
material reproduced in this book. If notified, the publishers
will be pleased to rectify any errors or omissions at the
earliest opportunity.

GCSE Spanish for OCR

Isabel Alonso de Sudea
Vincent Everett
María Isabel Isern Vivancos
Shirley Buckley
Emma Díaz Fernández

Welcome to *GCSE Spanish for OCR*!

The following symbols will help you to get the most out of this book:

🎧 listen to the audio CD with this activity

👥 work with a partner

👥 work in a group

B↔A swap roles with your partner

GRAMÁTICA an explanation of an important aspect of grammar

HABILIDADES a skill or strategy that will help you maximise your marks

VOCABULARIO key expressions for a particular topic

Remate a round-up activity that helps you to put the skills and grammar you have learnt into practice. Additional support for these activities is provided on the OxBox CD-ROM.

Gramática en acción Grammar explanations and practice

Habilidades Summary and practice of the skills and strategies covered in the unit

Escenario Extended tasks which will help you to prepare for your speaking and writing controlled assessments. Additional support for these activities is provided in the *Exam Skills Workbooks*.

Vocabulario Unit vocabulary list

Lectura Additional reading material to accompany each unit

Contents

Unit	Page	Topics	Skills	Grammar
1A Mi vida: *Life at home, family, friends and relationships*	11	Talk about yourself, your family and friends Describe your daily routine Household chores	**Speaking** Improving your pronunciation Starting a conversation Using fillers **Writing** Extending your sentences Checking your work	Question words Use of *al* and *el* Present tense (regular and irregular) Immediate future (*ir a ...*) Possessive adjectives
1B Nuestro entorno: *Local area, facilities and getting around*	27	Describe where you live and compare it with other places Ask for information about a place Use public transport in Spain Describe a journey	**Listening** Identifying opinions Anticipating what you will hear **Reading** Finding the right information Identifying specific details Deciphering complicated sentences	Personal pronouns *tú* and *usted* Preterite and imperfect Comparative and superlative Use of *este, ese* and *aquel*
2A Una vida sana y activa: *Sports and outdoor activities*	43	Decide your best sport Compare sporting heroes Choose a healthy life style Describe injuries Discuss outdoor activities	**Speaking** Using intensifiers Stressing certain words **Writing** Using descriptions and linking words Adding colour to your writing	Impersonal verbs Reflexive constructions Preterite irregular forms Use of *desde hace* Perfect tense Adverbs
2B Comer y beber: *Food and drink*	59	Compare food and drink in different cultures Talk about favourite foods Talk about healthy eating Buy food in a shop Order in a restaurant	**Listening** Listening for clues Deducing opinion from tone **Speaking** Using tone to express interest Agreeing or disagreeing Complaining politely	Comparatives Numbers Expressions followed by infinitive Pronouns with a preposition Present continuous
3A Las fiestas: *Socialising and special occasions*	75	Make arrangements to go out with friends Organise a party Go shopping Compare festivals in different countries	**Listening** Listening for gist Listening for detail and key phrases **Reading** Skimming for gist Working out meanings of words	Pronouns Continuous form of the imperfect
3B Cine y televisión: *TV, films and music*	91	Express views about films and TV programmes Talk about famous performers Talk about leisure activities Compare your tastes now and in the past	**Reading** Dictionary skills Recognising suffixes and prefixes **Writing** Using synonyms Avoiding repetition	Preterite and imperfect Comparatives and superlatives Negatives Verbs with prepositions

Unit	Page	Topics	Skills	Grammar
4A Mis vacaciones: *On holiday or on an exchange*	107	Describe holiday destinations Choose and book a holiday Discuss your past holidays Talk about foreign holidays	**Listening** Listening for questions Listening for tenses Understanding through context **Reading** Working out unfamiliar words Using grammar to help you answer questions	Ordinal numbers Formal and informal *Ser* and *estar* Future and conditional Expressions of time
4B Nuestro mundo: *Environmental issues and life in other countries*	123	Talk about threats and dangers to the environment Conservation and recycling Ecotourism Comparing lives in different countries	**Listening** Listening strategies Taking effective notes Checking your answers **Reading** Reading with questions in mind Finding specific details	Positive and negative instructions Subjunctive mood Time clauses *Ser* and *estar* Indirect questions
5A Mis estudios y mi trabajo: *School and part-time jobs*	139	Talk about school subjects and teachers Talk about your own school Talk about pay and part-time jobs	**Listening** Making accurate guesses Reducing the possibilities in multiple choice questions **Speaking** Pronouncing words that look English Adding variety to your vocabulary	Imperative The definite and indefinite articles Passive voice Preterite Quantifiers and intensifiers Reflexive pronouns
5B Mi futuro: *Work experience and future plans*	155	Future career and study plans Work experience Find and apply for a summer job Working abroad	**Reading** Reading for gist Deciphering Spanish words False friends **Writing** Writing formal and informal letters Using accents and capital letters correctly Avoiding word-for-word translations	Revision of tenses Present participles Verbs with prepositions The phrase *lo que* Simple subjunctive
Lectura	171	Extra reading practice for each unit		
Exam Practice	191	Practice GCSE exam papers		
Grammar Bank	201	Grammar overview and practice material		
Vocabulario	213	Two-way glossary		

Welcome to GCSE Spanish for OCR!

What will you be studying?

You will be studying topics from five areas:

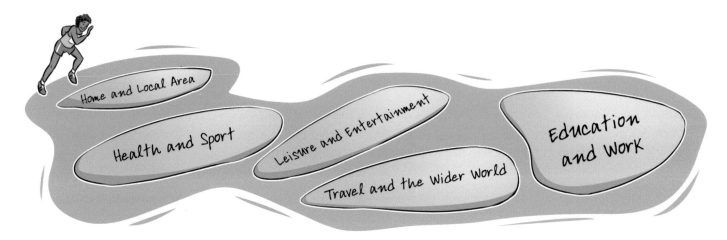

- Home and Local Area
- Health and Sport
- Leisure and Entertainment
- Travel and the Wider World
- Education and Work

Are you ambitious and creative? You can suggest your own ideas!

This book covers the whole range: topics relating to yourself and your own interests, and topics from the Spanish-speaking world. This isn't so you can be tested on your knowledge of Spain or other countries: it's because if you are learning Spanish, you will want to use it to find out and talk about something interesting, relevant, useful and imaginative. The Spanish you learn will equip you to communicate in different ways, from dealing with practical situations, to expressing yourself creatively. Oh yes, and of course... it is designed to help you to succeed in your OCR GCSE exam too!

Travelling around Latin America on a motorbike
What NOT to do at a party
with the Spanish exchange students

***

How to protest against that new supermarket

***

How to lead a healthy lifestyle... eating paella and tapas!

***

Design the school of the future

What is in the exam?

For the OCR GCSE exam, you will be tested in four skills: So, in fact, for 60% of the exam (Speaking and Writing), what will end up in the assessment is up to you! **You** will be saying it or writing it. Make sure you have plenty to say, stick to what you know, and you will be in control!

Listening and Reading are assessed in exams. The examiners are not trying to trick you or confuse you:
- all instructions will be in English
- questions are designed to find out how much you understand.

Speaking and Writing are tested by Controlled Assessment. That's designed to let you show off what you can do.

Overall GCSE grade: 100%

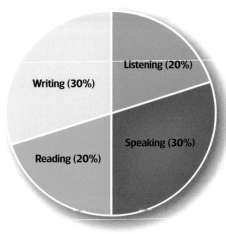

- Listening (20%)
- Writing (30%)
- Speaking (30%)
- Reading (20%)

What is Controlled Assessment?

Controlled Assessment is like an exam, except it's even better because individual schools or individual students (that means you!) can be involved in the choice of topic. This is to encourage you to speak and write on topics that you are really interested in.

At the end of the course you submit your best two Speaking tasks and your best two Writing tasks.

How does *GCSE Spanish for OCR* equip me for the exam?

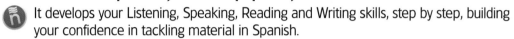 It develops your Listening, Speaking, Reading and Writing skills, step by step, building your confidence in tackling material in Spanish.

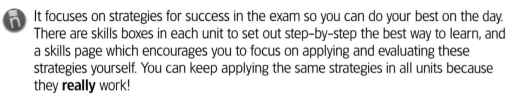 It focuses on strategies for success in the exam so you can do your best on the day. There are skills boxes in each unit to set out step-by-step the best way to learn, and a skills page which encourages you to focus on applying and evaluating these strategies yourself. You can keep applying the same strategies in all units because they **really** work!

It tells you exactly what you need to do in order to approach the Speaking and Writing assessments with confidence. At the end of each unit, there is a Speaking and a Writing *Escenario* task. These are creative tasks, similar in style to the GCSE Controlled Assessment tasks. All the Spanish and all the skills you have learned so far will come into play, so you can use the task as a chance to show off and express yourself.

It provides you with language tools (some call it grammar!) for your Spanish toolkit so that you feel that you are properly equipped to deal with the assessment tasks. There are grammar boxes throughout each unit introducing the tools you need, a grammar page at the end of the unit, and a summary *Grammar Bank* at the end of the book. Language is recycled and reused so that your tools in your toolbox won't be going rusty!

What else will help me succeed?

the *Exam Practice* section at the back of this book, which provides a complete set of sample exam papers for you to sharpen up on.

the *Exam Skills Workbook* (available in Foundation and Higher tier editions), which bring together lots of useful advice and strategies, and gives you activities to evaluate and practise them with.

the *Resources and Planning OxBox CD-ROM*, which provides overviews of Spanish grammar and pronunciation, plus flashcards to help you to master the OCR prescribed vocabulary list. Use the *Record & Playback* activities to record practice speaking Controlled Assessment tasks and perfect your pronunciation and delivery.

How to learn new words and use them

There are many strategies for learning Spanish vocabulary. The most important thing is to try them, evaluate them, and stick to what works for you. Spending time learning words thoroughly is a simple thing that will make a big difference to your grade. It is something no one else can do for you!

Top Five Strategies for Learning Vocabulary

Crack the spelling/ pronunciation link

Learn the Spanish spelling rules

Pronounce any Spanish word correctly

Spell any Spanish word correctly

Notice links between related words

Spend more time on learning the meaning of words

Fun techniques

Word association pictures

Flash cards/Memory games

Stories

Text your friends in Spanish

Use your own system

Organise your vocabulary your way: alphabetically, by topic, or in some other way that is meaningful to you

Keep using the vocabulary you learned in previous units

Test yourself frequently to see if you can remember everything

Have your own Top Five Strategies

Eat, drink, read, write, speak, listen

When you are swimming, count your lengths in Spanish

When you are jogging, listen to your words on your MP3 player

On the bus, have a look at your Spanish verb list

Set the menus on your phone and games console to Spanish

Label everything around your house in Spanish

Focus on important words

Core vocabulary

Vocabulary that transfers to all topics

"Tricky" words

Words that make you stand out from the crowd

Word families

What works for you?

I read words over and over again and then repeat them in my head or out loud.

I record myself speaking and then listen to the recording.

I write each new word out ten times and then I write a sentence using it.

I write new words on a small card with the English translation on the back and use them to test myself.

I ask a friend or relative to test me.

I spell new Spanish words out for myself, silently or out loud.

Which of these ideas would work best for you? Try some and see!

Getting to grips with your Spanish grammar toolkit

Grammar is the set of tools that lets you build Spanish for yourself and express what you want to say. Once you have a collection of grammar tools, they can be used for all topics.

Have you seen those modelling magazines that give you one part of a kit each month, so at the end of the year you have all the parts of a plane? The problem is you have to wait a year before your plane can fly!

This book is not like that. From the very first unit, you begin to assemble a working model that flies. Then you can add to it, customise it and build your own constructions with more independence and more creativity each unit.

Basic Starter Kit:
descriptions
opinions
reasons
verb + infinitive
linking words
present
past
future

Add-ons:
imperfect
comparative/
superlative
adverbs and
intensifiers
pronouns
conditional
direct speech
subjunctive

Where will you find your grammar tools in GCSE Spanish for OCR?

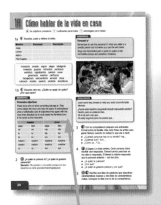

Gramática en acción pages towards the end of each unit of the *Students' book*, with more in-depth explanation and practice activities.

Purple grammar panels on most pages of the *Students' Book*.

A GCSE *Grammar Bank* at the end of the book, for reference and extra practice.

One page of grammar activities for each unit in the *Exam Skills Workbooks*.

Extensive practice of all of the grammar points covered at GCSE level.

ICT presentations of the core grammar points you need for GCSE

What do you do with your grammar toolkit?

The three most important things to do with your grammar toolkit are:

1. Look after the tools: add new ones, but always keep using your old ones.
2. Use the right tool for the job: match the expressions you know to the parts of the task you are doing.
3. Practise taking things apart and putting them back together again. That's how you find out how things work and how to make them yourself.

The grammar activities in this book will give you plenty of practice to make sure you follow these three rules. Some activities are about making sure you put things together correctly, others are about discovering and analysing how things work. Then you always get the chance to use what you have learnt to express yourself creatively and show off what you know.

With GCSE Spanish for OCR, you'll have the tools to be a champion!

¡Buena Suerte!

1A Mi vida

¿Ya sabes cómo ...

- ☐ dar tus datos personales?
- ☐ describir a tu familia y a tus amigos?
- ☐ hablar de tu rutina diaria?
- ☐ sobrevivir a las tareas domésticas?
- ☐ hablar de la vida en casa?

¡Un día típico!

Escenario

- **Haz una entrevista con un miembro de la familia de uno de los participantes en un programa de tele.**
- **Escribe un horóscopo, y una carta a *Corazón abierto*.**

Gramática

As part of your Spanish 'toolkit', can you ...
- use question words?
- use *al* and *del* correctly?
- use the present tense of regular, reflexive, radical-changing and irregular verbs?
- use the immediate future?
- use adjectives, compare things and show possession?

Habilidades

Hablar

In Spanish, how do you ...
- sound as Spanish as possible?
- start the conversation?
- use fillers to keep the conversation going?

Escribir

When writing in Spanish, how do you ...
- extend your sentences?
- check that your work is accurate?

G tiempo presente e interrogativos **V** presentarse **P** vocales y consonantes

¡Bienvenidos a las clasificatorias de Telón Abierto – esta noche presentamos a los contendientes Jorge, Mari Ángeles, Lorena e Isidoro!

1 ¿Cómo te llamas?

2 ¿Cuántos años tienes?

3 ¿Dónde vives?

4 ¿De dónde eres?

5 ¿Cuál es tu nacionalidad?

6 ¿Cuándo es tu cumpleaños?

7 ¿Cómo eres?

8 ¿Qué signo eres?

9 ¿Quién es tu ídolo?

10 ¿Trabajas o estudias?

"Hola a todos; me llamo Jorge Cifuentes y soy boliviano, oriundo de Urubichá en el noreste del país donde todos los jóvenes aprenden a tocar el violín desde chiquitos. Ahora vivo en Madrid con mis tíos. Tengo dieciocho años y mi cumpleaños es el nueve de octubre, así que soy Libra. Me encanta toda clase de música y aspiro a seguir los pasos de mis padres y abuelos de modo que por ahora me dedico a mis estudios musicales en el conservatorio."

Jorge

Mari Ángeles

Lorena

Isidoro

1 🎤 **Practica las vocales y las consonantes difíciles.**

a Escucha y repite las palabras – Jorge Cifuentes, oriundo, Urubichá, jóvenes, chiquitos, dieciocho, cumpleaños, musicales, conservatorio.

b Escucha, lee y repite el texto de la página 12.

2 📖 **Empareja las respuestas (a–j) de Isidoro con las preguntas 1–10 en la página 12.**

Ejemplo: **c** 1

a Soy de Tarifa.
b Es el veintiséis de enero.
c Me llamo Isidoro Sánchez Medina.
d Por ahora vivo en Sevilla.
e Soy un apasionado de la música.
f A veces trabajo como camarero en un bar.
g Voy a cumplir veintidós.
h Quisiera ser como Manu Chao.
i Soy español de pura cepa.
j Creo que soy Acuario.

3 ✏ **Copia y completa la ficha para Jorge.**

Apellido ....

Nombre ....

Edad ....

Nacionalidad...

Cumpleaños ....

Domicilio ....

Otra información ....

4 🎤 **Escucha a Mari Ángeles. Completa una ficha para ella.**

5 ✏ **Copia y aprende de memoria las palabras interrogativas. ¿Qué tienes que recordar cuando escribes una pregunta en español?**

HABILIDADES

Asking questions is one way to start and keep a conversation going. As soon as you see a question mark in Spanish you need to think about the intonation of your voice.

6 ✏ **Usa las mismas preguntas y responde con tus datos personales.**

7a 🎤 **Escucha la entrevista con Lorena. ¿Verdadero, falso o no mencionado?**

1 Lorena es de la capital, Madrid.
2 Tiene dos ídolos.
3 Le gusta el baile moderno.
4 Es Capricornio.
5 No tiene empleo.

7b 🎤 **Escucha la entrevista otra vez y escoge la respuesta adecuada.**

1 Lorena tiene (dieciocho/diecinueve/diecisiete) años.
2 Vive al (sur/este/oeste) de la capital.
3 Le gusta (cantar/bailar/escribir).
4 Su familia vive en (Madrid/Murcia/Ávila).
5 Quiere seguir (trabajando/bailando/cantando).

8 👥 **Inventa unas respuestas para Lorena a las preguntas no contestadas de la página 12. Haz la entrevista con un(a) compañero/a. ¿Quién pronuncia mejor?**

9 ✏ **Escribe los verbos completos: cantAR, comER, vivIR.**

10 📖✏ **Lee la presentación de Jorge en la página 12 otra vez y analiza los verbos en rojo. Escribe la forma del infinitivo para cada verbo. ¿Son regulares, irregulares, reflexivos o radicales?**

Remate

11 👥 Imagine that you are one of the celebrities. Find the facts to answer the questions from page 12 in an interview. A asks the questions and B answers as the celebrity.

12 ✏ Imagine that you want to go in for *Telón Abierto.*

- Fill in a form with your personal details.
- Write a paragraph describing yourself, using the written and oral examples.

G adjetivos (1) **V** descripciones **P** leer en voz alta **H** escribir frases más complejas

1a Escucha. ¿Se trata de la familia A, B o C?

1b Escucha otra vez y anota las preguntas.

1c Usa las preguntas de 1b para hacer preguntas a un(a) compañero/a sobre la tercera familia.

2a Escucha y rellena la tabla. ¡Ojo! – los adjetivos concuerdan (ver página 22).

nombre	pelo	cara	nariz	ojos
Lorena	larg**o**	redond**a**	pequeñ**a**	negr**os**

2b Escucha otra vez y escoge la palabra correcta.
Ejemplo: *Lorena tiene el pelo largo y (~~negra~~/negro).*

1 Lorena tiene el pelo largo y (negra/negro).
2 Jorge es bastante delgado pero (bajita/bajito)
3 Isidoro es (andaluza/andaluz), de Málaga.
4 Mari Ángeles tiene los ojos grandes y (bonitas/bonitos).
5 Lorena cree que tiene las orejas (feas/feos).

2c Explica por qué has eliminado cada palabra.

2d Ahora describe a ti mismo/a.

3a Lee en voz alta la inscripción de Lorena y graba tu voz. ¿Qué tal tu pronunciación?

Estoy encantada de poder inscribirme como candidata al concurso Telón Abierto y por la foto puedes ver que soy morena, joven y tengo el pelo bastante largo.

Primero voy a dar mis datos personales: tengo diecisiete años y soy alta y delgada porque me encanta hacer deporte. Soy una fanática del baile y practico todos los días si puedo. Tengo muchos amigos y un novio muy guapo que se llama Vicente que tiene la misma edad que yo. Vamos al cole juntos así que nos vemos todos los días.

Mi familia es un poco grande – somos siete en total con mis abuelos, mis dos hermanos mayores y vivimos en una finca donde hay varios animales incluyendo dos perros traviesos; siempre hay mucha gente en casa, a veces demasiada. Mis padres son un poco estrictos pero muy simpáticos y generosos. Aquí en Ávila lo pasamos bien siempre.

Lorena Villalba

3b Escucha las preguntas y busca las respuestas en el texto de 3a.

HABILIDADES

One way to help you write longer sentences is to use connectors or conjunctions. Here are some examples, but what do they mean?

pero donde porque que

4 Lee el email (actividad 3a, página 14) otra vez y señala los conectores.

5 Completa las frases con un conector.

pero   donde   con quienes   porque   que

a Nunca estoy aburrida en casa ... siempre hay algo que hacer.
b No me gusta ver la tele mucho ... sí me encanta bailar.
c Tengo dos perros ... son bastante traviesos.
d Tenemos una finca en el campo ... siempre hay mucha gente.
e Tengo muchos amigos ... practico deporte.

6 Describe oralmente a tu mejor amigo/a. Usa las preguntas para ayudarte.

● ¿Cómo tiene el pelo/los ojos/la cara/la nariz?
● ¿Tiene una cicatriz/un lunar/una tatuaje/un piercing?
● ¿Lleva gafas?

7 Busca las parejas de antónimos. ¿Cuántos conoces ya? Anota lo que significan en inglés.

reservado/a   perezoso/a   agradable   sociable
cobarde   generoso/a   alegre   trabajador(a)
paciente   formal   tonto/a   hablador(a)   egoista
serio/a   inteligente   callado/a   divertido/a   triste
impaciente   informal   desagradable   valiente

8 Piensa en una persona de la clase. Tus compañeros/as tienen que hacer preguntas por turnos para adivinar en quién piensas.

¿Tiene el pelo largo o corto?   ¿Es guapo o feo?
¿Es tímido o extrovertido?

9a Escucha. ¿Quién es?

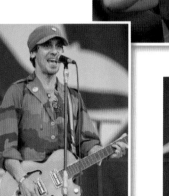

9b Ahora describe a otro ídolo. Tu compañero/a tiene que adivinar quién es.

Remate

10 Ask and answer these questions.

a ¿Cuántas personas hay en tu familia?
b ¿Cómo se llaman tus padres?
c ¿Tienes hermanos o hermanas?
d ¿Cuántos años tienen?
e ¿Cómo son?

11 Write a text about your real or imaginary family, using the final paragraph of Lorena's e-mail as a model. Try to write at least 100 words.

1A Cómo hablar de tu rutina diaria

G verbos reflexivos y el futuro inmediato V rutinas diarias H ensayar lo que va a decir

Lorena describe su rutina matinal

En la finca todos nos levantamos temprano porque siempre hay mucho que hacer. Primero se despierta mi padre y normalmente sale con los perros a dar una vuelta. Luego me levanto yo porque me gusta ducharme antes que los otros. Los días de semana, como no tengo que ponerme uniforme para el cole, me pongo vaqueros y camiseta y los fines de semana si salgo con mis padres me pongo ropa mejor. Me gusta tomar un buen desayuno y luego salgo a encontrarme con mis amigos y vamos caminando o en bus para el cole.

Al llegar allí entramos en el aula y charlamos y sacamos los libros para la primera clase de la mañana.

1 Lee el texto e indica si las frases son verdaderas, falsas o no mencionadas.

a Lorena se levanta antes que su padre.
b Le gusta hacer mucho en la finca.
c Su padre pasea a los perros primero.
d A Lorena le gusta bañarse primero.
e Los sábados no tiene que ponerse ropa del cole.
f No le gusta desayunar mucho.
g A veces va a pie al cole.
h Habla con el profesor al llegar al aula.

GRAMÁTICA

Reflexive verbs

Remember: when you look them up in a dictionary you will find the pronoun *se* attached to the end of the infinitive: *llamarse, levantarse*

You do need to put the reflexive pronoun before the verb but you don't need to use the personal pronoun unless you want to emphasise who is performing the actions. *Ella se llama Lorena pero* **yo** *me llamo Jorge.*

2a Escucha la conversación y contesta a las preguntas. ¿Quién ...

1 se levanta tarde?
2 sale a divertirse los sábados o domingos?
3 no se aburre en casa?
4 se peina y se maquilla?
5 se duerme temprano?
6 se acuesta tarde?
7 come un desayuno ligero?
8 sigue una rutina fija?

2b Completa las frases con un verbo adecuado de la lista de abajo.

Mari Ángeles dice que Isidoro (1) ...... vago porque (2) ...... tarde. Isidoro (3) ...... tarde porque muchas veces (4) ...... con un grupo. Mari Ángeles (5) ......con sus amigos los fines de semana. Ella no (6) ...... en casa porque le gusta (7) ......y (8) .... Isidoro no puede (9) ...... temprano porque siempre (10) ...... mucha hambre por la noche y come tarde.

> acostarse maquillarse se aburre tiene peinarse
> toca se acuesta es se levanta se divierte

HABILIDADES

Rehearse what you want to say in advance

Practise thinking in Spanish: it gives you more confidence when you actually speak!

Think about what questions you want to ask about daily routines and rehearse how you might answer if the same questions were put to you. For example:

¿A qué hora te levantas normalmente?

Pues normalmente me levanto a ...

3 Practica solo/a. Piensa en lo que vas a decir para describir lo que haces por la mañana antes de ir al cole. Usa despertarse, levantarse, ducharse, peinarse, etc.

4 Lee el texto 1 otra vez e indica los verbos reflexivos.

Castillos en el aire – si gano el premio

GRAMÁTICA

The immediate future

In Spanish this tense is used just as it is in English, to say what you are going to do or what is going to happen in the near future.

Ir + a + infinitive of the verb of action.

Voy a comprar un nuevo tambor.

¿Tú qué vas a hacer?

Mari Ángeles va a estudiar.

Vamos a competir por el premio.

¿Vais a bailar esta noche?

Jorge e Isidoro van a tocar salsa.

Don't forget that the pronouns go on the end of the infinitive for reflexive verbs.

Mañana voy a levantarme tarde.
¿A qué hora vas a levantarte tú Isidoro?

5 ¿Qué va a hacer Isidoro? Escribe cinco frases.
Ejemplo: Isidoro va a levantarse tarde.

6 Escucha a Lorena y a Mari Ángeles y contesta a las preguntas.

a ¿A qué hora va a levantarse Lorena?
b ¿Qué va a hacer primero?
c ¿Dónde van a tomarse el desayuno?
d ¿Qué piensa hacer Mari Ángeles antes del desayuno?
e ¿Por qué van a bañarse después de desayunar?
f ¿Quién va a esperar hasta el último momento y por qué?

7 Lee y completa la nota usando las palabras de la casilla.

estamos real la mañana beber temprano

¡OJO!

Lo siento mucho amigas mías pero la realidad es que mañana …

vais a tener que levantaros (1) ……; vais a estudiar durante toda (2) …… y después os toca practicar toda la tarde. Ya cuando (3) …… bien cansados vamos a comer pizza en vez de caviar y vamos a (4) …… agua en vez de champán – bienvenidas a la vida (5) ……!

¡Un besote de Jorge¡ xxxxxx

Remate

¡Vamos a celebrar un día inolvidable!
¡Finalista del concurso!
¡Le esperamos mañana con toda su familia!
¡Prepárese para una entrevista!

8 Prepare an interview about what you are going to do for the finals of the competition.

9 Your partner thinks of the questions and you prepare the answers
Example: **1** *¿A qué hora vas a levantarte?*

10 Write a brief paragraph about what your family is going to do.

G las preposiciones y la contracción 'al/del'   **V** describir la casa y las faenas

H ganar tiempo al hablar y chequear el trabajo escrito

 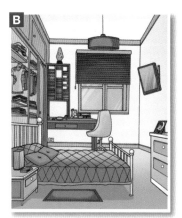  

1 Mira las imágenes. ¿Cuántos nombres de muebles conoces ya? ¿Quién tiene la lista más larga en menos tiempo?

2 Escucha. ¿De quién es este dormitorio?

GRAMÁTICA

Remember – *a + el = al*: *de + el = del*

Mi cama está debajo de la ventana y al lado del armario.

3a Lee y empareja las notas con una imagen. Haz una lista de todas las preposiciones.

1 Mi dormitorio es pequeño pero adecuado. Tengo una mesita de noche al lado del sofá-cama y entre el armario y la mesita de noche hay un espejo pequeño. Hay un baño al lado también.

2 Comparto mi dormitorio con mis hermanos pero no me molestan. Tengo muchos pósteres de mis músicos favoritos en las paredes y tenemos un equipo hifi encima del escritorio. Siempre pongo la batería al lado de la cama.

3 Mi dormitorio es amplio y siempre está limpio porque soy bastante ordenada. Recojo mis cosas todas las noches antes de acostarme. Tengo una estantería alta para todos mis compacts y enfrente del armario hay un televisor nuevo.

3b Por turnos con tu compañero/a pregunta y contesta. Trata de usar todas las preposiciones en tu lista de 3a.

¿Qué hay/tienes en tu dormitorio? ¿Dónde está tu cama/armario etc?

3c Compara los dormitorios.

1 ¿El dormitorio de Lorena es más desordenado que el dormitorio de Jorge?

2 ¿De quién es el dormotorio más recogido?

3 ¿Quién tiene el dormitorio menos ordenado de los cuatro?

4 Escribe una breve descripción de tu dormitorio. Cambia de papel con un(a) compañero/a. Trata de incluir todas las preposiciones de la actividad 2. Sigue los ejemplos escritos de 3a también.

HABILIDADES

Use 'fillers' to gain time when speaking.

Try to use some of the filler words from activity 4 below when you are speaking Spanish to give yourself time to think what you want to say.

4a Escucha la conversación y anota el orden en que se usan las frases.

vale   vaya   claro   guay   pues   me parece que tienes razón   ¿de veras?   de acuerdo   bueno

4b Inventa una conversación sobre tus rutinas diarias y tu casa y dormitorio. Sigue el ejemplo y trata de usar cada palabra o frase de arriba.

Ejemplo: Bueno, mi dormitorio es muy ordenado.

7a 📖 Lee lo que Jorge escribe sobre su vida en casa. ¡Ojo que hay unos errores!

Querida madre y hermanito

Os cuento que aquí todo voy bien en casa de los tíos. Todo me parece muy modernos: el apartmento, los muebles y la cocina también. Tiene dos banos, dos dormitios y sala comedor mediano. La cocina soy bastante pequeño y tiene aparátos domésticos como lavadora de ropa pero no de platos. Yo siempre ayudamos a la tía en la cocina – o friego o secar los platos y los guardo en su sitio.

Por la mañana hago el cafe y desayunamos juntos. Voy a pintar mi dormitório de azul claro con blanco. ¿De qué color tienen su dormitorio ahora el travieso de Manuelito?

¿Cómo sigue todo el mundo en Urubichá? Me los imagino sentados tranquilas en la terraza después de la cena. Mañana es la finales del concurso de modo que voy a madrugar y prepararme antes de las seis para tocar el violín un poco antes de comenzar el día.

¡Deséame mucha suerte!

Jorge

5a 🎧 Escucha y anota en qué orden se mencionan.

5b ✏ Ahora mira la lista para mañana y empareja los dibujos con las frases.

Voy a ...

1	arreglar la cama	**5**	pasar la aspiradora
2	poner la mesa	**6**	sacar la basura
3	regar las plantas	**7**	fregar los platos
4	limpiar el coche	**8**	hacer las compras

6 💬 Encuesta de clase. Pregunta a tus compañeros/as: ¿Qué haces para ayudar en casa? ¿Cuántas veces a la semana? ¿Cuál es la faena que más se hace y cuál menos? ¿Qué opinas?

> no/me gusta   es aburrido/divertido
> es justo/injusto   lo odio/no lo soporto

7b 📖 Ahora hay que chequear la carta. Indica cuáles son los errores y explica por qué son errores.

1 Comienza con los verbos: hay cinco errores.
2 Hay tres adjetivos que no concuerdan. ¿Cuáles son?
3 Verifica la ortografía. Hay cuatro palabras mal escritas.
4 ¿Los acentos faltan o sobran? Hay dos de cada ejemplo.

Remate

8 💬 Sit or stand back to back with a partner – one describes their bedroom and the other draws what they hear. Show it to your partner so that they can check what is right and what is wrong.

9 ✏ Write five sentences about the chores that you are going to do tomorrow. Don't forget to check your sentences carefully!

Example: 1 *Mañana prometo que voy a ...*

HABILIDADES

Correcting work and learning from your mistakes

How you are going to set about checking for mistakes?

1 Think verbs! Check for the correct person and ending, tense and reflexive pronouns.

2 Think adjectives: m, f, sing, pl, agreements.

3 Think spelling and accents.

G los adjetivos posesivos **V** cualidades personales **H** estrategias para hablar

1a Escucha, copia y rellena la tabla.

Nombre	Persona(s)	Descripción
Jorge		
Lorena		
Isidoro		
Mari Ángeles		

honrado/a amable vago/a alegre inteligente
travieso/a guapo/a mimado/a perfecto/a
estricto/a organizado/a quieto/a suave
generoso/a severo/a cariñoso/a
trabajador/a extrovertido/a servicial dulce
ruidoso/a amable quieto/a paciente simpático/a

1b Escucha otra vez. ¿Quién se queja de quién? ¿Por qué razón?

GRAMÁTICA

Possessive adjectives

These show who or what something belongs to. They come before the noun and take the place of *un/una/unos/unas* or *el/la/los/las*. Like all adjectives they agree with the noun they describe but in most cases the feminine form is the same as the masculine.

singular		plural	
masc	**fem**	**masc**	**fem**
mi	mi	mis	mis
tu	tu	tus	tus
su	su	sus	sus
nuestro	nuestra	nuestros	nuestras
vuestro	vuestra	vuestros	vuestras
su	su	sus	sus

2 ¿A quién te pareces tú? ¿A quién te gustaría parecerte?
Ejemplo: *Me parezco a mi padre porque los dos tenemos la nariz grande/chata/respingada*

GRAMÁTICA

Personal 'a'

Remember to use the personal '*a*' when you refer to a specific person but not when you use the verb *tener*.

Tengo dos hermanitos pero a veces no quiero a mis hermanitos porque son pesados y traviesos.

HABILIDADES

Learn some key phrases to help you avoid uncomfortable silences.

¿Puede usted repetir la pregunta/la frase/la respuesta/la palabra?
Perdón, pero no entiendo bien.
No lo sé, pero creo que ...
No estoy seguro/a pero me parece que ...

3 Con tu compañero/a prepara una entrevista formal sobre la familia. Usa cada frase de arriba para ganar tiempo cuando no sabes lo que vas a decir.

- ¿Cuántas personas hay en tu familia? Hay ...
- ¿Quiénes son? Son ...
- ¿Cómo es ...? Es ...

4 ¡A jugar¡ La clase entera. Cada persona debe escribir una respuesta. Tomad turnos para leer en voz alta tu respuesta. Si tienes la misma respuesta que la persona anterior − sal del ciclo.

- ¿A quién te pareces?
- ¿Por qué?
- ¿A quién te gustaría parecer y por qué?

5 Escribe una lista de palabras que describen características buenas y otra lista de características malas. Compara tu lista con la de tu compañero/a.

6a Lee y empareja cada carta con una solución adecuada.

    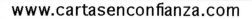

www.cartasenconfianza.com

¡A corazón abierto!

Escriba su problema con toda confianza. Va a recibir una respuesta de inmediato.

1

Mi mejor amiga tiene un novio que es bastante antipático en mi opinión. No sé cómo explicarle por qué creo que no le gusto a ese muchacho.

Por ejemplo no habla conmigo; no me invita a tomar una copa con ellos; no me acompañan a casa después del cine. En fin me parece que es una persona poco sociable y hasta impaciente conmigo.

¿Cómo voy a hablar con mi amiga sobre este problema?

Teresa (de Ávila)

a

¡Un poco de paciencia! Los días de colegio trata de respetar lo que dicen ellos pero los fines de semana trata de inventar un programa para salir a hacer deporte por la tarde. Si dices la hora cuando vas a regresar a casa estoy seguro que no va a haber tanto problema. Trata para ver.

2

Tengo un grave problema con mis hermanos menores. Siempre tengo que estar con ellos porque mis padres trabajan mucho y regresan tarde durante la semana. Mis hermanos no me respetan; son muy traviesos; siempre ven la tele cuando quiero hacer mis deberes; siempre cogen mi portátil y tratan de abrir mis emails. Total que yo no tengo ni un momento para mí y no tengo nada de privacidad en mi casa.

Estoy desesperada pero no quiero hablar con mis padres de eso porque sé que ellos tienen mucho trabajo. ¿Qué hago?

Claudia

b

Creo que tienes un problema bastante difícil a resolver. No es justo lo que pasa pero tampoco hay una solución obvia. Explica lo que pasa a una amiga y a ver si entre las dos no pueden controlar a estos niños rebeldes. Puedes llevarles al parque a jugar un rato y cuando están cansados van a regresar un poco más calmados a casa. ¡Buena suerte!

3

Tengo casi diecisiete años y no tengo muchos amigos porque mis padres no me dejan salir de noche. Dicen que es peligroso y además que tengo que estudiar para ir a la Universidad.

Comprendo que me quieren y no me gustaría ofenderles pero también creo que debo tener un poco más de libertad a mi edad. ¿Verdad? ¿Cuál es su opinión?

Marta

c

Voy directo al grano! Me parece que no es tu amiga que tiene el problema con este muchacho. En mi opinión eres tú que tienes el problema. Por lo visto ellos no quieren salir contigo pero no saben cómo decirtelo. Trata de no salir con ellos tanto, sobre todo al cine. A lo mejor quieren estar a solas y no acompañados.

6b Busca en las cartas frases que signifiquen:

> he doesn't like me   they come home late
> I don't have any privacy
> don't let me go out at night   at my age
> between the two of you   go straight to the point

Remate

7 Invent a problem and, following the example above, write a letter about it to *Corazón abierto*. Swap letters with a partner and write a reply.

8 Take it in turns to read the replies aloud. Who has the best accent? Correct any mistakes in the replies. Who made fewer mistakes?

1A Gramática en acción

NOUNS AND ADJECTIVES

Spanish nouns are either masculine, feminine, singular or plural, and adjectives agree with the noun they describe.

Adjectives	masculine	feminine
Many adjectives end with the vowels	o	a
Some end with the vowel	e	e
Others end with a consonant	s	s
	n	n
	l	l

To make an adjective plural add *s* to a vowel and *es* to a consonant.

Some adjectives lose their final *o* before a masculine singular noun:

> buen mal primer tercer ningún algún

Grande becomes *gran* before both masculine and feminine singular nouns.

Irregular nouns

These common nouns have endings which mislead you as to gender: *el día, el mapa, la mano, la radio*.

1 Choose the correct word from the box below and complete the text.

> Me gusta mi casa porque es (1) .... Tiene un jardín (2) ...... con (3) ...... árboles frutales y flores (4) ....
>
> Hay una cocina (5) ...... que tiene bastante aparatos (6) .... El comedor es (7) ...... con una mesa (8) .... Mi dormitorio está en el (9) ...... piso y paso (10) ...... horas allí muy contenta.

> domésticos segundo muchas amplio redonda
> bonita cultivado azules varios organizada

VERBS

The infinitive is the form you will find when you look a verb up in a dictionary.

In Spanish there are: a) regular verbs, b) reflexive verbs, c) radical-changing verbs and d) irregular verbs which fall into three groups identified by the last two letters of the infinitive form: *-ar, -er, -ir*.

2 What kind of verbs are these: a, b, c, or d?

> ir levantarse querer comer tener jugar
> escribir llamarse preferir hablar hacer
> correr estudiar ser poder estar vivir

3 Complete the verb table with the correct part of the verb (a–h).

ir	ser	jugar	querer	tener
voy	soy	juego	a	tengo
vas	b	juegas	quieres	tienes
va	es	juega	quiere	c
d	somos	e	queremos	tenemos
vais	f	jugáis	g	tenéis
van	son	juegan	quieren	h

4 Choose the correct verb.

a Isidoro (tener/tiene/tienes) veintiún años.
b Jorge (vives/vivimos/vive) en la capital, Madrid.
c ¿Mari Ángeles y Lorena (eres/sois/es) buenos estudiantes?
d Lorena y yo (van/va/vamos) a ganar el premio.
e Creo que todos (querer/quieren/quiere) ganar el concurso.

5 Complete the sentences with the correct reflexive pronoun.

Pues te cuento que aquí en Madrid (1) ...... levanto bastante temprano todos los días porque los tíos (2) ...... levantan temprano. Tienen la costumbre de despertar ...... (3) a las seis y siempre (4) ...... bañan en seguida. Normalmente (5) ...... tomamos un café con leche y pan para el desayuno. Espero que (6)...... dediques todavía al violín porque pronto podremos encontrar ......(7) aquí en Madrid y vas a ver lo fenomenal que (8) ...... pasa aquí en España.

THE PRESENT TENSE

This is used to say what is happening now or happens regularly.

6 How do you form the present tense of regular verbs? Choose three regular verbs, one for each group (-*ar*, -*er*, -*ir*) from the box in question 2 and write them out in full, showing the endings clearly. How many more can you add to this list for each group from memory?

7 How do the pronouns change in reflexive verbs? Write out *levantarse* in full and show the pronouns clearly.

8 How is the vowel change for radical-changing verbs shown in the dictionary? Show examples from the box in question 2. Choose one for each type of radical change (*ue/ie*) and write them out.

9 There are five common irregular verbs in the box in question 2. Write them out in full on cards. Use the first letter of each verb to make up a rhyme to help you remember which they are.

10 Play a game of 'guess the infinitive'.

Example: *soy* = *ser*. irregular verb
vivo = *vivir*. regular -*ir* verb

| tenéis vamos puedo escribís compro hacen |

11 Complete the questions with the correct form of the verb.

a ¿A qué hora os ... (despertarse) por la mañana?
b ¿Qué ... (preferir) tomar para el desayuno?
c ¿... (Tener que) llevar uniforme al cole?
d ¿Cómo ... (ir) al colegio?
e ¿A qué hora ...(salir) del colegio?

12 In pairs, ask and answer the questions above correctly giving your own information.

13 What two things do you have to remember when asking a question in Spanish?

● writing:
● speaking:

14 Remember what you learnt about writing longer sentences! Complete the sentences with a word from the box below.

a A menudo estoy aburrido en casa ... no hay nada que hacer.
b No me gusta leer libros ... me encanta ver la tele.
c Mi hermano menor tiene un perro ... se llama Ché.
d Tenemos una casa en el campo ... siempre pasamos las vacaciones.
e Tengo muchos amigos ... juego al baloncesto.

| pero   donde   con quienes   porque   que |

15 Write a list from memory of the chores you are going to do tomorrow.

16 Write descriptions of these people. Ask a partner to check them for you.

17 In pairs, each make up the personal facts for a contestant in a TV show.

● Interview the contestants for the show. Use your fact sheet to answer.
● Try to remember the details and describe the contestants.
es ...   tiene...   su color ...   vive ...   trabaja ...

In this unit you've learnt how to ...

Hablar

1 Sound as Spanish as possible.

Remember the five vowels are always pronounced the same way in Spanish.

a – Ana   e – Enrique   i – Isidro
o – Osorio   u – Urubichá

aaaaa!
eeeee!
iiiii!
ohhh!
uuuuu!

❑ Practise in front of a mirror and watch the way your mouth and lips move. Now exaggerate the movements and check how this improves the sound you make. Practise with all the names you have used in this unit.

❑ If one of the letters in a Spanish word has an accent, that letter has the strongest emphasis, as in Mari Ángeles. Listen and repeat:

Bea la fea, tenía diecisiete años y fue al baile con su novio Juan.

Bailó veinte tangos y cuatro fandangos, luego fueron a la tienda por pan.

Le cogió de la mano y le dio un gran abrazo y volvieron a casa juntitos.

Te quiero amor mío dijo Bea la fea y se dieron un montón de besitos.

❑ Practise saying different consonants. Listen and repeat. Then make up more examples of your own.

Celia come cinco cerezas pero Cecilio se zampa diez.

Jorge Jiménez, el general juega con Jacinta, la girafa de Jaén.

Víctor es mi perro pequeño y Vicente Núñez es cómo me llamo.

❑ Practise reading aloud. Read as much as you can aloud to practise sounds and hear yourself speaking Spanish. Take turns to read aloud Jorge's text on page 12 again. Give each other marks out of ten and comment on which words need more practice.

2 Ask questions to keep a conversation going.

❑ How many question words can you remember that begin with the letter 'c'? Make a list. Then write down all the other question words that you have learnt in this unit. Make up a jingle or rap to help you remember them or sing them to your favourite tune.

❑ Practise intonation. As soon as you see the question mark at the beginning of a sentence, think about the intonation of your voice. Practise and listen to the difference:

Hablas español	*¿Hablas español?*
Viven en Francia	*¿Viven en Francia?*
Tienes quince años	*¿Tienes quince años?*

3 Rehearse what you want to say in advance.

❑ Revise the *Remate* sections from this unit and repeat your answers in your head.

❑ Prepare a conversation about what you're going to do this afternoon after school.

4 Avoid awkward silences by using filler words while you pause to think about what you want to say.

pues   vale   vaya   claro   guay   me parece que no lo sé   tienes razón   bueno

❑ Listen to the conversation in activity 4a on page 18 again. How many fillers can you hear?

❑ Make up another conversation like the one on page 18, using as many fillers as you can.

Escribir

5 Extend your sentences.

❑ How many linking words can you remember in Spanish? Make a list. Think of some more in English and look them up in a dictionary.

❑ Now write the longest sentence you can. Compare yours with the rest of the class. Who has managed to write the longest sentence? Can you spot any mistakes in it?

6 Check your work carefully.

❑ What two main points do you need to remember when you check verbs? Write down a list of the other parts of a sentence you need to keep an eye on when checking your work. Make up a poster to remind you, and use it regularly until you know it by heart.

Jorge

Mari Ángeles

Lorena

Isidoro

Oral

Interview the family member of a contestant on *Télon Abierto*.

1 Work in pairs. Jorge, Mari Ángeles, Lorena or Isidoro are all contestants on the TV show *Télon Abierto*. Decide whose family member you would like to interview in order to find out more about the contestant. One of you will be the TV presenter conducting the interview, and one you will be the family member.

2 Revise all the information given about the character in this unit. Make sure that you can answer all of the questions.

3 With your partner, make up further questions to try to find out the truth about the contestant's personality and family relationships. The interviewer will be trying to get a sense of the contestant as a real person, so prepare questions about their background, their habits and daily life.

4 Rehearse your respective parts.

5 Carry out your interview in front of the class, who are the studio audience. Be prepared to answer any questions they may have. Use filler words if you need time to think about your replies!

Escrito

Write a horoscope for Jorge, Mari Ángeles, Lorena or Isidoro.

1 Work in small groups. Decide which character to write the horoscope for. Which star sign are they?

2 In Spanish, brainstorm adjectives to describe the typical characteristics of people with this star sign.

3 Use this, and what you already know about the character, to decide how to fill in each section of the horoscope:

Signo	
Personalidad	
Le gusta ...	
No le gusta ...	
Mayor virtud	
Peor defecto	
Se parece a ...	
Se lleva bien con ...	

4 Each member of the group writes the text for one of the boxes.

5 Swap horoscopes with another group so that you can check the accuracy of each other's writing.

6 Working individually, write a letter to *Corazón abierto* complaining about a problem you are having with the character you have chosen.

Cómo dar tus datos personales (p. 12 y 13)

¿Cómo te llamas?	*What is your name?*
¿Cuál(es)?	*Which of several?*
¿Cuánto/a/os/as?	*How many?*
¿Qué?	*Which? What?*
¿Quién(es)?	*Who?*
el baile	*dance*
el/la cantante	*singer*
el domicilio	*home address*
la edad	*age*
el noreste	*north east*
el país	*country*
aspirar a	*to hope to, aspire to*
mezclar	*to mix*
seguir los pasos	*to follow in the footsteps*
tener éxito	*to be successful*
chiquito/a	*very young, little*
oriundo/a	*native of*
actualmente	*at the moment, now*

Cómo describir a tu familia y a tus amigos (p. 14 y 15)

la cara	*face*
la finca	*farm*
la nariz	*nose*
un(a) novio/a	*boy/girlfriend*
los ojos	*eyes*
las orejas	*ears*
el pelo	*hair*
alto/a	*tall*
bajito/a	*short, small*
bonito/a	*beautiful*
delgado/a	*slim, thin*
demasiado/a	*too much/many*
encantado/a	*very pleased*
feo/a	*ugly*
largo/a	*long*
mayor(es)	*older*
mismo/a	*same*
redondo/a	*round*
travieso/a	*naughty*

Cómo hablar de tu rutina diaria (p. 16 y 17)

aburrirse	*to get bored*
acostarse (ue)	*to go to bed*
despertarse (ie)	*to wake up*
divertirse	*to have a good time*
ducharse	*to have a shower*
maquillarse	*to put on makeup*
peinarse	*to do one's hair*
relajarse	*to relax*

tener hambre	*to be hungry*
vestirse (i)	*to get dressed*
en seguida	*straight away*
siempre	*always*
tarde	*late*
temprano	*early*
vago/a	*lazy*

Cómo sobrevivir a las tareas domésticas (p. 18 y 19)

un armario	*wardrobe*
la cama	*bed*
el dormitorio	*bedroom*
un escritorio	*desk*
un espejo	*mirror*
los muebles	*furniture*
la ventana	*window*
al lado de	*next to, at the side of*
al pie de	*at the foot of*
debajo de	*underneath*
delante de	*in front of*
encima de	*on (top of)*
enfrente de	*opposite*
entre	*between*
junto a	*next to*
por el suelo	*on the floor*
sobre	*on (top of)*
compartir	*to share*
quejarse	*to complain*
desordenado/a	*untidy*

Cómo hablar de la vida en casa (p. 20 y 21)

cariñoso/a	*loving*
dulce	*sweet (natured)*
egoísta	*selfish*
mimado/a	*spoilt*
pesado/a	*annoying (lit: heavy)*
quieto/a	*quiet/calm*
ruidoso/a	*noisy*
trabajador(a)	*hard working*
aconsejar	*to advise*
ayudar	*to help*
dejar	*to allow*
llevarse bien con	*to get on well with*
parecerse a	*to look like*
tomar una copa	*to have a drink*
tratar de	*to try to*
ambos	*both (of them)*
buena suerte	*good luck*
el equipo	*team*
al igual que	*the same as*

1B Nuestro entorno

¿Ya sabes cómo ...

- ☐ describir donde vives?

- ☐ comparar diferentes lugares?

- ☐ solicitar información sobre una ciudad?

- ☐ solucionar problemas de transporte?

- ☐ describir un viaje?

¡Es fácil!

Escenario

- Una escena cómica donde todos quieren ayudar a un viajero confuso.
- Escribe a un amigo español que va a visitar.

Habilidades

Leer

When reading Spanish, how do you ...
- find the right information to answer a question?
- identify specific details?
- decipher the meaning of a sentence without understanding every word?

Escuchar

When listening, how do you ...
- identify people's opinions?
- predict what you are going to hear?
- make accurate inferences?
- predict and keep track?

Gramática

As part of your Spanish 'toolkit', can you ...
- use *tú* and *usted* correctly?
- use the preterite and imperfect?
- use the comparative and superlative?
- use *este*, *ese* and *aquel* accurately?

G imperfecto **V** adjetivos **H** comprensión

David Bustamante, cantante y oriundo de San Vicente de la Barquera, nos habla de su pueblo natal

Realmente me encanta San Vicente de la Barquera. En mis viajes por el mundo, siempre echo de menos mi pequeño pueblo. Hoy es un pueblo bastante turístico, con nuevos hoteles, restaurantes, bares y actividades en las playas. Cuando yo era joven, San Vicente era muy bello y muy verde, con los bosques, su castillo pintoresco y la costa sin nadie. Pero no había mucho que hacer para los jóvenes. Yo dejé el instituto a los dieciséis años y fui a trabajar para mi tío en su empresa de construcción. No había futuro para mí como cantante en San Vicente, pero no quería abandonar el pueblo. Me gusta porque es tan tranquilo, no quiero vivir en una ciudad ruidosa. Ahora tengo varias casas preciosas en diferentes partes del mundo, pero siempre en lugares que me recuerdan a San Vicente.

1 📖 En el texto sobre San Vicente de la Barquera, busca:

- personas y lugares
- adjetivos para describir lugares
- opiniones
- palabras que denominan el tiempo
- palabras para conectar o separar ideas

2 🎧 Escucha y lee a la vez.

3 🎧 Escucha otra vez y contesta a las preguntas.

    a ¿De dónde es David?

    b ¿Le gusta o no su pueblo?

    c ¿Cuáles son los aspectos positivos?

    d ¿Cuáles son los aspectos negativos?

    e ¿Cómo ha cambiado?

GRAMÁTICA

Useful expressions for describing places

es/no es: it is/isn't

era/no era: it was/wasn't

hay/no hay: there is/there isn't

había/no había: there was/there wasn't

4 🖊 ¿Que significan esas palabras? Luego haz frases sobre San Vicente de la Barquera.

Ejemplo: San Vicente de la Barquera es un pueblo pintoresco.

> mucho que hacer   concurrido
> bosques hermoso feo industrial
> pintoresco histórico cultural
> moderno oportunidades
> grande emocionante

5 🎧 Mira las cuatro fotos (página 28). Haz una lista del vocabulario necesario para describirlas. Escucha y haz corresponder las tres descripciones con las fotos.

6 🎧 Escucha y deduce quién va a quedarse allí donde vive, y quién va a abandonar el lugar.

Ejemplo: Persona A va a abandonar el lugar.

7 🎧 Apoderarse de vocabulario: Escucha otra vez y apunta estas palabras en español:

Ejemplo: sucia – dirty

> dirty   so many people   a good job   convenient   advantages
> when I want   the only problem   expensive
> I get bored   too   nobody   ugly   depressing

HABILIDADES

Expressing and Justifying Opinions

Dar una opinión →		→ Dar una razón		→ Continuar
Me gusta	vivir en la ciudad	(no) es	verde	y
No me gusta	vivir en el campo		tranquilo	pero
Me gustaría	vivir en las afueras		concurrido	por ejemplo
No me gustaría	vivir en la		...	entonces
Me encanta	montaña	(no) hay	mucho que hacer	sin embargo
Odio	vivir en la costa		oportunidades	
			muchas	
	porque ...		facilidades	
			...	

Remate

8 🗣 Use the expressions in the *Habilidades* box to help you talk about the places in the photos.

Example:

Me gusta vivir en la ciudad porque es concurrida pero hay mucho que hacer, sin embargo no me gustaría vivir en el campo porque ...

9 🖊 Write a description of the place where you live. Make it possible to work out from this description whether you're intending to stay there or not.

G comparativos; pretérito **V** contrastes **H** comprensión

Su noche es mítica, también su vida en la calle, la forma en que sus habitantes acogen a los que vienen de fuera. ¿Cuáles son los conceptos que definen a Madrid? Una ciudad moderna y de moda. Una ciudad histórica y cultural de galerías y teatros. Una ciudad de tres millones de habitantes, con un ambiente íntimo y amistoso en las calles y en los bares. Una ciudad cosmopolita y a la vez muy española. Una ciudad verde, que luce su título de Ciudad de Árboles. Y no te olvides de su club de fútbol, Real Madrid, la casa de estrellas tan brillantes como Raúl González. Madrid. La capital, y el verdadero corazón de España.

Municipio costero de Cantabria, San Vicente de la Barquera se sitúa en el noroeste de España. Sus 4 mil habitantes se reparten entre nueve núcleos poblacionales. San Vicente de la Barquera es un pueblo marinero por excelencia y el pueblo viejo es un conjunto monumental plagado de interesantes edificios y monumentos que le han merecido la declaración de Bien de Interés Cultural. Buena parte del municipio se integra en el Parque Natural de Ovambre, idóneo para caminar y observar la naturaleza. Por la gran belleza natural y patrimonial que alberga este enclave, el turismo es su principal fuente de ingresos. Actualmente su hijo más ilustre es el cantante David Bustamante que nació en el pueblo en el año 1982.

Situada en el Valle de Paravachasca, y con 43 mil habitantes, Alta Gracia es una de las ciudades más importantes de la Provincia de Córdoba, Argentina. Sus museos, sus monumentos y su historia la convierten en uno de los atractivos culturales más relevantes de esa zona de Argentina, hecho reconocido por la UNESCO con el palmarés de Patrimonio de la Humanidad. Es conocida por su hijo pródigo Ernesto "Che" Guevara, revolucionario e ídolo mundial. Punto estratégico para acceder a los centros turísticos como el circuito de carreras automovilísticas TC2000, y a tan sólo treinta y seis kilómetros de Córdoba, Alta Gracia es un lugar que no puede dejar de conocer.

Nombre:	*Madrid*
Situación:	*Capital de España*
Población:	_____
Características:	*Contrastes: cultura, historia, moda*
Puntos de Interés:	*Galerías,* _____
Deporte/Recreación:	_____
Título:	*Ciudad de los Árboles*
Personajes:	_____

1a 📖✏️ Lee el texto sobre Madrid. Copia y completa la ficha.

1b 📖✏️ Ahora lee los textos sobre Alta Gracia y San Vicente de la Barquera y escribe unaficha parecida.

2 🎧 Escucha las descripciones de cuatro lugares en Inglaterra. Identifica una ciudad 'gemela' para los tres lugares de arriba.

3 🎧 Escucha otra vez. ¿Quién o quiénes? (Alonso, Ana, Rafa, Marta).

- **a** Ya visitaron el lugar que describen.
- **b** Mencionan personas famosas que vivían allí.
- **c** Hablan de un centro turístico.
- **d** Habla de la ciudad más grande.
- **e** Habla de una ciudad que puedes identificar.

GRAMÁTICA

Preterite tense

verbos en -ar	verbos en -er/-ir	algunos irregulares
visité – I visited	*comí* – I ate	*fui* – I went, *vi* – I saw, *hice* – I did/I made

---

4 ✏️ Haz corresponder:

a	Saqué	**1**	un café
b	Bebí	**2**	fotos
c	Exploré	**3**	una excursión
d	Hice	**4**	la capital

5 👥 Mira las fichas sobre las tres ciudades (página 30). Usa algunos de estos verbos para hablar de una de las ciudades.

> fui a   visité   vi   leí sobre   me gustaría visitar
> (no) es   era   hay   había   tiene   tenía   parece
> está en   es famoso/a por   es conocido/a por   se puede

GRAMÁTICA

Comparatives

In English there are two ways of making comparison:

1. The town is **more** beautiful.
2. The town is bigg**er.**

The second way (with '-er') is similar to Germanic languages. The first way (with 'more ...') is similar to the way Spanish works. In Spanish, the comparative is formed with *más ... que* (more than), *menos ... que* (less than) or *tan ... como* (as ... as ...). The two exceptions are *mejor* (better) and *peor* (worse).

GRAMÁTICA

Demonstrative adjectives

Demonstrative adjectives are used to point out something and they agree with the noun they describe.

Esta ciudad es más bonita que aquella ciudad.
Este monumento es más interesante que aquel edificio.

---

6 📖 ¿Qué piensas? Decide si estás de acuerdo:

- **a** Londres es más grande que Madrid.
- **b** Madrid está menos concurrido que Londres.
- **c** Madrid no es tan caro como Londres.
- **d** Londres tiene un río más impresionante que Madrid.
- **e** Londres tiene tantos museos como Madrid.

7 🎧 Escucha y verifica.

8 🎧 Escucha otra vez. ¿Cuáles de estas frases oyes?

> como   a diferencia de   en comparación con
> a pesar de   mientras   aunque   en lugar de   tal vez

Remate

9 ✏️ Write a comparison between the place where you live and the places on page 30. Mention: the size of the place, any specific features or important monuments it has, and what there is to do there.

10 👥 Choose one of the three places. Prepare a debate in which you defend your preference against a partner who chooses another place.

Example:
Madrid es grande, pero no es tan bonito como ...

G tú y usted e imperfecto   **V** interrogativos e indicaciones   **H** escuchar; predicciones; solicitar información

1 Haz una lista de preguntas para entrevistar a una 'celebridad' sobre su ciudad.

> ¿dónde?   ¿qué?   ¿quién?   ¿cuándo?
> ¿a qué punto?   ¿por qué?   ¿cómo?   ¿cuánto?

2 Escucha sin apuntar, luego intenta recordar las preguntas que hace Malcolm.

Ejemplo: ¿Cómo es la ciudad?

3 Malcolm entrevista a Gabriela. Con un(a) compañero/a, haz el diálogo, utilizando la siguiente información.

- Gabriela Rentería: 16 años, nací aquí
- Ciudad: bonita ✓, moderna ✗, golf, cine, caminar, parques, casino, centro a pie, muy cerca
- Museo: de 9 a 19 Lun–Dom, calle Avellaneda, fotos, documentos, bicicleta, coche

> ¿Cómo te llamas?
> ¿Desde hace cuánto tiempo vives aquí?
> ¿Qué piensas de la ciudad?
> ¿Qué se puede hacer aquí?
> ¿Cómo se puede explorar la ciudad?
> ¿Se puede ver la casa de Che Guevara?
> ¿Sabes dónde está el museo?
> ¿Qué se puede ver en el museo?

4 Escucha y verifica.

5 Malcolm entrevista a la abuela de Gabriela. Escucha sin apuntar, luego intenta recordar sus respuestas.

> ¿Cómo se llama usted?
> ¿Desde hace cuánto tiempo vive aquí?
> ¿Qué piensa de la ciudad?
> ¿Cómo era antes?
> ¿Cómo ha cambiado?
> ¿Quién venía aquí?
> ¿Por qué?

6 Compara la forma de los verbos en las preguntas que hace Malcolm a Gabriela y a su abuela. ¿Cómo es diferente? ¿Por qué?

7 Utiliza las preguntas para hacer la entrevista con dos compañeros/as. Una persona hace el papel de Gabriela y la otra el de su abuela. A ver si contesta la persona correcta.

> ¿Dónde vive?   ¿Dónde vives?   ¿Cuántos años tienes?   ¿Cuántos años tiene?   ¿Cómo te llamas?   ¿Cómo se llama?   ¿Qué piensa de la ciudad?   ¿Qué piensas de la ciudad?   ¿Vives aquí desde hace cuánto tiempo?   ¿Vive aquí desde hace cuánto tiempo?   ¿Sabe dónde está el museo?   ¿Sabes dónde está el museo?

GRAMÁTICA

Imperfect tense

This is used to talk about what **used** to happen.

Había mucha gente.   There used to be a lot of people.

Se *alojaban* en los hoteles.   They used to stay in the hotels.

Era muy pobre.   It used to be very poor.

8 Separa las frases para hacer dos descripciones de Alta Gracia − cómo es hoy, y cómo era antes:

a Compraban una casa para pasar el verano.
b Vienen a pasar una sola noche.
c Bailaban en los hoteles.
d Visitan los monumentos.
e Jugaban al golf.
f Era el lugar 'de moda'.
g Es bastante turístico.
h Cenaban en restaurantes de lujo.
i Sacan fotos.
j Tenían mucho dinero.

9 Haz dibujos para illustrar el vocabulario. Inventa una historia en inglés.

> delante de ...   detrás de ...   enfrente de ...
> al lado de ...   a la izquierda ...   a la derecha ...
> entre ...   lejos ...   todo recto ...   cruzar la calle
> al final de la calle   en la plaza   cerca ...

detrás del hotel

delante del hotel

10 Copia y completa una tabla así:

Palabras equivalentes		Palabras opuestas	
seguir todo recto	*continuar*	subir	
torcer a la derecha		a la izquierda	
calle		detrás de	
cruzar		lejos de	
rodar		ir	

> cerca de   bajar   delante de
> dar la vuelta a   girar a la derecha   a la derecha
> continuar   avenida   volver   atravesar

11 Mira el mapa. Escucha a Malcolm en el Centro de Información. Identifica los lugares A−G en el mapa.

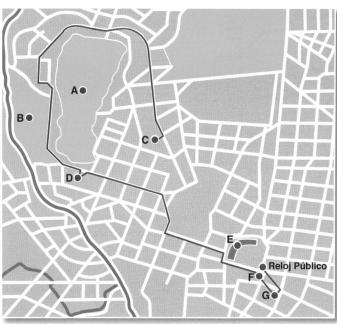

Reloj Público

> La Casa de Ernesto Guevara
> El Parque Garcia Lorca
> El Museo de la Ciudad
> La Iglesia
> El Club de Golf
> El Tajamar
> La Casa de Manuel de Falla

Remate

12 Can you show Malcolm a more direct route? With a partner, practise guiding him to different places on the map.

> hay que ir ...   tienes que ir ...   puedes ir ...   está ...

13 Design a leaflet with a route for exploring the place where you live. Include instructions, descriptions and interesting information.

G Contestar a preguntas   V transporte   H transferir lenguaje; buscar errores

El sistema de metro de Madrid tiene siete zonas, pero la mayoría de los lugares de interés turístico están dentro de la Zona A.

Un billete sencillo cuesta 1 euro. El billete Metrobús es válido para diez viajes, a un costo de 7 euros. Se pueden comprar en taquillas en las estaciones, en las máquinas o en quioscos de prensa.

Otra opción es comprar un Abono Turístico que puede tener una validez de 1, 2, 3, 5 ó 7 días. Deben de comprarse en la taquilla, ya que se necesita presentar el pasaporte. Los niños entre 4 y 11 años tienen un descuento del 50%.

El metro funciona desde las 6.30 hasta la una de la madrugada con trenes a intervalos de cinco minutos. Hay once líneas interconectadas que se identifican por su número y por su color. Hay mapas y señalización clara en los andenes.

Información correcta a la fecha de imprimirse

1   Lee y contesta a estas preguntas.

a ¿Cuántas zonas hay?
b ¿Qué zona cubre el centro de la ciudad?
c ¿Cuáles son los tipos de billete?
d ¿Qué precios y qué validez tienen?
e ¿Dónde se puede comprar los diferentes tipos de billete?
f ¿Si tienes 15 años, hay un descuento?
g ¿Está abierto las 24 horas del día?
h ¿Cómo se puede encontrar la ruta más directa?

2   Busca estas palabras clave. Tendrás que buscar en la página completa:

> ticket office   ticket   line   station   platform
> turnstile   machine   map   sign   discount
> Do I need to ...?   Is it cheaper if ...?   Is it worth ...?
> Isn't it?   Do I have to ...?   Do I go this way ...?

3   Lee y escucha al Señor. Descubre los cuatro errores según la información.

– Necesito ir al Parque del Retiro. ¿Cuál es la estación de metro más cercana?
– Necesita ir a la estación Retiro.
– Está en la línea 7. ¿Verdad?
– No, señor, está en la línea 13, la roja.
– ¿Necesito cambiar de tren?
– No, es directo. Está a unos cinco minutos de aquí.
– ¿Es más barato si compro diez billetes?
– Un billete de diez viajes cuesta 8 euros y un abono para un día cuesta 5 euros.
– ¿Vale la pena comprar un abono?
– Sólo si se va a hacer más de cinco viajes en un solo día.
– Bueno, compro un billete sencillo. Es 1 euro 50, ¿no?
– Aquí tiene.
– Gracias. ¿Tengo que validar el billete en la máquina?
– No, eso es para los abonos. Sólo hay que cancelarlo en el torniquete.
– ¿Cuándo es el próximo tren?
– Llegan cada tres minutos.
– Ah, sí, claro. ¿Voy por aquí a la izquierda?
– No señor, es el sentido contrario. Hay que seguir las señales para la línea roja, próxima estación Banco de España.

4 🎧 Escucha y apunta los datos en un billete.

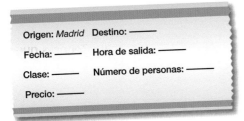

Origen: *Madrid*   Destino: ———

Fecha: ———   Hora de salida: ———

Clase: ———   Número de personas: ———

Precio: ———

5 📖👥 Lee y utiliza la información de abajo y haz seis frases en inglés sobre el **AVE**.

Ejemplo: The AVE is a high speed train.

6 🎧 Escucha y completa la información.

Terminales

Terminal para Iberia

Acceso

Tiempo requerido

Controles

Facilidades

Sevilla Santa Justa

El AVE es el tren de alta velocidad que conecta Madrid con Sevilla y Málaga en el sur, y con Barcelona en el este. Los tiempos de viaje son comparables con el avión, si tomas en cuenta la necesidad de llegar al aeropuerto con una hora de antelación. Los precios son altos, pero los trenes tienen muchas facilidades por ejemplo videos, canales de música, restaurantes, y actividades para niños. Hay tres clases: Club, Preferente, y Turista (el más barato). Además hay descuentos para compra de billetes con antelación o en Internet. Si el tren llega con retraso, prometen devolver el costo del billete.

Remate

7 🖊 Write a guide about how to use the transport in the place where you live. Follow the style of the information given on this page.

8 👤 Test your partner's knowledge. Ask them about the transport in Madrid. Who knows the most?

(G) superlativo (V) medios de transporte (H) leer: identificar detalles

Deja que el mundo te cambie, y puedes cambiar el mundo

En 1952 el **joven** Ernesto Guevara salió de Alta Gracia para hacer un viaje por **casi toda** América del Sur. Le acompañó su amigo Alberto Granado. **Juntos**, recurrieron más de catorce mil kilómetros. De Argentina, fueron a Chile, luego al Perú, Ecuador, Colombia, Venezuela y Panamá.

Empezaron en moto, una Norton 500cc del año 1936, llamada La Poderosa. Era un comienzo romántico, dos jóvenes **llenos** de esperanza en busca de nuevas experiencias. Pero después de **unos** tres mil kilómetros la moto empezó a tener problemas mecánicos. Tuvieron que caminar, pero no podían hacer grandes distancias a pie, entonces hicieron autostop. **Así** conocieron a la gente de los diferentes países. El contacto con los **obreros** y campesinos empezó a cambiar la filosofía de los dos amigos.

Más tarde, en las montañas de Chile, visitaron la mina de Chuquicamata, y viajaron en camionetas con los obreros que trabajaban en las minas.

Viajaban y trabajaban en condiciones de extrema pobreza y su vida era muy peligrosa. Guevara y Granado también compartieron camionetas para el transporte de animales – **cualquier** tipo de transporte para poder seguir su viaje.

En el Perú, Guevara y Granado trabajaron en un hospital para leprosos. Una noche, Ernesto cruzó el río Amazonas nadando, una distancia de cuatro kilómetros. Salieron del Perú en barco, y viajaron por el río Amazonas a Colombia y de allí fueron a Venezuela. Al final del viaje los dos amigos se separaron, y Guevara voló en avión a Miami.

---

1 📖 Busca rápidamente en el texto:

a los lugares, las personas, las formas de transporte
b números y cifras
c conectores y palabras que denominan el tiempo
d adjetivos, preposiciones
e verbos en el tiempo pretérito, verbos en el tiempo imperfecto

2 📖 Identifica los aspectos básicos:
● la ruta y el viaje
● el tema principal de cada párrafo

3 📖 Identifica detalles específicos:
● incidentes que ocurrieron
● opiniones o valores

4 🗣 Con un(a) compañero/a, lee los párrafos en voz alta, poniendo atención en la pronunciación.

5 📖 Mira las frases con palabras en negrita. Decide si son palabras que:

a ya conoces
b puedes adivinar
c puedes ignorar
d hay que buscar en el diccionario

6 📖 ¿Puedes decifrar cada frase?

7 📖 Evalúa en inglés tu nivel de comprensión: ¿Cuánto entiendes? ¿Qué grado de dificultad tiene el texto? ¿Cuáles son las estrategias más efectivas?

8 Lee el texto, y escoge el adjetivo más adecuado para cada forma de transporte que menciona.

> emocionante peligrosa práctico
> conveniente incómodo

DIARIOS DE MOTOCICLETA

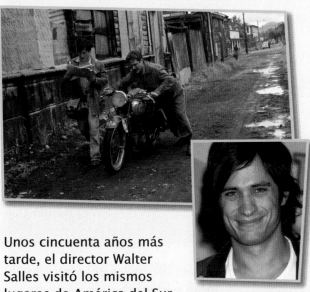

Unos cincuenta años más tarde, el director Walter Salles visitó los mismos lugares de América del Sur para hacer la película Diarios de Motocicleta con Gael García Bernal en el papel de Ernesto Guevara. Claro, no hicieron el viaje completo, pero Gael García Bernal fue afectado por la experiencia de seguir los pasos del 'Che'.

"Sí, fuimos en avión porque con todo nuestro equipo es más (1) …… pero también fuimos a lugares aislados donde es imposible llegar en avión, así que montamos en coche y en autobuses, un poco como Ernesto y Alberto, pero mucho más (2) …….

Para hacer la película, montamos en una moto igual, que era muy (3) …… para mí, y sentía que vivía la experiencia de Guevara. También montamos a caballo. Subimos en camionetas a las minas y con los animales de los campesinos. En el campo las condiciones de vida no han cambiado mucho en los últimos cincuenta años. Era muy (4) ……. Una cosa muy (5) …… fue nadar en el río Amazonas por la noche. No nadé los cuatro kilómetros, pero aun así era una experiencia extraordinaria."

9 Estas frases están revueltas. Escríbelas de forma correcta.

a El es más avión la de forma transporte rápida.
b La en coche de viajar mejor manera es.
c Ir menos a caballo cómoda es la manera.
d El llegar mejor fue momento a mi casa.

10 Escucha a los cuatro jóvenes. ¿A quiénes les gustaría hacer este viaje?

Viaje e Inspiración

Organizamos viajes a través de America Latina, siguiendo los pasos de Che Guevara.

Vuelos, coche, paseos a caballo o en moto.

www.viajeeinspiracion.ar

Remate

11 Write your own opinion about the trip around South America. Compare the trip with your own experiences, or mention your ambitions or dreams.

> fue fueron era es puedes necesitas
> tienes que me gustaría

12 Now read the opinions of the rest of the class and try to guess who wrote what.

THE PRETERITE AND THE IMPERFECT

The preterite is the tense that is used to refer to completed actions in the past.

verbos en -ar		verbos en -er/-ir	
nadé	I swam	comí	I ate
nadaste	you swam	comiste	you ate
nadó	he/she/it swam	comió	he/she/it ate
nadamos	we swam	comimos	we ate
nadasteis	you swam	comisteis	you ate
nadaron	they swam	comieron	they ate

Algunos verbos irregulares:

ir	ser	hacer	decir
fui	fui	hice	dije
fuiste	fuiste	hiciste	dijiste
fue	fue	hizo	dijo
fuimos	fuimos	hicimos	dijimos
fuisteis	fuisteis	hicisteis	dijisteis
fueron	fueron	hicieron	dijeron

The imperfect is used to describe what used to happen or what was happening.

Viajaban – 'they used to travel' or 'they were travelling'.

Era muy difícil – 'it used to be very difficult' or 'it was very difficult'.

It is formed as follows:

-ar verbs		-er/-ir verbs		ser		ir	
hablaba	hablábamos	comía	comíamos	era	éramos	iba	íbamos
hablabas	hablabais	comías	comíais	eras	erais	ibas	ibais
hablaba	hablaban	comía	comían	era	eran	iba	iban

1 **Separate these verbs into preterite or imperfect.**

> trabajaba   decidió   era   viajaron   compró   vivíamos

2 **Use them to complete these sentences. Then translate the sentences into English.**
   a ...... de Argentina a Colombia.
   b ...... en Madrid.
   c El viaje ...... largo y difícil.
   d ...... en la empresa de su tío.
   e ...... casas en varios países del mundo.
   f ...... mudarse a la ciudad.

3 **Translate these sentences into Spanish.**
   a We bought a ticket for the plane.
   b You used to travel from terminal 3.
   c They made a new terminal.
   d I was travelling on the train.
   e I used to go by car.

SER AND ESTAR

Ser is used for describing permanent qualities:

Madrid es la capital de España.   Madrid is the capital of Spain (permanent quality).

Estar is used for describing position or temporary status:

Madrid está en el centro de España. Madrid is in the centre of Spain (position).

Estoy mareado.   I am travel sick (temporary status).

4 **Explain the choice of *ser* or *estar* in these sentences.**
   a Viajar en coche es muy cómodo.
   b ¡No estoy muy cómodo!
   c Mi coche es rojo.
   d Mi coche está en el garaje.
   e Mi coche está averiado.

5 **Translate these sentences into Spanish. Warning: One of them is not *ser* or *estar*!**
   a The town is very busy.
   b The school is in the centre of the town.
   c Is there a museum in the town?
   d It's an old town.

THE COMPARATIVE

To make comparisons in Spanish, put the words *más ... que* (more ... than) and *menos ... que* (less ... than) around an adjective. The adjective must still agree with the noun:

Ir en avión es más caro que ir en autobús. – Going by plane is more expensive than going by bus.

El coche es menos cómodo que el avión. – The car is less comfortable than the plane.

The expression *tan ... como* is used to say that two things are the same:

Ir en bici es tan práctico como caminar. – Going by bike is just as practical as walking.

Mejor que means 'better than'. Peor que means 'worse than'.

El nuevo coche es mejor que el antiguo. – The new car is better than the old one.

Viajar en autobús es peor que viajar en tren. – Travelling by bus is worse than travelling by train.

6 **Write out comparative sentences.**

Example: La bici, el coche (more ecological) – La bici es más ecológica que el coche.

a El autobús, el avión (slower)
b El tren, el autobús (easier)
c La bici, el autobús (as slow as)
d Viajar en tren, viajar en avión (as expensive as)
e Vivir en el campo, vivir en la ciudad (worse)
f Pedir la ruta, leer el mapa (better)

THE SUPERLATIVE

The superlative is the form used to say which person or thing is 'the most' or 'the least'. It is formed as follows:

el/la/los/las   *más* (most)   + adjective   *de* (in, of)
         menos (least)   *que* (than)

Mi coche es el más lento de todos. – My car is the slowest of all.

Tu moto es la más vieja que he visto. – Your motorbike is the oldest I've seen.

To say that something is 'the best' or 'the worst' use *el/la mejor* and *el/la peor*.

Tu idea es la mejor. – Your idea is the best.

Esa ruta es la peor posible. – This is the worst possible route.

7 **Translate the following sentences into Spanish, using the superlative.**

a It is the most dangerous journey in the world.
b It is the most ridiculous sentence possible.
c It is the least comfortable form of transport.
d He is the best driver.
e It is the worst situation imaginable.

8 Write sentences to describe somewhere you have visited a couple of times. Use the preterite to say what you did there. Use the imperfect to talk about what it used to be like. Use the comparative and the superlative to make comparisons with other places.

In this unit you've learnt how to ...

Leer

1 Read for gist.

❏ Read the following passage through once and discuss what it is about with a partner. What title would you give it based on your first impressions?

> Donde yo vivo es bastante seguro durante el día. Tenemos vecinos simpáticos, las calles limpias, sin demasiado tráfico. Pero por la noche ya es otra historia. A eso de las 21.00, vienen las pandillas con sus coches a hacer carreras ilegales por la calle, siempre con el ruido de los coches tuneados y el peligro de chocarse. Luego, alrededor de la medianoche, todo termina en violencia, puñetazos, gritos ... no sé por qué. Creo que es por cuestión de dinero o drogas. Llevan ropa cara y relojes de oro. Y al poco de oírse las sirenas de la poli, se van zumbando en sus coches y la policía, para variar, llega tarde.

2 Read for specific details.

❏ If there are comprehension questions, you only need to understand enough of the text to answer them. Read the text again before attempting these:

   a What is it like where the writer lives during the day?

   b What is the problem at night?

   c How does it all end up?

   d What happens when the police come?

3 Deal with words you don't know.

❏ If you try to read every sentence, you need to decide whether to guess, ignore, or look up words. Look at the sentences in which the following words are used. Write down how you are going to deal with each of the words that you don't know:

> ya   eso   pandillas   carreras   tuneados
> puñetazos   relojes   zumbando   para variar

Escuchar

4 Listen for gist.

❏ Listen to the recording once to get the gist and see if the order of the questions is the same as the order in which things are mentioned in the recording. Concentrate on picking up important information, not answering the questions as you go.

   a What did it use to be like where she lives?

   b What is it like now?

   c What examples does she give?

   d What would she like to do?

   e What is the problem?

5 Focus on the questions.

❏ Look at the comprehension questions and predict what you may hear in the recording. For each question, make a list of any nouns, verbs and phrases that are likely to come up, as well as more general things like 'expressions of time'.

Aprender

6 Use targeted strategies to learn new vocabulary.

❏ Put the strategies below in order of how frequently you use them. Be honest!

   a look at vocabulary lists by topic

   b highlight difficult words in a list

   c keep lists of words you find difficult

   d keep your own vocabulary lists

   e test yourself

   f just hope that words 'stick'

   g get other people to test you

   h use visual images

   i teach someone else

   j remember words by funny associations

   k make spider diagrams of words by topic

   l use your understanding of spelling rules

   m understand how words in the same family are related

   n focus on little words

   o don't just focus on nouns

   p use mnemonics

   q copy words out until you can get them right

   r make card games with the words

Put them to the test. Try out different strategies as you work through this book and see which get the best results.

Louise,

Gracias por venir a visitarme aquí en Madrid. Mis padres dicen que eres muy simpática, y mi hermano quiere ir a Inglaterra conmigo a visitarte. ¿Qué tal el viaje? Es muy impresionante la nueva Terminal 4, ¿verdad? Antes era muy aburrido pasar tanto tiempo en el aeropuerto. Cuando fui de vacaciones no había nada que hacer y pasamos tres horas en el aeropuerto antes de subir al avión. ¡Y el vuelo solo duró una hora! A veces creo que es más rápido ir en tren. Debes de estar muy contenta de volver a Little Ditchinbrook. Me imagino que es muy diferente a Madrid.

Ya tengo muchas ganas de verte. Te mando un abrazo,

Tu amiga,
Marta

Oral

Act out a sketch about a tourist who asks for advice about transport but ends up totally confused.

1 Work in groups of four. Plan out who the characters will be in your scene.

2 Decide what is going to happen. What is the advice given to the tourist by each of the people he asks? Perhaps they all have different ideas, the tourist keeps asking questions and they all end up arguing.

3 Plan out your scene carefully, drawing on the dialogues and information in this unit. Try to:
- build up the tension carefully
- involve everyone equally
- think of a memorable ending

4 Now act out your scene in front of the rest of the class and record it using the OxBox software.

Escrito

Write an email to a Spanish friend who is coming to visit.

1 Read the email above and find all the parts that you can understand drawing on the Spanish you already know.

2 Use some of the reading strategies introduced in this unit to work out the rest.

3 Make a list of the words and expressions in Marta's email that you could use to in your reply.

4 Write a reply to Marta of at least 150 words, telling her about the place where you live and making arrangements for her visit. Remember to include:
- transport arrangements – you can refer to your own experience
- directions to the place where you are going to meet
- a description of what it's like where you live
- a comparison with the place where Marta lives – you can refer to when you went there

Cómo describir donde vives (p. 28 y 29)

las afueras	the outskirts
un bosque	a wood
el casco histórico	the historic centre
los jóvenes	young people
el mundo	the world
un pueblo	a town
su pueblo natal	his home town
bello/a	beautiful
concurrido/a	busy
feo/a	ugly
hermoso/a	beautiful
tranquilo/a	quiet
turístico/a	touristy
echar de menos	to miss
recordar	to remind
ahora	now
bastante	quite
como	like
me recuerda	it reminds me of
mucho que hacer	a lot to do
nadie	nobody
siempre	always
tan	so

Cómo comparar diferentes lugares (p. 30 y 31)

una calle	a street
una ciudad gemela	a twin town
un edificio	a building
una fuente de ingresos	source of income
un municipio	a town
el patrimonio	heritage
amistoso/a	friendly
bonito/a	pretty
caro/a	expensive
conocido/a por	known for
de moda	fashionable
deprimente	depressing
impresionante	impressive
precioso/a	beautiful
ruidoso/a	noisy
sucio/a	dirty
a diferencia de	unlike
a pesar de	in spite of
actualmente	at the moment
aunque	although
en comparación con	compared to
en lugar de	instead of
mientras	while
tal vez	perhaps
tanto	so much

Cómo solicitar información sobre una ciudad (p. 32 y 33)

¿a qué punto?	to what extent?
¿cómo?	how?
a la derecha	on the right
a la izquierda	on the left
al final de la calle	at the end of the street
al lado de	next to
cerca	near
delante de	in front of
detrás de	behind
enfrente de	opposite
en la plaza	in the square
entre	between
lejos	far
cruzar la calle	to cross the street
seguir todo recto	to go straight on
tanta gente	so many people

Cómo solucionar problemas de transporte (p. 34 y 35)

un andén	a platform
un avión	a plane
un billete de ida y vuelta	a return ticket
un billete sencillo	a single ticket
un horario	a timetable
una señal	a sign
una taquilla	a ticket office
un torniquete	a turnstile
un tren	a train
cambiar	to change
llegar	to arrive
salir	to leave
está a ... metros	it is ... metres away

Cómo describir un viaje (p. 36 y 37)

un barco	a boat
un caballo	a horse
una camioneta	a truck
un coche	a car
una moto	a motorbike
el problema	problem
un viaje	a journey
emocionante	exciting
juntos/as	together
peligroso/a	dangerous
caminar	to walk
hacer autostop	to hitchhike
a pie	on foot
cualquier	any
más tarde	later
todavía	still

2A Una vida sana y activa

¿Ya sabes cómo ...

- ❑ decidir el mejor deporte para ti?
- ❑ comparar a deportistas 'héroes'?
- ❑ elegir un estilo de vida sano?
- ❑ explicar lo que te duele?
- ❑ disfrutar de actividades al aire libre?

Mente sana, cuerpo sano

Escenario

- Promociona la vida saludable.
- Describe un incidente en un centro de actividades en los Pirineos.

Gramática

As part of your Spanish 'toolkit', can you ...
- use verbs impersonally like *me interesa (n)?*
- use reflexive constructions like *se juega (n)?*
- use the irregular forms of the preterite tense?
- use time clauses like *desde hace?*
- use the perfect tense?
- use adverbs and phrases of time and place?

Habilidades

Hablar

In Spanish, how do you ...
- use intensifiers to sound convincing?
- stress certain words to sound convincing?

Escribir

When writing Spanish, how do you ...
- use descriptions and linking words to avoid short sentences?
- use quantifiers and expressions of frequency to add colour to your writing?
- use determiners correctly?

G usar verbos impersonales **V** los deportes **H** hablar con convicción

Me encanta el deporte de las motos – es emocionante salir a la pista y competir contra los mejores del mundo. Nunca tengo miedo ni siento el peligro pero claro sé que siempre existe la posibilidad de un accidente.

La natación me parece el deporte más saludable de todos y ahora que se reconoce la natación sincronizada como deporte olímpico me siento orgullosa de ser una de las mejores del mundo. Se ve la belleza de los movimientos en el agua – es como un baile acuático.

Dani Pedrosa:

Nombre:	Dani
Apellido:	Pedrosa
Nacimiento:	29-09-1985
Lugar:	Sabadell
Trofeos:	2004 250cc 1
	2007 MotoGP 2
	2008 MotoGP 3

Gemma Mengual:

Nombre:	Gemma
Apellido:	Mengual
Nacimiento:	12-04-1977
Lugar:	Barcelona
Trofeos:	2008 europeos oro
	2008 olímpicos plata

1a Mira los iconos en la página 44. ¿Cuántos deportes conoces ya en español? Escribe una lista.

1b De memoria, ¿cuántos deportes puedes nombrar que se juegan con ...?

- una raqueta
- un balón
- un palo
- los pies
- las manos
- sobre ruedas
- en el agua
- en el aire

1c Usa tu diccionario para completar tu lista.

GRAMÁTICA

Correct use of determiners

Don't forget: you use *el deporte* or *los deportes* in Spanish but 'sport' or 'sports' in English.

2a Escucha las llamadas telefónicas e identifica el deporte.

2b Escucha otra vez y copia y completa la tabla.

Deporte	Cuándo	Veces

2c Escucha otra vez y apunta estas palabras en español.

1 freestyle   butterfly   to dive
2 twice a week   basic level
3 disabled person   wheelchair   without a doubt
4 individual sports   team sports
5 join a club   quite easy   healthy

2d Escucha la última llamada otra vez y explica cómo se juega.

> se juega con ...   se necesita ...   se pega ...   se juega ...

3a Lee las descripciones y emparéjalas con una imagen.

> escalada   puenting   ciclismo   carrera libre

1 Este deporte también se puede hacer dentro o fuera y se hace sobre dos ruedas. Se necesita un casco y normalmente se llevan shorts y camiseta bastante apretados.

2 Es un deporte bastante antiguo y nuevo a la vez. No se necesita mucho equipo sólo un buen par de zapatillas y dos pulmones fuertes y a correr por la ciudad saltando por encima de paredes y edificios usando todos los músculos del cuerpo. Se parece al 'parkour' francés pero es más libre y artístico en su estilo.

3b Escribe un párrafo similar para los dos deportes ilustrados que sobran.

HABILIDADES

Use *muy, bastante, un poco, demasiado* to help you sound convincing.

Es un deporte muy difícil.   Es bastante interesante.

Remate

4 Guess the sport!

A Describe a sport illustrated on these pages.
B Guess what sport it is.

> se permite   se puede   se suele   se prohibe
> no se debe   no se puede

5 Choose a different sport and write a brief paragraph about it. Mention:

- its name
- how you play it
- where you play it
- what you need for it
- why you think it is interesting

G el pretérito (2) **V** deportistas **H** mejorar un texto

1a Escucha y anota los nombres y el deporte.

nombre	pasado	presente	deporte

1b Escucha el último diálogo otra vez y escribe estos verbos en el tiempo correcto.

Lili Álvarez y Rosa Torras ...... (ser) dos tenistas españolas y ...... (partcipar) en los Juegos Olímpicos en 1924. En esa época no ...... (permitir) a las mujeres participar oficialmente. Los Juegos modernos ...... (empezar) en 1896 pero la mujer no ...... (poder) participar hasta 1928.

1c Contesta a las preguntas en inglés.

1 Who lived in Argentina?
2 When did he die?
3 Why was he so famous?
4 Who won the Tour de France five times in a row?
5 Who won a trophy in England?
6 What sport did the two pioneering women play?

2 De memoria, ¿a cuántos deportistas hispanohablantes conoces? Escribe una lista. ¿Quién tiene la lista más larga?

GRAMÁTICA

The preterite tense

Some verbs change their spelling in the first person singular:

car → qu: sacar – saqué

gar → gu: jugar – jugué

zar → c: empezar – empecé

Some –ir verbs change in the 3rd person singular and plural:

e → i: sentir: sentí sentiste sintió sentimos sentisteis sintieron

o → u: dormir: dormí dormiste durmió dormimos dormisteis durmieron

3 Escribe en español.

a I played tennis but he played rugby.

b I began first, then they began later.

c The cat slept in the chair.

¡Un fracaso total!

Te cuento que la primera vez que (1) ...... a los bolos no tenía la menor idea de cómo se jugaba. Además

(2) ...... tarde para mi clase y el profe me (3) ...... que una de las cosas más importantes del deporte era la disciplina personal de modo que (4) ...... muy mal.

Todos los otros deportistas (5) ...... uniformes impecables y en seguida se (6) ...... la diferencia − yo una persona joven y despeinada y ellos mayores de edad y elegantes.

(7) ...... el primer bolo y (8) ...... los bolos de dos de los competidores y se enfadaron conmigo. Todo me fue tan mal que (9) ...... a reír y al final me (10) ...... de la bolera. En seguida decidí que los bolos no iba a ser mi deporte favorito.

4a Lee el texto y complétalo usando los verbos de abajo.

> jugué   sintió   comencé   despidieron   toqué
> vistieron   llegué   saqué   dijo   empecé

4b Escribe cinco frases usando cinco de los verbos de arriba. Imagina un incidente que te pasó con un deporte que no te gusta. Explica lo que pasó, cómo y cuándo y lo que hiciste al final.

Another way to sound convincing when you speak is to emphasise key words.

5a Primero lee la conversación en voz alta.

A: Los futbolistas ganan demasiado dinero hoy en día ¿no te parece?

B: Pues comparado con lo que ganaban el siglo pasado tienes bastante razón.

A: Claro, si comparas el estilo de vida de antes con el de hoy no es mucha la diferencia.

B: ¡Qué disparate! No hay punto de comparación − antes no tenían las facilidades que tienen hoy y entrenaban muchas horas y era mucho más complicado viajar.

A: Eso es lo que dice todo el mundo pero yo no veo mucha diferencia.

B: No me lo puedo creer. Parece que no te importa el deporte.

A: Jugar no, pero verlo en la tele sí y sobre todo porque España tiene muchos jugadores fenomenales hoy en día ¿no te parece lo mejor?

B: Al contrario − es mucho más saludable practicar deporte que estar sentado delante de la tele.

A: ¡Cada loco con su tema!

5b Ahora escucha y lee la conversación. Anota dónde se pone el énfasis.

5c Trata de imitar lo que oyes.

Remate

6 Make an oral presentation about a sportsman or woman who you admire or don't admire. Describe the person − physique and character − and explain why you admire them (or not).

7 Do some research about two great sportspeople, one from the last century and the other from today. Then write a brief comparison between the two.

> es/era/fue   tiene/tenía/tuvo   juega/jugaba/jugó

G desde hace **V** rutinas sanas **H** escribir un texto más largo

1a Lee el póster e identifica la imagen.

a un ratón tímido

b un mono ágil

d un perezoso durmiente

c un hipopótamo gordo

e un loro hablador

1 Me gusta dormir horas y horas. No me levanto temprano nunca. Creo que la cama es el mejor mueble de la casa y el dormitorio es mi cuarto preferido. Soy el animal más perezoso del planeta.

2 A mí me encanta la comida sobre todo los dulces, caramelos y chocolates. Siempre tomo un buen desayuno completo y luego el almuerzo, la merienda y la cena siguen casi sin fin, plato tras plato delicioso. Yo soy el animal más gordo del planeta.

3 A mí me fascinan los plátanos. Puedo comer dos o tres a la vez. No me gusta la rutina pero sí me gusta jugar todo el tiempo. Soy el animal más travieso y ágil del planeta.

1b Escoge una instrucción para cada animal (1–3).

Es hora de cambiar

hay que + infinitivo   debes +infinitivo
tienes que + infinitivo

dormir menos   no comer tanto
hacer más ejercicio   tener más disciplina
ponerse a dieta   dejar de jugar tanto
levantarse temprano

1c Inventa otras instrucciones para los dos animales que sobran.

2a Escucha la conversación y contesta a las preguntas.

Who (the man or the woman) ...

1 ran a marathon two years ago?
2 used to eat chocolate every day?
3 has been on a diet for three years?
4 has been going to yoga classes for a month?
5 usually swims before breakfast?

GRAMÁTICA

(desde) hace/(desde) hacía

With *desde* you use the present tense to indicate that the action is still going on:

¿Desde cuándo haces yoga?   (How long have you been doing yoga?)

Hago yoga desde hace dos años.   (you still do)

You use the imperfect tense to show the action happened in the past:

¿Desde hacía cuánto tiempo hacías yoga? (How long did you do yoga for?)

Hacía más de veinte años que hacía yoga. (you don't do it any more)

2b Escucha la conversación otra vez y anota todas las expresiones que indican tiempo.

Ejemplo: Antes comía chocolate ... Llevo seis meses ...

3a Lee y analiza el texto.

1 ¿Cuántas palabras conectoras hay? Analiza las dos partes de las frases que se unen.
2 ¿Cuántas veces se usan adverbios? ¿Cuáles son?
3 ¿Cuántas veces se usan adjetivos para añadir más color o una descripción? Haz una lista.
4 ¿Cuáles negativos se usan?

¡Sinceramente yo no quiero seguir los pasos de mis padres ni de mis abuelos tan queridos!

En mi opinión mis abuelos no llevaban una vida sana ni saludable porque trabajaban demasiado y no tenían los electrodomésticos eficientes que tenemos hoy en día y que nos ayudan con las faenas aburridas de la casa. Además no tenían una dieta muy buena porque no comprendían muy bien la nutrición adecuada.

Aunque mis padres tienen más facilidades modernas que los abuelos, ellos trabajan muchas horas – por ejemplo salen temprano de casa y regresan tarde de modo que no descansan casi nada. Hoy se sabe mucho más sobre la dieta apropiada y la comida nutritiva pero no se dan el tiempo necesario para cocinar y comen comida rápida, sobre todo durante la semana.

Yo, en cambio, pienso que voy a poner mucha más atención a lo que como, a las horas que trabajo y a las horas que descanso para vivir de una manera sana y saludable.

3b Anota las palabras que son similares a palabras inglesas.

Ejemplo: opinión

3c Busca en un diccionario palabras contrarias a:

1 sana
2 hoy
3 buena
4 largas
5 mucho
6 apropiada

4a Lee las frases. Usa las palabras conectoras para escribir una sola frase.

pero donde porque mientras que para entonces en cambio

Ejemplo:
Los hombres hacen deporte. Los hombres bajan de peso.
Los hombres hacen deporte para bajar de peso.

1 Llevo varios meses comiendo menos. Quiero perder peso.
2 Voy a clases de yoga. Aprendo a relajarme.
3 Tengo un régimen estricto. Voy a perder unos kilos.
4 Algunas personas prefieren nadar. A otras les gusta zambullirse en la piscina.
5 Eres muy sano. Yo soy bastante perezosa.
6 Ahora hago deporte todos los días. Hace dos meses no hacía nada.

4b Añade unas palabras (adjetivos o adverbios) a las frases de arriba para hacerlas aun más largas e interesantes.

Remate

5 Ask you partner about their healthy and unhealthy routines.

1 ¿Te gusta el deporte?
2 ¿Qué ejercicio haces?
3 ¿Cuántas veces a la semana?
4 ¿Por cuánto tiempo?
5 ¿Qué día?
6 ¿Qué haces para relajarte?
7 ¿Sueles desayunar bien?
8 ¿Qué sueles comer a la hora del almuerzo?
9 ¿A qué hora te acuestas?
10 ¿Cuántas horas sueles dormir?

rara vez a menudo siempre normalmente

6 What advice can you give them? Write down the advice with a programme of healthy activities.

hay que ... necesitas ... tienes que ... debes ... puedes ...

G el tiempo perfecto **V** heridas en el cuerpo **H** dar énfasis a palabras clave

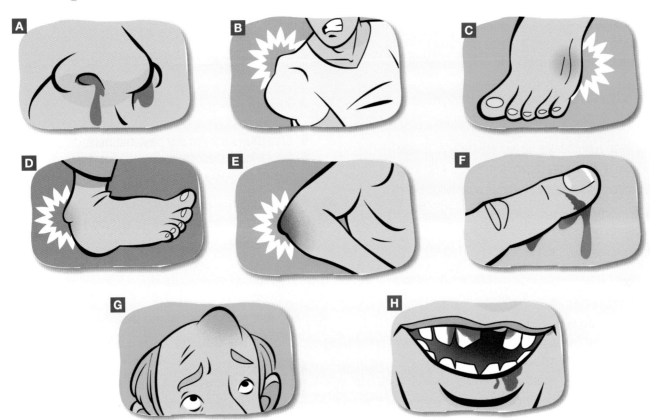

1a
Mira los dibujos y haz una lista del vocabulario necesario. Escucha el cuento del Señor Habichuela y anota las partes del cuerpo mencionadas.

1b
Escucha otra vez y pon las imágenes en el orden correcto.

1c
Escucha otra vez y describe lo que ha pasado en cada imagen.

Ejemplo: Imagen B – se ha dislocado el hombro.

1d
Escucha otra vez y explica por qué.

Ejemplo: Se ha dislocado el hombro porque se ha tropezado contra un coche.

1e
¿Qué se hace? Escribe ocho frases para explicar lo que hay que hacer en cada caso.

Ejemplo: Se ha torcido el tobillo, entonces hay que ponerle una venda.

- llamar al dentista/a una ambulancia
- darle primeros auxilios
- llevarle a la clínica/al hospital/a la cruz roja
- ponerle una venda
- ir a buscar a un médico

1	Se ha fracturado el pie
2	Se ha torcido el tobillo
3	Se ha golpeado la cabeza
4	Se ha lastimado el codo
5	Se ha cortado el dedo gordo
6	Se ha roto los dientes
7	Se ha dislocado el hombro
8	La nariz sangra
a	se ha golpeado contra el suelo
b	se ha cortado con la llave de la puerta
c	se ha golpeado con un árbol grande
d	se ha tropezado contra un coche
e	se ha caído en el césped
f	la pelota le ha golpeado en la cara
g	ha tratado de dar una patada a la pelota

The perfect tense

Lea la página 55 para saber más sobre este tiempo.

Remember: *he, has, ha, hemos, habéis, han* is used to form the perfect tense plus the past participle which is formed like this:

-ar ➔ ADO   -er ➔ IDO   -ir ➔ IDO

There are a number of irregular past participles which you need to learn by heart!

abierto	hecho	roto
cubierto	muerto	visto
dicho	puesto	vuelto
escrito		

Can you write their infinitives?

2a Consejos de salud – hay que encontrar una solución a cada problema.

Ejemplo: 9 b

1 Cuando tienes dolor de cabeza
2 En caso de cortarte el dedo
3 Si te duele la garganta
4 Si se te ha roto la pierna
5 Cuando te sientes mareado
6 Si tienes sed
7 Cuando tienes fiebre
8 Si te sientes muy gordo
9 Cuando tienes dolor de muelas
10 Si te duele la espalda

a ve al médico
b díselo al dentista
c sal al aire libre
d acuéstate a dormir
e bebe agua
f ve enseguida al hospital
g mira fijamente al horizonte
h pon un esparadrapo
i toma jarabe
j haz un poco de ejercicio

The imperative

Solutions a–j in activity 2a are all imperatives. Can you translate them? See page 55 for more information.

Verbs used impersonally

doler (ue)

me duele – me duelen

me dolía – me dolían

me dolió – me dolieron

me ha dolido – me han dolido

2b Por turnos con tu compañero/a, A dice lo que tiene y B da un consejo.

Ejemplo: A – Me duele la cabeza.   B – Tienes que ...

3a Por turnos con tu compañero/a, lee la conversación en voz alta. Practica poniendo énfasis. ¿Quién lee mejor?

– Oiga.
– Dígame. ¿En qué puedo ayudarle?
– Necesito pedir cita con el médico.
– ¿Es urgente?
– Pues no exactamente pero tengo algo que consultarle.
– Bueno lo siento pero no tengo hora mañana sólamente queda para pasado mañana.
– Vale ¿A qué hora por favor?
– A las diez en punto ... pero ¿qué tiene usted?
– Hace dos días que tengo 42 de fiebre y me duele la garganta.
– ¡Caramba, por qué no lo dijo antes! Venga en seguida.

3b Escucha para verificar.

Remate

4 Imagine that Mr Bean wants a doctor's appointment. Person A is the doctor, and person B is Mr Bean. Invent a dialogue similar to the one above.

5 Write a brief paragraph about an amusing accident which happened to Mr Bean when he left the doctor's.

Primero ...	Segundo ...	Luego ...	Después de un rato ...
	Entonces ...	En tercer lugar ...	Por fin ...

2A Cómo disfrutar de actividades al aire libre

G adverbios **V** actividades al aire libre **H** trucos para aprender

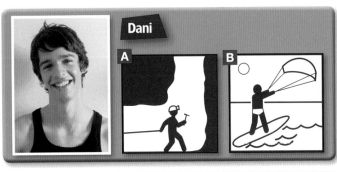

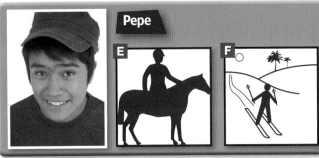

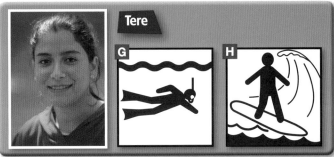

1 equitación	**5** esquiar sobre arena
2 buceo (con tubo)	**6** volar con cometa
3 surf	**7** senderismo
4 todo terreno	**8** espeleología

1a Empareja cada icono con una palabra adecuada.
Ejemplo: A 8

1b Antes de escuchar lo que dice cada persona decide quién va a decir cada una de las frases a–f.

a Pasé las vacaciones a orillas del mar.
b Me fascina volar en el aire.
c Prefiero estar al fondo del mar.
d Me encantan los animales.
e A mí me gustaría estar muy profundo debajo de la tierra.
f Ir rápido sobre dos ruedas es lo mejor.

1c Escucha e identifica la actividad o actividades.

1d Escucha otra vez ¿Cuáles prefieren y por qué?

1e Apunta estas palabras en español, luego escucha otra vez y verifica.

> under the ground you're right it's too windy
> fly high in the air on horseback
> the top of the dunes in a wetsuit to the bottom

1f Ahora escribe dos frases para resumir lo que dice cada persona. Usa las frases de la actividad 1c y el vocabulario del 1a.

Ejemplo: Pepe quiere/va a/... porque ...

GRAMÁTICA

Adverbs

- Many adverbs are formed by adding *-mente* to an adjective:
  fácil ➔ *fácilmente*   *normal* ➔ *normalmente*
  posible ➔ *posiblemente*

- If the adjective has a feminine form you add *-mente* to this:
  lento/lenta + *mente* = *lentamente*

- Some adverbs do not use *-mente*:
  siempre, a veces, a menudo, mucho, poco, bien, mal

Use a dictionary if you need to and write down what each of the following adverbs means.

> Time = *ayer/hoy/mañana/anteayer/pasado mañana*
> Place = *aquí/allí/más allá*
> Frequency = *siempre/nunca/a veces*

You've already used various adverbs to intensify – write them down and learn them.

2a  Lee el email y busca: actividades, palabras o frases que expresan emoción o que expresan tiempo.

2b Contesta a las preguntas en inglés.

1 What two key questions are asked, one at the beginning and one at the end?
2 What time of year is it?
3 Which actvitives were enjoyed?
4 How did she react to other types of activity?
5 What have her parents asked her to do?

○ ○ ○   New Message   ○

¡Hola de Barcelona!

¿Cómo estáis por allá en las islas británicas? Nosotros aquí gozando del pleno verano. :) Bueno te cuento que el año pasado fui con un grupo a los Pirineos y lo pasamos bomba haciendo toda clase de actividades. Hice escalada y me pareció fenomenal aunque al principio me dio un poco de miedo. Otra cosa que hicimos fue puenting – esto si que me dio miedo – saltar al vacío con solo un elástico asegurando tu cuerpo.

También fuimos a las montañas a hacer senderismo y exploramos unas cuevas muy profundas –¡¡guay y más que guay!! Mis padres me han dicho que puedo ir otra vez este año y te han invitado también si quieres acompañarme. ¿Qué dices? O mejor dicho ¿qué dicen tus padres? A ver – ¿te gustaría ir a hacer estas actividades?

Anita

3a  Antes de escuchar el mensaje relaciona estas frases.

1	la escalada	**a**	pasearme por las montañas
2	me dio miedo	**b**	se lanzaron del puente
3	senderismo	**c**	al fondo
4	muy profundas	**d**	subir las rocas
5	el puenting	**e**	sentí miedo

3b Ahora escucha el mensaje telefónico y anota tres diferencias entre lo que escribió Anita en el email y lo que dice por teléfono.

3c Escucha otra vez y escribe V (verdadero) o F (falso) para cada frase en inglés.

1 Anita enjoyed the holiday.
2 She wasn't afraid of heights.
3 She thought the mountains were wonderful.
4 She went bungee-jumping.
5 She went down to the bottom of the caves.

3d Explica en inglés las diferencias entre lo que escribió y lo que dijo.

HABILIDADES

Strategies for learning – vocabulary

• Link new words to a key word – make a spidergram.

la natación   la piscina

el agua — **NADAR** — zambullirse

estilo mariposa   estilo libre

• Make up sets of word families: nadar – natación – nadador – nadadora.

• Learn by actions – draw new words or mime new verbs.

• Write sentences using the same word lots of times in a story.

• Say and listen to the sound – sing loudly.

See page 56 for strategies on learning verbs and tenses.

Remate

4 Imagine the telephone conversation between Anita and her penpal. Invent a list of questions and answers. Then have the conversation and record it.

5 Write a reply to the email.

VERBS

- Verbs that are used in the third person for example: *me gusta/me gustan*
- Verbs that are used impersonally for example: *se juega*

1 Look back over the unit and write down a list of all the verbs for these two categories. How many more can you think of? Check them out in your dictionary first and then add them to your list.

2 Make up five sentences using different verbs from the list in activity 1 to show that you know how to use them. Ask your teacher to check them to make sure they are correct and then learn them and keep them for revision purposes as good examples which you made up.

IMPERSONAL VERBS

Impersonal verbs

Remember you use:

- the impersonal verb + another verb in the infinitive
- the impersonal verb + a noun in the singular or plural

me encanta nadar   *me encanta la natación*

me encantan los deportes

Reflexive constructions are used to avoid using the passive in Spanish, often in notices.

Aquí se juega al balonmano.   *No se puede entrar.*

Another useful impersonal expression is *hay que* + infinitive

Hay que subir por aquí.

RADICAL AND SPELLING CHANGES IN THE PRETERITE

Some radical-changing verbs change in the third person singular and plural forms.

- The *e* changes to *i*, for example *vestir(se): vestí, vestiste, vistió, vestimos, vestisteis, vistieron. Sentir, preferir, divertir(se), seguir, competir* are the main ones you will come across at GCSE.
- The *o* changes to *u*, for example *dormir: dormí, dormiste, durmió, dormimos, dormisteis, durmieron. Morir* is another example of this type.

Several verbs change their spelling in the first person to conserve the same sound as in the infinitive:

- Verbs ending in *-car* change their *c* to *qu*, for example *tocar: toqué,* but then continues *tocaste, tocó, tocamos, tocasteis, tocaron. Sacar* and *buscar* follow this same pattern.
- Verbs ending in *-gar* change their *g* to *gu* for example *llegar: llegué,* but then continues *llegaste, llegó, llegamos, llegasteis, llegaron. Jugar* and *pagar* follow this same pattern.
- Verbs ending in *-zar* change their *z* to *c*, for example *cruzar: crucé,* but then continues *cruzaste, cruzó, cruzamos, cruzasteis, cruzaron. Empezar* and *comenzar* are further examples of this type.

There are others but these are the main ones you will need for GCSE

3a Look at these sentences and decide which will need verbs that are radical changers and which need a spelling change.

  1 Ellos ...... (competir) en todos los deportes ese día.

  2 Pedro ...... (llegar) temprano pero yo ...... (llegar) tarde.

  3 Cuando comenzaron los juegos yo ...... (buscar) mi equipo.

  4 De repente Luisa ...... (sentirse) enferma pero aun así ...... (divertirse) en el partido.

  5 María ...... (dormirse) en el coche y sólo ...... (despertarse) al llegar a casa.

3b Check the spelling in the grammar section of the Students' Book.

3c Write the sentences in English.

IMPERATIVES

Tú	Vosotros/as
toca	tocad
come	comed
sube	subid
levántate	levantaos

Some irregulars:
Pon/poned   ten/tened   sal/salid   haz/haced   ve/ven

4 Write down the infinitve and the meaning for each one of the verbs above.

THE PERFECT TENSE

This is mainly used in questions that do not refer to any particular time. It is also used like it is in English to say what has happened.

Have you played rugby before?
¿Has jugado al rugby antes?

How much chocolate have you eaten today?
¿Cuánto chocolate has comido hoy?

You form it with the present tense of the auxiliary verb *haber* followed by the past participle of the verb of action.

	comprar	**comer**	**subir**
he	comprado	comido	subido
has			
ha			
hemos			
habéis			
han			

Reflexive verbs follow the same pattern but you must remember to put the reflexive pronoun (*me, te, se, nos, os, se*) before *haber*:

me he levantado, te has levantado, se ha levantado, nos hemos levantado, os habéis levantado, se han levantado

Some common irregular past partciples are:

abrir – abierto	morir – muerto
cubrir – cubierto	poner – puesto
decir – dicho	romper – roto
escribir – escrito	ver – visto
hacer – hecho	volver – vuelto

5 That's a lot to remember so make up a jingle or rhyme to help you remember them all.
Example: **A**ngry **C**arlos **d**isturbed **En**rique ... H... M ... P ... R ... V ... V ...

6 Practise question and answer sessions using the perfect tense of these verbs.

Example: Por turnos A pregunta

> ¿**Has montado** a caballo antes?

B responde

> Sí, **ya he** .../ no, todavía **no he** ...

jugar	hacer	ir	practicar	saltar
volar	montar	correr	zambullir	

7 Now revise household chores by writing a list of chores you have or have not done today. Use the perfect tense.

sacar la basura	regar las plantas
recoger el dormitorio	limpiar el coche
fregar los platos	hacer la cama
pasear el perro	poner la mesa

8 Then use the imperative to give a list of instructions telling your partner what to do.
Example: Saca la basura.

In this unit you've learnt how to ...

Hablar

1 Sound convincing. Use intensifiers to sound convincing. How many can you remember?

❏ How can you sound more convincing using them in these sentences?

  a Es importante hacer deporte.
  b Hay que comer menos.
  c Tienes que tomar un desayuno.
  d Debes dormir más.

Now make up a conversation with a partner and try to convince him or her to take up a sport they don't like.

Stress certain words to sound convincing. Which words would you choose to stress in the following sentences? Check with the teacher or assistant.

  a En mi opinión usted es un poco perezoso.
  b Ellos sí son ambiciosos.
  c No me respetan nada − de ninguna manera.

Escribir

2 Add colour to your writing.

Add colour to your writing and make sentences longer by:

  • using quantifiers
  • expressions of frequency
  • descriptions

How many can you write down from memory?

❏ Revise page 15 of Unit 1A. Write five sentences about sports you can do and the facilities where you live. Use:

> donde que en cambio si ... entonces ...
> por ejemplo

3 Use strategies to learn new words.

❏ Draw spidergrams to link these words together, and add as many more as you can remember.

> casa muebles garaje dormitorio cocina

❏ Link these words into word families, and add as many more as you can remember.

> jardín pan nadar competición

4 Use strategies for learning verbs and tenses.

It's not just a question of learning lists of new verbs. The most important thing is to know how to use which tense and when. Spanish often mirrors English (except for time clauses which you met on page 48).

❏ Make up a timeline to show how the past tenses you have learnt so far follow a sequence and connect together and when to use each one. Write out what each tense means underneath the verb.

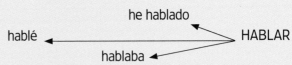

❏ Sequence the tenses of new verbs in a timeline. Make up a learning card to show the sequence these verbs follow, and what each tense means.

> decir jugar hacer

Oral

Create a television advert promoting healthy living.

1   Work in groups of two or three. Look back over the different aspects of healthy living that have been covered in this unit and decide what you want the focus of your advert to be, e.g.:

- eating healthily
- taking exercise
- drinking sensibly

2   Plan what you want the message of your advert to be. What advice will you give viewers and what will you warn them about?

- eating too much or not enough
- eating healthy and unhealthy food
- wanting to be thin or to be fit
- doing too much or not enough exercise

Etc …

3   Brainstorm the key Spanish vocabulary and expressions you will need.

4   Sketch out a storyboard for the advert. Then, write short and punchy sentences for the voiceover.

5   Act out your advertisement in front of the class and/or record it using the OxBox software. As a class, decide whose advert was the most effective.

Escrito

¡Qué suerte! ¡Habéis ganado el gran premio 'al aire libre'!

Los Pirineos ofrecen un poco de todo.

- Excursiones a las montañas
- Natación o vela en los lagos
- Investigaciones arqueológicas
- Cavernas a explorar
- Y mucho más …

¡Venid a gozar una semana de actividades!

Imagine you went to this activity centre. Write a diary entry about what you did on one particular day on your sporting holiday:

- describe an incident or accident
- say what happened
- say why it happened
- say what you did to help the situation

Think about the vocabulary you have covered in this unit and the tenses you have learnt so far and include as much detail as you can.

Cómo decidir el mejor deporte para ti (p. 44 y 45)

un casco	helmet
los discapacitados	disabled people
el equipo	team
la escalada	rock climbing
la espeleología	potholing/caving
el estilo libre	crawl
la mariposa	butterfly
la natación	swimming
el nivel	level
el puenting	bungee-jumping
el piragüismo	canoeing
el pulmón	lung
las ruedas	wheels
el tobillo	ankle
apretado/a	tight (fitting)
convencional	conventional
emocionante	thrilling
innovador(a)	innovative
orgulloso/a	proud
peligroso/a	dangerous
zambullirse	to dive

Cómo comparar a deportistas 'héroes' (p. 46 y 47)

la carrera	race
los competidores	competitors
un deportista	sportsperson
un disparate	nonsense
el entrenador	trainer
el ganador	winner
el palmarés	list of achievements
el piloto	driver/pilot
despeinado/a	dishevelled
muerto/a	dead
mundial	world (adj)
además	besides
a pesar de	in spite of

Cómo elegir un estilo de vida sano (p. 48 y 49)

el almuerzo	lunch
la cena	dinner
los dulces	sweets
la merienda	teatime/picnic
el plátano	banana
un régimen	a diet
perezoso/a	lazy
adelgazar	to slim/lose weight
dejar de	to stop doing
descansar	to rest

estar en forma	to be fit
llevar tiempo	to take time to do something
ponerse a dieta	to go on a diet
relajarse	to relax
seguir los pasos de	to follow in the footsteps of
solía comer	I used to eat

Cómo explicar lo que te duele (p. 50 y 51)

el césped	grass/lawn
una cita	appointment
el codo	elbow
el consejo	advice
la cruz roja	red cross
el dedo gordo	big toe
el dolor de cabeza	headache
la espalda	back
un esparadrapo	plaster
la garganta	throat
el hombro	shoulder
el jarabe	cough mixture
la muela	back tooth
los primeros auxilios	first aid
mareado/a	dizzy
torpe	clumsy
correr	to run
sangrar por la nariz	have a nose bleed
tropezar contra	to bump into
de madrugada	early in the morning

Cómo disfrutar de actividades al aire libre (p. 52 y 53)

la altura	hight
el buceo (con tubo)	snorkelling
el buzo	wetsuit
un potro	pony
el senderismo	hiking/walking
encerrado/a	closed in/shut up
gozar	to enjoy
pasarlo bomba	to have a great time
lanzarse	to throw oneself off
lograr	to manage to
quedarse	to remain/stay
dentro	inside
fuera	outside
al principio	at first
anteayer	day before yesterday
pasado mañana	day after tomorrow
aunque	although
de modo que	so (that)
qué lástima	what a shame

2B Comer y beber

¿Ya sabes cómo...

- ❏ comparar las comidas diferentes?
- ❏ hablar de tus comidas favoritas?
- ❏ hablar sobre la comida sana?
- ❏ comprar comida en una tienda?
- ❏ pedir y quejarte en un restaurante?

Escenario

- • Entrevista en un restaurante.
- • Escribe una reseña de un restaurante.

Entrevistar a un jefe de cocina

Habilidades

Hablar

In Spanish, how do you ...
- • express interest and enthusiasm through the tone of your voice?
- • express agreement or disagreement?
- • complain politely when you go out for a meal?

Escuchar

When listening how do you ...
- • pick out clues to decide which information is relevant?
- • use tone to work out a speaker's opinion?
- • listen for detail?

Gramática

As part of your Spanish 'toolkit', can you ...
- • use comparatives?
- • write numbers correctly?
- • use expressions followed by the infinitive?
- • use *usted* correctly?
- • use pronouns with prepositions?
- • use the present continuous?

G comparativos y expresiones impersonales **V** adverbios y adjetivos **H** escuchar datos verdaderos y falsos

La comida india es más picante que la comida inglesa, y ¡el curry es el plato más popular del Reino Unido!

La comida italiana es tan buena como la comida española, pero más sana ...

La comida inglesa utiliza menos aceite que la comida española.

Sí, pero la comida inglesa es más sosa que la comida española.

La comida mexicana es más variada que la comida española, ¡y mucho más sabrosa!

¿Frases verdaderas (V) o falsas (F)?

a Los españoles nunca cocinan con mantequilla.

b Los ingleses comen pan con las comidas muy de vez en cuando.

c Los españoles siempre comen a partir de la una y media de la tarde.

d Normalmente, los españoles prefieren la comida de otros países a su comida tradicional.

e Los ingleses casi nunca ven productos españoles en las tiendas.

f De vez en cuando, los españoles comen la comida italiana.

LOS ESTUDIANTES DE 'ERASMUS' HABLAN DE LAS COMIDAS DE SU PAÍS

En Portugal comemos aproximadamente a las doce o la una de la tarde. El pescado es uno de nuestros platos típicos, sobre todo el bacalao. También tomamos mucho arroz y sopas de todo tipo. El café típico, 'la bica', es fuerte y negro y nuestros pasteles, excelentes. Siempre que viajo a otro país echo de menos nuestra comida, ¡es deliciosa!

Desde que pasé dos meses en Inglaterra soy aficionada al pescado con patatas fritas, aunque no me acostumbro a comer sándwiches a la hora de comer. Eso sí, soy adicta al té, que toman a todas horas. Dicen que los ingleses no tienen platos típicos pero no es cierto,

¡y me encantan los postres tradicionales!

En México todo tiene un ingrediente básico: el maíz. Tomamos tortillas en el desayuno, comida y cena, y nos encantan los chiles, ¡hacen las comidas más interesantes! Sí que es un poco pesada pero estamos acostumbrados. Las frutas mexicanas son estupendas, y no las puedo encontrar en España.

En Cuba la comida es simple: arroz, frijoles y plátanos fritos. Eso sí, el ron cubano es el mejor del mundo y todos los bares preparan 'mojitos', la bebida famosa internacionalmente.

1 Mira el dibujo en la página 60. ¿Estás de acuerdo o no con las afirmaciones? Habla con tu compañero/a.

> Yo pienso que ...   Prefiero comer ...
> A mí me gusta ...   Me encanta ...

2 Escucha y decide si las frases de la página 60 son verdaderas (**V**) o falsas (**F**).

3 Lee otra vez las frases y escribe los adverbios de frecuencia de cada frase. Con tu compañero/a, escribe una frase para cada uno relacionada con la comida.

Ejemplo:

Adverbio de frecuencia	Frase
a nunca	En mi casa, nunca cocinamos ...

4 Lee las opiniones de los estudiantes de 'Erasmus' de la página 60 y decide de qué países hablan las frases a–g.

a En este país se toma el café sin leche.
b En este país utilizan ingredientes que no se venden en España.
c En su país se come comida muy picante.
d En este país se cocina comida sencilla.
e En este país se come una comida ligera.
f En este país se preparan postres deliciosos.
g En este país se puede beber un cóctel típico.

5 Une las bebidas con sus descripciones. Después escucha las respuestas.

a Es la bebida más consumida en los pubs ingleses.
b Es una de las bebidas españolas más típicas del verano.
c En los restaurantes italianos, esta bebida es la especialidad.
d Es la mejor bebida que produce Chile.
e Es la bebida más sana de todas, la más natural, ideal para el desayuno.
f Es una bebida típica de España, mucho más fuerte y espesa que en Inglaterra.

> el café la leche el vino la cerveza el chocolate la sangría

6 Lee las entrevistas y decide a qué persona se refieren las frases de abajo.

> **¿Quién cocina en casa?**
>
> Lo mejor de las mañanas es que mi padre es siempre el que cocina. Mi madre se queda un poquito más en la cama y yo también necesito unos minutos más para despertarme. Eso sí, ella prepara la comida y la cena para todos. (**Laura, 17 años**)
>
> En mi casa comemos a eso de las tres, y prepara la comida la asistenta porque mis padres trabajan y yo salgo del instituto tarde. Los fines de semana es diferente, comemos a las dos y todos ayudamos en la cocina. (**Poli, 16 años**)
>
> Lo peor de mi trabajo es que nunca tengo mucho tiempo para comer a mediodía, así que mi comida principal es la cena. Vivo solo pero me preparo una tortilla, o una buena ensalada, o pescado … no me importa llegar a casa y hacerme la comida. (**Jordi, 22 años**)

a Para él no es un problema cocinar.
b En su casa, la madre nunca prepara el desayuno.
c Los sábados y domingos toda la familia colabora en la cocina.
d Por las noches se prepara una comida fuerte.
e La madre prepara las dos comidas principales.
f Durante la semana comen tarde.

7 Escucha a Graciela hablar sobre las comidas en su casa y escribe la información adecuada.

a ¿Quién de los dos padres es el mejor a la hora de preparar postres?
b ¿Cuál es el postre más delicioso según Graciela?
c ¿Por qué Graciela sólo cocina tortilla de patatas?
d ¿Cuál es el mejor plato según los amigos de Graciela?
e ¿Cuál de los dos padres cocina más?

Remate

8 Take it in turns to ask your partner questions about the food they like and dislike, what they like to cook, and what typical foods they know about in another country.

9 Choose a country with your partner and write an advertisement about the food and traditions of that country. Try to be convincing!

G estructuras seguidas de infinitivo   **V** la comida   **H** expresar interés en una conversación

1a Escucha y mira los dibujos, y ponlos en orden según las descripciones.

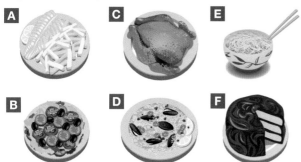

1b Escucha otra vez y trata de escribir el equivalente español de estas opiniones sobre la comida.

Opiniones positivas	Opiniones negativas
Me encanta/Me apasiona – **I love**	No soporto – **I can't stand**
Me chifla – **I'm mad about**	No me interesa – **I'm not interested**
Prefiero – **I prefer**	Odio – **I hate**

2 Lee el correo electrónico de Tomás y escribe verdadero (**V**) o no mencionado (**NM**).

¡Hola Rubén!
Ya estoy en España después de mis tres meses en los Estados Unidos.
La gente aquí es estupenda y la comida excelente. Me encanta poder comer otra vez pescado fresco todos los días … ¡Menuda diferencia con la comida de Nueva York! No soporto la comida rápida y grasienta, y tan artificial. Todo aquí es sabroso y auténtico, aunque creo que a veces la comida es un poco salada en comparación.
Esta noche voy a tomar unas gambas con unos amigos. Hasta pronto,
Tomás

a A Tomás no le interesa la comida americana.
b Le apasionan las hamburguesas.
c Tomás va a comer marisco.
d A Tomás le encanta la comida auténtica.

e La comida americana es más sosa que la comida española.
f No soporta la carne.
g A Tomás no le gusta cocinar comida grasienta.

3 Lee otra vez el correo electrónico de la actividad 2 y busca los antónimos de los siguientes adjetivos.

> asqueroso   fresca   sosa   saludable   auténtica

4 Habla con tu compañero/a sobre tus gustos personales. ¿Qué te gusta? ¿Qué prefieres? ¿Qué comida no soportas?

5 Mira los dibujos y pon las instrucciones en orden.

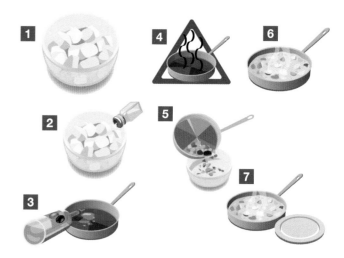

a Cuando el aceite esté caliente, tiene que echar las patatas. Debe tener cuidado porque puede quemarse.
b No debe olvidar el plato para darle la vuelta – pon el plato en la sartén ¡y ya está!
c Hay que añadir un poco de sal.
d Tiene que pelar las patatas y cortarlas finamente en un bol.
e Es importante batir bien los huevos, y después hay que añadir las patatas cuando estén doradas.
f Ponga un poco de aceite en la sartén y eche la mezcla de patatas y huevo.
g Tiene que poner aceite en una sartén.

6 Utilizando el vocabulario de la actividad anterior, describe una receta a tu compañero/a. Tu compañero tiene que adivinar qué plato es.

7 Escucha esta receta y escribe verdadero (**V**), falso (**F**) o no mencionado (**NM**).

a Para preparar la ensaladilla hay que utilizar verduras y pescado.

b Es necesario preparar la ensaladilla con antelación.

c Es importante esperar un poco para cortar las patatas.

d Se debe preparar la mayonesa en casa.

e La ensaladilla tiene que llevar mucho atún.

f Se tiene que poner pimiento rojo en la ensaladilla.

g Primero hay que preparar las patatas.

GRAMÁTICA

Verbs and expressions + infinitive
(see page 70)
Several verbs and impersonal expressions in Spanish are followed by an infinitive.
*Es importante **esperar** un poco.*

---

8 Mira la actividad 5 y escribe todas las estructuras seguidas de infinitivo que puedas encontrar.

Ejemplo: **Tiene que** pelar las patatas.

9 Utiliza las estructuras de la caja para completar las frases. Algunas aceptan más de una opción. ¿Recuerdas todos sus significados?

---

me encanta   odio   no soporto   es importante   puedo
debes   tengo que   me apasiona   no me interesa(n)

---

a ...... comer a las doce: ¡es demasiado temprano!

b ...... salir a los bares y comer tapas los domingos, ¡es perfecto!

c ...... comer sano todos los días.

d ...... comer calamares fritos, ¡son asquerosos!

e ...... cocinar y por eso solamente

f ...... preparar huevos fritos.

g ...... desayunar bien antes de ir al colegio.

h ...... preparar la cena los martes para mis hermanos.

i ...... comer sushi y toda la comida oriental.

10 ¿Qué te gusta comer y beber? ¿Qué odias? Escribe algunos ejemplos y utiliza las estructuras de la actividad 9.

11a Escucha la entrevista a Marina, chef del restaurante 'El novillo' y contesta a las preguntas en inglés.

1 Why is Marina different from other chefs?

2 What does she think of her own meals?

3 What fish dish does she not like, and why?

4 What does she usually drink?

5 What cool drink does she offer the customers in her restaurant?

6 What other things does Marina do in her restaurant?

7 What is her latest project?

11b Escucha otra vez y escribe las palabras clave de cada pregunta.

11c Escribe las expresiones que Marina usa para afirmar algo, y expresar acuerdo o desacuerdo. ¿Cómo es el tono de sus respuestas?

11d En la pregunta 5, hay dos bebidas que se mencionan. ¿Cómo sabes cuál es la respuesta apropiada?

11e Mira la transcripción y trata de leer el texto con la entonación apropiada.

Remate

12 Work with a partner. They hate a particular food and you try to persuade them to change their mind. Then switch roles.

Example: **A** No me gustan espinacas.
          B Pero las espinacas son muy sanas.

13 Choose a recipe with your partner. Rehearse and then demonstrate how to cook it in front of the rest of the class. The class votes for the best demonstration. Use the phrases in activity 5 to help.

(G) el presente continuo (V) comida saludable y poco saludable (H) expresarse de una manera más natural

1  Escucha a estos chicos hablando de las comidas. ¿Cuáles mencionan?

Martín	
Javi	
Mercedes	

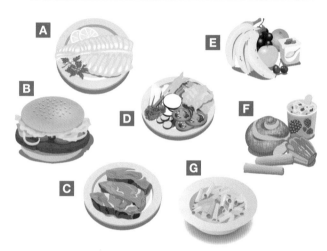

2 Escucha la actividad 1 otra vez y escribe la frecuencia con que comen la comida que mencionan.

Ejemplo: Martín − verduras todos los días y comida rápida dos veces al mes

3 Con tu compañero/a, practica las siguientes preguntas.

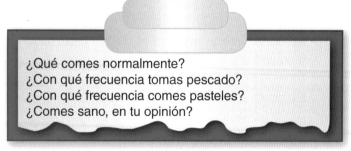

¿Qué comes normalmente?
¿Con qué frecuencia tomas pescado?
¿Con qué frecuencia comes pasteles?
¿Comes sano, en tu opinión?

4 Ahora escribe tus respuestas en tu cuaderno. Utiliza los adverbios de frecuencia.

de vez en cuando   dos veces al mes   nunca
siempre   a menudo

1 Mis comidas siempre son equilibradas. Como fruta, verduras y yogures, bebo leche y nunca tomo alcohol. Nunca tomo grasa, y mucho menos pasteles o chocolate. Por supuesto, me encanta el deporte. (Julio)

2 ¡Ah! ... lo mejor de la semana es ir al restaurante indio para cenar con mis amigos todos los miércoles. Tomamos curry con pan, y hablamos mientras tomamos una cerveza. ¡Esto sí que es vida! (Gerardo)

3 No me gusta la carne y por eso tomo pescado todos los días. ¡También me encantan las gambas! Me encantan la lechuga y los vegetales, pero no puedo tomar leche porque soy alérgica. (Marina)

4 Soy adicta al chocolate. No puedo vivir sin él; todos los días como chocolatinas para el desayuno, y en el recreo … tomo comida sana también, pero ¡sin chocolate me siento nerviosa e infeliz! (Rosa)

5 Lee los correos electrónicos y elige quién dice qué. ¿Quién ...

a ... tiene una intolerancia a los lácteos?
b ... come muy sano?
c ... tiene una obsesión?
d ... come comida poco saludable un día por semana?
e ... no toma dulces?
f ... bebe alcohol de vez en cuando?
g ... come marisco?
h ... no desayuna comida sana?

6 Escucha a los dos amigos hablando sobre su dieta y escribe las respuestas.

a ¿Por qué Manuel se encuentra mal?
b ¿Qué come normalmente?
c ¿Qué come Juan en su nueva dieta?
d ¿Qué toma ahora para desayunar?
e ¿Qué tomaba antes?
f ¿Y Manuel? ¿Cuál es su actitud hacia el desayuno?

7 📄 Lee el consultorio de salud de la revista *Saber vivir*.

> **1** Odio verme en el espejo porque creo que estoy gordo. Llevo ya tres meses a dieta y he perdido peso pero todavía no veo ningún cambio en mi imagen. Intento comer menos y hago deporte seis veces al día. Prefiero no comer con mi familia porque me observan. Qué puedo hacer?

> **2** Estoy pasando por el peor momento de mi vida. Trabajo mucho y tengo mucho estrés, y no estoy comiendo muy bien (normalmente, un bocadillo al mediodía porque no tengo tiempo en mi empresa). Aún así, siempre tengo ganas de vomitar y me duele muchísimo el estómago. Cuando voy a casa, cocino algo ligero (una ensalada de pasta o algo similar) pero después de comer me encuentro todavía peor. Estoy perdiendo peso y no sé qué me pasa.

a Creo que estás haciendo una locura. No me dices cuánto pesas ni cuántos kilos has perdido, pero estás tomándote la dieta demasiado en serio y me parece que estás yendo demasiado lejos. Estás haciendo demasiado ejercicio y aislándote de los demás. Tienes que ir a un médico lo antes posible. No se puede vivir así, obsesionado con la dieta. Para estar bien se debe comer una dieta sana con muchas verduras y frutas, y menos grasas.

b El estrés en la vida de hoy es un problema importantísimo, y es algo que se debe controlar, pero creo que en tu caso estamos hablando de una alergia, probablemente una alergia al gluten. Estás comiendo dos comidas que tienen un alto contenido en gluten y por eso estás sintiéndote tan mal. Sustituye la pasta por el arroz y, sobre todo, visita a tu médico. Estás corriendo un riesgo muy grande porque estás tomando algo que es malo para tu cuerpo, pero este problema se puede resolver con una dieta correcta y se puede llevar una vida normal.

8 📄 ✏️ Lee la actividad anterior y escribe en tu cuaderno todos los verbos que encuentras en el presente continuo. ¿Puedes recordar cómo se forma?

Ejemplo: ¿Estás haciendo deporte?

GRAMÁTICA

Present continuous and gerund
(see page 70)
Use the verb *estar* + *ando*/*iendo*
*Estoy habl**ando**/Estamos com**iendo***
-ando and *-iendo* are like the English *-ing*.

9 📄 Busca en la actividad anterior el gerundio del verbo ir. ¿Cuál es?

10 📄 El gerundio de 'sentir' es 'sintiendo'. ¿Cómo es el gerundio de los verbos radicales?

11 📄 Mira la formación del presente continuo en la página 70 y cambia los siguientes verbos:

> como   preparo   bebemos   lavan   dormís   llevas   cocina

12 🎤 ✏️ Escucha la entrevista con Belén Rueda y escribe verdadero (**V**) o falso (**F**) o no mencionado (**NM**).

a Belén trabaja en el mundo de las películas.
b Para ella es importante estar en forma.
c Belén engorda con facilidad.
d Lleva una dieta sana.
e El marido de Belén es su entrenador personal.
f Ella quiere practicar deporte más a menudo.

13 📄 ✏️ Lee la transcripción de la entrevista y escribe las expresiones (subrayadas) que ayuden a transmitir entusiasmo e interés.

14 Ahora busca también las frases en negrita. ¿Qué pueden significar?

Remate

15 ✏️ Write a special diet for a sportsperson. What should they eat and not eat, and why?

Example: Debes comer ...
Es mejor de ...
La ... es mejor que ...

16 👥 Work with a partner and do an interview with someone well known. Talk about the secret of keeping fit and well. Use the phrases in activities 13 and 14 to help.

Cómo comprar comida en una tienda

G tú y usted **V** números y cantidades **H** escuchar e identificar la información importante

¡NO AL SUPERMERCADO EN NUESTRO BARRIO!

1 Escucha la entrevista con los vecinos de Marhuenda y escribe verdadero (**V**) o no mencionado (**NM**).

a Ya hay demasiados supermercados en la zona.
b Es más barato comprar en el mercado.
c Los productos del supermercado son mejores.
d El cierre del mercado afectará a muchas familias.
e El supermercado es mejor para los jóvenes.
f Los vecinos quieren tener mercados y supermercados.

2 Julio va con su madre al supermercado. Mira la lista y escribe en qué sección van a comprar cada cosa.

1	manzanas	A	Dulces y pasteles
2	zanahorias	B	Verduras
3	chorizo	C	Pescadería
4	leche y yogures	D	Panadería
5	pasteles y chocolate	E	Frutas
6	pan	F	Productos lácteos
7	pescado	G	Embutidos

3 Escucha y comprueba tus respuestas.

4 Escucha y elige la opción adecuada. ¿Qué compran los dos?

a La madre compra 1 kg/3 kg/5 kg de tomates.
b Julio compra 500/250/150 gramos de jamón.
c Julio compra 12/20/10 huevos.
d La madre compra una lata/un paquete/una bolsa de patatas.
e La madre compra una botella/una lata de Coca-Cola para toda la familia.

5 Escucha y escribe las cantidades.

a ...... de chorizo
b ...... de cebollas
c ...... de leche
d ...... de naranjada
e ...... de pan
f ...... de patatas fritas

GRAMÁTICA

The number one (*uno*): all numbers ending in *uno* and *ciento* agree with the noun they describe. No other numbers agree.

Remember to say *ciento* from 100 onwards (100 = *cien*, 101 = *ciento uno*).

6 Practica estos números con tu compañero/a. ¿Cómo se dicen en español?

100 euros	115 euros	125 euros
70 euros	23 euros	200 euros

7 Lee los siguientes números y elige la opción correcta con tu compañero/a.

a Quinientos/cincuenta/cinco = 500
b Setecientos/seiscientos = 700
c Mil/cien = 1000
d Novecientos/noventa = 900
e Ochocientos/ochenta = 800

8 Lee el artículo del periódico y habla con tu compañero/a. Escribe verdadero (**V**), falso (**F**) o no mencionado (**NM**).

Los vecinos dicen NO al nuevo supermercado

Los vecinos de Marhuenda dicen "no" al nuevo supermercado que va a sustituir al mercado 'Las flores'. "Llevo comprando en el mercado más de 50 años", dice Beatriz, "los dependientes son agradables y me conocen, y siempre saben lo que quiero".

"No queremos un supermercado grande, ya tenemos dos en el pueblo. El mercado es más barato y tiene más variedad y productos más frescos", dice el señor García, que lleva veinte años vendiendo fruta en 'Las Flores'.

Pero hay vecinos que tienen otras opiniones, aunque son solamente el 10% de la población de Marhuenda. Raúl, un joven de 18 años, nos dijo: "hay que modernizarse. Los mercados son algo pasado de moda, y para personas que tienen tiempo para ir a comprar todos los días. Yo prefiero ir al supermercado, que también es más limpio y abre hasta tarde".

La polémica está servida …

a Los vecinos quieren un supermercado y un mercado.
b Hay personas que creen que el supermercado es mucho más práctico.
c Hay más diversidad de productos naturales en el supermercado.
d Todos los vecinos están en contra del supermercado.
e En los mercados, el trato es más personal.
f Un 90% de la población cree que no necesita otro supermercado.
g Hay una minoría que está a favor del supermercado.

9 Habla con tu compañero/a y da tu punto de vista. ¿Qué prefieres tú, mercado o supermercado? Utiliza las estructuras para ayudarte.

verbo	razón	estructura de opinión	adverbio	adjetivo
Prefiero ... Odio ... No me gusta ...	porque ...	me parece que (no) es ... creo que (no) es ... pienso que (no) es ...	muy un poco bastante demasiado	barato caro impersonal incómodo ...

10 Habla con tu compañero/a. ¿Con quién utilizas 'tú' y con quién 'usted'? ¿Por qué?

Ejemplo: Informal (tú) Formal (usted)
¿Quieres un café? ¿Quiere un café?

11 Pon en práctica tus conocimientos y rellena los espacios.

a Señor López, ¿ ...... café o té? (tomar)
b María, ¿ ...... tú la cena esta noche? (cocinar)
c Señora presidenta, ¿ ...... a tomar vino esta noche? (ir)
d Señor alcalde, ¿ ...... a favor de abrir un supermercado en el barrio? (estar)
e Lola, ¿ ...... un zumo o prefieres una limonada? (beber)

Remate

12 You are the manager of the supermarket in activity 8. Write a letter to the neighbours trying to convince them that the supermarket is ideal for the town. Mention:

- why Marhuenda needs a supermarket in the area
- the advantages of the supermarket
- what products it is offering

13 In groups, design a leaflet to promote everything that is wonderful about your supermarket. Which is the best leaflet in the class?

G pronombres **V** pedir en un restaurante **H** hacer preguntas

1 Mira los tres menús y escucha a los amigos. Decide qué menú eligen.

1

CAFETERÍA RAMOS

MENÚ DEL DÍA – 7 EUROS
SOPA
PESCADO FRESCO CON ENSALADA
HELADOS
CAFÉ

2

Hamburguesería Estrella

Menú del día – 5 euros
hamburguesa grande
Coca-Cola
tarta

3

Restaurante La Marina

Menú del día – 10 euros
chuleta con patatas
calamares
café
flan

2 Escucha al camarero y al cliente y elige la opción correcta.

a El cliente quiere comida típica (española/inglesa/italiana).
b El cliente no tiene (sed/hambre/mucho tiempo).
c El cliente bebe (alcohol/naranjada/refrescos).
d El cliente no quiere (postre/patatas fritas/comer).

3a ¿Quién dice qué? Escribe las preguntas y las respuestas en la columna adecuada.

Cliente	Camarero
La cuenta, por favor. *The bill please.*	Ahora se la traigo. *I'll bring it for you right now/away.*

La cuenta por favor	¿Qué va a tomar?
¿Tiene ...?	Ahora se la traigo.
Para mí ...	Para beber ...
¿Qué desea?	Quisiera ...
¿Qué va a beber?	De postre quisiera ...
¿Qué va a tomar de postre?	¿Algo más?
No, lo siento.	¡Qué aproveche!

3b Haz una conversación con tu compañero/a. Uno es el camarero y otro el cliente. Utiliza las frases de 3a como apoyo.

GRAMÁTICA

Remember that Spanish does the same as English, and in the context of a restaurant you would not say 'I want' but 'I would like'. That is why instead of **quiero** it is more polite to say **quisiera** – I would like.

4 Lee estas frases y decide cuáles de ellas son quejas. Camarero ...

a ¿Tienen ensalada en el menú?

b Estas patatas están frías.

c ¿Está libre esta mesa?

d El vaso está sucio.

e ¿Dónde están mis cubiertos?

f La cuenta está mal.

g No pedí pan, pedí aceitunas.

h Quisiera otra tapa de calamares.

5a Lee las siguientes frases y compáralas con las de la actividad 4. ¿Cómo puedes quejarte más educadamente?

1 Disculpe, ¿podría cambiarme el tenedor, por favor?
2 Perdone, pero hay un problema con la cuenta. ¿Podría revisarla, por favor?

3 Perdón, pero estas tapas están frías. ¿Podría traerme otras, por favor?

4 ¿Podríamos cambiarnos de mesa? Ésta es demasiado ruidosa.

5 Perdone, pero se ha olvidado de mis cubiertos.

6 Perdone, pero creo que se ha equivocado. Yo pedí unas patatas bravas.

GRAMÁTICA

Direct and indirect object pronouns

The direct object pronoun is a substitute for a person or thing that we have just talked about:

Los sábados siempre compramos un helado.

*Los sábados siempre **lo** compramos.*

The indirect object pronoun describes the person who is on the receiving end of the action:

*Mi madre siempre **me** prepara el desayuno.*

Consult the grammar section at the back of the book for more information.

5b Ahora reescribe estas frases para quejarte con mejores modales.

1 No tienes una mesa reservada.

2 No tienes cuchara para la sopa.

3 La cuenta dice 30 euros pero en realidad son 25.

6 Escucha esta conversación en el restaurante y decide si las afirmaciones son verdaderas (**V**) o falsas (**F**).

a Uno de los clientes quiere sopa pero no la hay.

b El otro cliente decide tomar calamares pero los traen fríos.

c El camarero les dice que no tienen tortilla.

d La cuenta está equivocada y no quieren pagarla.

e El camarero no les escucha.

f Piden una cuenta nueva y el camarero se la trae.

GRAMÁTICA

Pronouns after prepositions

Emphatic pronouns are used after certain prepositions, such as *con* and *para*.

7a Lee este texto y indica los pronombres enfáticos.

Vamos a Telepizza ... a ver, ¿qué queréis? ... para mí una pizza margarita, y para papá una tropical. ¿Y para ti, Rita? Ah, una de cuatro quesos. Ana, ¿Vienes conmigo? No puedo llevarlas todas sola porque pesan mucho. Julio, ¿vais a ver a vuestros primos? Porque si vais a cenar con ellos no compro pizza para vosotros.

7b Lee estas frases y une las frases de las dos columnas.

1 Traigo un café para ti.
2 Traigo un café para usted.
3 Traigo el café enseguida.
4 No pedí un café.
5 No pedí una paella.
6 Voy a comprar unos cafés.
7 Van a beber unas copas de vino.
8 Te preparan una comida especial.
9 Comen tortilla.

a Voy a comprarlos.
b No la pedí.
c La comen.
d Van a beberlas.
e Le traigo un café.
f Te lo traigo.
g No lo pedí.
h Te la preparan.
i Lo traigo enseguida.

Remate

8 There is a problem in the restaurant. With two partners choose one of the three situations below. You are the waiter and they are the customers who are complaining:

a the bill is not right
b the plates are dirty
c there is no dessert left

TAPERÍA LA ESQUINA — TAPAS EXQUISITAS

MENÚ DEL DÍA — 9 EUROS

ESPAGUETIS CON CARNE O
ARROZ CON POLLO
ENSALADILLA RUSA O
JUDÍAS CON JAMÓN
TARTA DE LIMÓN O
HELADO DE VAINILLA
CAFÉ Y AGUA

---

9 Write a comic strip with a partner about a disastrous supper in a restaurant, using the menu above for ideas.

COMPARATIVES AND SUPERLATIVES

You have covered comparatives in Unit 1B – can you remember how to form them?

To say that something is 'the most' or 'the least', you use the superlative. Always use *de* when in English you would say 'in'.

el/la/los/las + *más/menos* + adjective + *de* ...

Remember:

el/la mejor	the best
el/la peor	the worst
lo mejor	the best thing
lo peor	the worst thing

1 Use the comparatives in Spanish to compare the following:

  a sopa/ensalada
  b café/té
  c tortilla española/asado inglés tradicional
  d paella/tostadas con alubias
  e salsa de tomate/mayonesa

2 With your partner, describe two famous dishes of your country and express opinions about them.

IMPERSONAL PHRASES FOLLOWED BY INFINITIVE

When you are not referring to a particular person, you use the impersonal phrases formed by *se* + the verb in the third person. For example, to say 'one can' or 'one should' you use *se puede*, *se debe* plus the infinitive.

You have also revised some structures followed by the infinitive:

hay que, tener que, es importante, deber + infinitive.

3 Translate the following sentences.

  a In Spain, one can eat tapas every evening.
  b In Spain, people eat more seafood than in England.
  c One can make Spanish omelette with potatoes and eggs.

4 Write one sentence with each of the expressions from the box above. Can you do it if the verb is reflexive?

Ejemplo: Tengo que prepararme la cena.
Hay que prepararse el desayuno pronto antes de ir al colegio.

5 Read the sentences 1–5 and match them up with sentences a–e.

  1 Tengo mucho sueño, estoy muy cansada ...
  2 Siempre compro comida rápida porque me gusta comerla delante de la televisión.
  3 Cuando terminan de trabajar siempre es tarde para ir al mercado.
  4 Vamos a cocinar una cena especial.
  5 Vais a la tienda una vez por semana.

  a Deben intentar ir al supermercado abierto las 24 horas.
  b Debéis comprar toda la comida a la vez porque no vais de compras a menudo.
  c Es importante comprar los mejores ingredientes.
  d Tengo que comer bien y hacer más deporte para sentirme mejor.
  e ¡Pues hay que cocinar más!

6 Write down sentences using an impersonal structure, such as *me gusta, te gusta* etc. Use a different pronoun for each sentence. Make sure you get the pronouns right!

THE PRESENT CONTINUOUS

This tense is used to describe actions happening at the moment and is formed with the present of the verb *estar* and the gerund. Look at the examples and remember how to form it:

Estoy cant**ando**	(cantar)
Estoy beb**iendo**	(beber)
Estoy escr**ibiendo**	(escribir)

There are some irregular gerunds including those of radical-changing verbs.

7a Write the gerund of *e>ie* verbs following the example:

sentir	sintiendo
pedir	......
mentir	......

7b Do the same with *o>ue* verbs:

dormir	durmiendo
morir	......

PRONOUNS WITH PREPOSITIONS (EMPHATIC PRONOUNS)

You have come across **para mí** in this unit. The emphatic pronouns are used after certain prepositions such as **para**, **detrás de**, **al lado de**, etc.

You can also use the preposition *con*, but note:

conmigo	with me
contigo	with you

para mí	for me
para ti	for you
para él/ella	for him/her
para usted	for you (singular and polite)

para nosotros/as	for us
para vosotros/as	for you (plural)
para ellos /as	for them
para ustedes	for you (plural and polite)

Remember the Direct Object Pronoun replaces the noun just referred to, so it must be either *le* – masculine person, *lo* – masculine object, *la* – feminine person or thing.

The Indirect Object Pronoun describes the person to whom the action is done: *me, te, le, nos, os, les*.

Look back at activity 7b on page 69 and translate the sentences in their finished form.

Note that when you need to use both a direct and an indirect object pronoun in the same sentence the indirect pronoun comes first and changes to SE. See page 68 activity 3a: *La cuenta por favor* – *Ahora se la traigo*.

Then refer to the back of the book for a better explanation.

8 Fill the gaps with the appropriate emphatic pronouns.

a El café es para ...... Le gusta mucho el capuccino.
b Para ......, un bocadillo de chorizo. Me encanta la comida rápida.
c Para ......, unas tapas y unas cervezas. Nos gusta mucho ir a los bares.
d Voy a comprar unas Coca-Colas para .... Les encantan los refrescos.
e Y para ......, ¿qué quieres?

> nosotros   él   mí   ti   ellos

NUMBERS

In Spanish the numbers 100–1000 start with **cien** and then, from 101 change to *cien**to** uno*, *cien**to** dos*, etc.

100 – cien	600 – seiscientos
200 – doscientos	700 – setecientos
300 – trescientos	800 – ochocientos
400 – cuatrocientos	900 – novecientos
500 – quinientos	1000 – mil

Remember that *-os* would change to *-as* if the noun the number refers to is feminine:

500 euros – *quient**os** euros*

£250 – *doscient**as** cincuenta libras*

9 Look at the order for a special celebration in a restaurant. Write out in words the numbers in Spanish. Make sure that you check the genders!

Restaurante Avenida Jardón

Reserva para 300 personas:

900 copas
500 entrantes
100 botellas de vino y licores
700 cubiertos

THE POLITE FORM

In Spanish, you can use **tú**, the familiar form, to talk to friends or family, but you would use **Usted** for strangers and older people, as a way of showing respect.

¿Vas al restaurante una vez al mes? (familiar)

¿Va al restaurante con su familia? (polite)

10 How would you ...

a ask a friend to go to the supermarket with you?
b offer a drink to an elderly lady?
c suggest going for an ice-cream to a friend?
d ask the head teacher if he/she wants a cup of coffee?
e ask your brother to help you cook?

11 Write to a problem page about somebody who has an addiction or a food allergy and give advice to that person.

12 🗨 Do an interview with a famous person about the food that they like and dislike, using the polite form.

2B Habilidades

In this unit you've learnt how to ...

Hablar

1 Express interest and enthusiasm through the tone of your voice.

❑ Work with a partner. Read the following expressions out loud, using tone to convey how you feel about each subject. Your partner must decide whether you feel positive or negative about each one.

- Como verduras todos los dias.
- Esta ciudad tiene muchos restaurantes.
- ¡Este plato es enorme!
- El camarero habla mucho.

2 Express agreement or disagreement.

❑ In pairs, write your own dialogue using as many of the expressions below as possible to express agreement or disagreement.

- Por supuesto
- Claro que sí
- ¡Claro que no!
- ¿De veras?
- ¡No me diga!
- Ya lo sé

3 Behave politely when you go out for a meal.

❑ With a partner, think of three things that contribute to making what you say in Spanish sound more polite. Look back through the unit for ideas if you need to.

❑ Make each of the following statements or questions politer, either by using *Usted* or by substituting a politer word:

- Me traes la cuenta.
- Quiero gazpacho.
- ¿Me das otra cucharilla?

❑ It often sounds politer to ask a question rather than just making a demand. Change each of the following statements into questions:

- Necesito la mayonesa.
- Dame otro zumo de naranja.
- Quiero el pan.

Escuchar

4 Pick out clues to decide which information is relevant.

❑ Listen to the following statements. In each case, say which of the two things is more important:

1 drinking water or eating at fixed times
2 the survival of local shops or the price of food
3 taking exercise or avoiding sugary foods

❑ What were the keywords that helped you decide in each case? Listen again and try to jot them down.

1 lo importante, hay que
2 solo, pero, la prioridad
3 todavía, más importante, más tiempo

❑ If you needed to answer the following listening comprehension questions, which key words do you think you should listen out for? Brainstorm your ideas with a partner.

- What are the customers complaining about?
- What are the residents' three main objections to the supermarket?
- Which piece of advice given is the most important for leading a healthy lifestyle?

5 Use tone to work out a speaker's opinion.

❑ Just as using your tone of voice can help you to convey your opinion and sound more convincing in Spanish, tone can also help you to work out how other people feel. Listen to the following conversation and decide how each person felt about the meal at the restaurant:

- Jorge
- Jorge's mother
- Jorge's father
- Luisa

2B   Escenario

Oral

Interview the chef and customers in a restaurant.

1   Work in groups of four.
   • One of you plays the role of the chef of a restaurant; two are customers, and the fourth is the food critic.
   • The food critic interviews the chef, who has to explain his/her signature dish and how to make it.
   • The critic also interviews the customers, who have to express their views about the food and service in the restaurant. He/She asks about the meals they have eaten there, the service and the quality of the food. Use the vocabulary and expressions on page 68 and 69 to help you.

2   First of all, plan your role play and the order in which each of you will speak. Then practise what you will say.

3   Present your role play to the rest of the class. The class will award the restaurant a score of 1, 2 or 3 stars (the maximum score).

Escrito

Write the webpage of a 3-star restaurant for the Michelin Guide.

1   Start by planning the layout and design of the webpage.

2   Choose photos to accompany the text.

3   Divide into small groups to discuss the following details about the restaurant that need to be included on the webpage:
   • practical information: location, opening hours, number of tables
   • children's menu?
   • vegetarian menu?
   • prices
   • specialities
   • biography of the chef – awards won
   • famous customers – their comments

4   Now write up your text for the webpage. Try to make the page as attractive as possible to potential customers. Make sure that you check your text carefully for any mistakes as they could create a bad impression!

Cómo comparar las comidas diferentes (p. 60 y 61)

Yo pienso que ...	I think that ...
Prefiero comer ...	I prefer to eat ...
A mí me gusta ...	I like ...
Me encanta ...	I love ...
delicioso/a	delicious
fuerte	strong
ligero/a	light
pesado/a	heavy
picante	hot (spicy)
sabroso/a	tasty
sano/a	healthy
soso/a	bland
variado/a	varied
acostumbrarse a	to get used to
echar de menos	to miss
encontrar	to find
estar acostumbrado/a	to be used to
ser adicto/a a	to be addicted to
ser aficionado/a	to be a fan of
ser cierto	to be true

Cómo hablar de tus comidas favoritas (p. 62 y 63)

los fideos	noodles
los guisantes	peas
la mezcla	the mix
la receta	the recipe
la sartén	the frying pan
asqueroso/a	disgusting
crudo/a	raw
grasiento/a	greasy
innovador(a)	innovative
sabroso/a	tasty
salado/a	salty
saludable	healthy
añadir	to add
batir	to whisk
dar forma	to shape
dar la vuelta	to turn over
echar	to put/throw
pelar	to peel
preparar con antelación	to prepare in advance
probar	to taste

Cómo hablar sobre la comida sana (p. 64 y 65)

a menudo	often
de vez en cuando	sometimes
dos veces al mes	twice a month
por lo menos	at least
todos los días	every day
los lácteos	dairy products
el sobrepeso	excess weight
apetecer	to fancy (food)

cuidarse	to look after yourself
engordar	to put on weight
evitar	to avoid
hacer un esfuerzo	to make an effort
intentar (+ infinitivo)	to try
llevar tiempo a dieta	to have been on a diet for a while
parar de (+ infinitivo)	to stop
perder peso, adelgazar	to lose weight
tener ganas de (+ infinitivo)	to feel like, to have the urge to
¿de veras?	really?
haga lo que haga	whatever I do
no me diga	really?

Cómo comprar comida en una tienda (p. 66 y 67)

el cierre	closure
una docena	a dozen
los embutidos	sausages, salamis
la frutería	fruit shop
la manifestación	demonstration
la naranjada	orangeade
la panadería	baker's
la pastelería	cake shop
la pescadería	fishmonger's
la tableta de chocolate	bar of chocolate
la tarrina de helado	ice-cream tub
impersonal	impersonal
incómodo/a	uncomfortable
limpio/a	clean
pasado/a de moda	old fashioned
práctico/a	practical
estar de acuerdo	to agree
Me parece que ...	I think that ...

Cómo pedir y quejarte en un restaurante (p. 68 y 69)

la chuleta con patatas	steak with chips
los cubiertos	cutlery
el flan	cream caramel
el helado	ice-cream
las judías con jamón	beans with ham
¿Adónde vamos a comer?	Where are we going to eat?
Donde queráis	Wherever you want
Me apetece	I fancy
No me importa	I don't mind
¿Qué queréis tomar?	What would you like to have?
Tengo mucha hambre	I'm very hungry
frío/a	cold
libre	free
sucio/a	dirty
¿Podríamos cambiarnos de mesa?	Could we change tables?
¿Podría revisar la cuenta, por favor?	Could you check the bill again, please?
¿Podría traerme ...?	Could you bring me ...?

3A Las fiestas

¿Ya sabes cómo ...

- ❏ ponerse de acuerdo para salir?
- ❏ organizar una fiesta?
- ❏ hablar de las compras?
- ❏ describir una fiesta?
- ❏ describir un festival?

Escenario

- **Un correo electrónico a un amigo español que va a visitarte.**
- **Explica cómo se festeja y qué planes tienes.**

BIENVENIDO
WELCOME

¿Cómo integrar a los españoles e ingleses?

Habilidades

Leer

When reading Spanish, how do you ...
- scan for information?
- untangle language?

Escuchar

What can you do to ...
- listen for gist?
- listen for detail?
- listen for opinions and key phrases?

Gramática

As part of your Spanish 'toolkit', can you ...
- use pronouns?
- use the continuous form of the imperfect?

G verbos + infinitivo **V** salir **H** escuchar

Invitaciones

Excusas

1 Mira las imágenes a–g en la página 76. Escucha a Sergio y apunta cuando va a hacer cada actividad (lunes–domingo, mañana o tarde).

Ejemplo: lunes–karate–tarde

2 Lee el correo de Julia y escucha otra vez. ¿Cuándo pueden salir juntos?

Watch out for these words which are used when people change their mind:

pero   aunque   sin embargo

● ○ ○

Sergio,

¿Qué planes tienes para las vacaciones? ¡Yo tengo tantas cosas que hacer!

Lunes 19
No hay clase, entonces voy a la piscina.

Martes 20
Necesito ganar dinero para comprar regalos, y afortunadamente hoy voy a ir a trabajar.

Miércoles 21
Tengo mi clase de baile por la mañana. Por la tarde, ¿puedes salir, Sergio?

Jueves 22
Es la fiesta de Noelia, tu hermana.

Viernes 23
Por la mañana hay que ir de compras, no para comprar regalos, sino comida – muy importante.

Sábado 24
Estoy libre.

Domingo 25
En casa con la familia.

Julia

---

3 Con un(a) compañero/a, haz un diálogo entre Sergio y Julia.

¿Qué vas a hacer el …?

¿Qué planes tienes para el …?

¿Y el …?

¿Estás libre el …?

4 Escucha 1–4. Decide quién realmente quiere aceptar la invitación. Desde "¡¡¡¡Sí!!!" (5 puntos) hasta "¡No! ¡No! ¡No!" (0 puntos).

GRAMÁTICA

Verbs + Infinitives

You have already come across several expressions which are followed by the infinitive form of the verb – see page 63, Activity 8 for example.

Now note that several verbs are followed by an infinitive.

Example: *Quiero salir a las ocho.* – I want to go out at 8 o'clock.

Mostly you can translate the infinitive as you would in English 'to go out'.
Sometimes you need to drop the 'to' as in:
Example: *No puedo salir contigo hoy.* – I can't go out with you today.

Sometimes you can translate the infinitive as if it were a gerund ending in -ing.
Example: *Me gusta jugar al tenis.* – I like playing tennis.

Now make up sentences using the following verbs:
necesito; debo; prefiero; suelo

5 Trabaja con un(a) compañero/a. Una persona invita, la otra hace excusas y pone pretextos. Mira las ideas en la página 76 para ayudarte.

Ejemplo: ¿Quieres ir al cine? Tengo que ir al dentista.

¿Quieres …?   Voy a …
¿Puedes …?   Tengo que …
¿Te gustaría …?   No me gusta …
¿Por qué no vamos a …? No puedo … Lo siento, pero …

Remate

6 Write an invitation to the other members of the group. Explain what you are going to do, where, when and with whom.

7 Read the invitations of the others in the group and then talk to them, telling them if you can accept or if not, why not.

G pronombres V fiestas H hablar del futuro

1 Pon las actividades en orden de importancia:

a comprar globos y flores
b comprar un pastel
c ponerse un disfraz
d comprar comida
e comprar regalos
f arreglar la casa
g informar a tus padres
h comprar bebida
i seleccionar la música
j invitar a tus amigos

> Es importante ...   No es muy importante ...
> Hay que ...   Tienes que ...

Planes para una fiesta

Voy a hacer una fiesta para mi amiga inglesa. Voy a invitar a todos mis amigos. Voy a hacer un CD especial con mis canciones favoritas para bailar. Voy a comprar mucha comida y bebida, y voy a hacer un pastel de cumpleaños. Voy a adornar la casa con globos. Voy a comprar un regalo para ella.

2 Vuelve a escribir el texto, sin repetir siempre 'voy a'.

> Mi proyecto es ...   Tengo que ...   Quiero ...   Espero ...
> Me gustaría ...   Tengo ganas de ...   Necesito ...
> Sería una buena idea ...

> primero   luego   después   y   pero
> por ejemplo   claro

3 Escribe tus planes para otra fiesta, según las imágenes.

4 Escucha a los dos amigos discutiendo sobre una fiesta. Contesta a las preguntas en inglés.

a Who is the party for?
b Why?
c Who is coming?
d What two problems are there?
e How do they solve the problems?

5 Haz corresponder las frases españolas y su traducción al inglés:

1 me invita	**a** we invite him
2 te invito	**b** I want to invite you
3 lo invitamos	**c** he invites us
4 la invitan	**d** we invite them
5 nos invita	**e** I invite you
6 os invitan	**f** they invite her
7 los invitamos	**g** he invites me
8 quiero invitarte	**h** they invite you all

6 Jesús organiza una fiesta. Escucha y contesta a las preguntas. ¿A cuáles de las preguntas no contesta Jesús?

a ¿Por qué hace una fiesta?
b ¿Quién puede ir?
c ¿Dónde va a ser?
d ¿Qué día?
e ¿A qué hora?
f ¿A qué hora termina?
g ¿Necesito dinero?
h ¿Hay que traer algo?
i ¿Vamos a comer allí?

7 Lee una de las propuestas (de Miguel o Rosa). Trabajo con un(a) compañero/a. A hace el papel del estudiante inglés y hace las preguntas de arriba. B hace el papel del español y explica qué va a pasar.

Ejemplo: texto de Rosa

A Estudiante – ¿A qué hora?
B Rosa – A partir de las once.

Quiero invitar a los estudiantes ingleses a ir a los bolos el sábado por la tarde. Claro, también estáis invitados los españoles, y vuestras familias si quieren venir, aunque creo que podrá jugar un máximo de veinte personas porque hay que reservar. Hay una cafetería allí, pero vamos a ir después de la cena, como a las diez. Podemos jugar dos o tres juegos y estar en casa un poco después de la medianoche. Cuesta ocho euros por persona por juego, y yo voy a invitar a mi amigo inglés Chris. Decidme si podéis ir,

Miguel

Fiesta en la discoteca ZØØ el sábado por la noche. Si no sabes qué hacer con tu invitado inglés el sábado, quiero organizar una salida a la discoteca. Voy a estar allí con unos amigos a partir de las once, o si queréis, nos vemos antes para cenar en el Maldonado (comida rápida). Es sábado, así que podemos estar allí hasta la madrugada. La entrada es gratis pero las bebidas son caras. Nos vemos allí.

Rosa

Remate

8 Imagine that you are going to have a Spanish exchange student to stay in your house. Write to them and describe the different choices of things to do when you go out.

9 Ask a partner about the different suggestions you have written down. Play the role of the Spanish student, using the questions in activity 6.

(G) pronombres (V) compras (H) dar consejos

Héctor

A mí me encanta ir de compras con mis amigos, aunque no compro mucho. Disfruto yendo a ver los nuevos videojuegos o películas en DVD. Pero si quiero comprar algo, suelo hacerlo en Internet, porque es más cómodo. De todas formas, no tengo mucho dinero, y prefiero gastarlo en salir. Quiero ir a ver un partido de fútbol el próximo fin de semana, así que no puedo gastar todo mi dinero en las tiendas.

Carlos

Cada fin de semana voy al centro con mis amigos, pero no vamos realmente de compras. Vamos rápido a las tiendas si necesitamos algo: pilas para mi walkman, gafas de sol, chicle o una bebida. Luego vamos a la plaza a charlar o a hacer monopatín. El fin de semana pasado quería ir al centro con mis amigos, pero fui de compras con mi madre para comprar mi nuevo uniforme escolar. Vi allí a todos mis amigos, ¡qué vergüenza!

Elena

Voy de compras cada fin de semana, y me encanta probarme ropa en las tiendas. La semana pasada compré unos zapatos nuevos y una falda. Tengo que devolver la falda porque mi madre dijo que ya tengo demasiadas faldas. Es verdad que tengo muchas, pero nunca se tiene demasiada ropa.

Virginia

Si voy de compras de comida, entonces me gusta, aunque tengo que ir con mi madre. Vamos al supermercado y siempre puedo escoger algo bueno de comer: carne, pescado o queso. Lo de ir de compras de ropa: eso es diferente. Lleva horas y nunca encuentras lo que buscas. Fui a una tienda para comprar un pantalón, pero cuando me los probé, eran todos muy feos.

1 📖 Lee rápidamente los textos. Busca los diferentes tipos de artículos que mencionan comprar.

Ejemplo: Héctor – nuevos videojuegos

2 📖 ¿Quién menciona ...

a a los amigos?
b a miembros de la familia?
c otras actividades aparte de las compras?

3 📖 Busca estos datos específicos:

a ¿Quién va a las tiendas sólo para mirar?
b ¿Quién va a las tiendas sólo cuando necesita comprar algo?
c ¿Quién dice que es imposible encontrar ropa para comprar?
d ¿Quién compra cosas que no necesita?

4 📖 Busca estas palabras en español:

> I enjoy   too many/too much   meat   batteries
> to try on   to spend   to take back   skateboarding

GRAMÁTICA

Indirect Object Pronouns

See page 86 for Direct and Indirect Object Pronouns.
If you have a *le* and a *lo/la* together it sounds silly, *"le lo"*.
The *le* changes to *se*: *se lo di* – I gave it to him.

5 📖 Haz corresponder:

1 Compré un regalo para mi hermano.
2 Le compré un regalo.
3 Lo compré para él.
4 Se lo compré.

a I bought him it.
b I bought a present for my brother.
c I bought it for him.
d I bought him a present.

6 🎧 Escucha (1–5) y decide de quién (Héctor, Carlos, Elena, Virginia) hablan.

COMPRA EN INTERNET, PREFIERE DEPORTE
Héctor

ROPA, ROPA, Y MÁS ROPA
Elena

SÓLO COMPRA LO QUE NECESITA
Carlos

COMIDA SÍ, ROPA NO
Virginia

La psicología de las compras

Eres adicto a las compras ...

- si compras ropa que no necesitas.
- si compras artículos de ropa que ya tienes en casa.
- si compras ropa que no llevas nunca.
- si ves algo bonito y tienes que comprarlo.
- si compras ropa sin probártela – no importa si no te está bién.

Tienes una fobia a las compras ...
- si compras tu ropa en el supermercado.
- si nunca te pruebas la ropa – nada te va bien.
- si haces las compras por Internet o catálogo, pero de todas formas lo devuelves todo.
- si vas de compras y sólo compras cosas para otra gente.
- si vas de compras y no encuentras nada bueno.
- si tu madre tiene que comprar tu ropa.
- si siempre llevas ropa de tu hermano/a.

Remate

10 Prepare a questionnaire to find out if there are shopping addicts or people with shopping phobia in your class. Interview members of the group.

> Cuando vas de compras ...
>
> ¿te gusta ...?
>
> ¿prefieres ...?
>
> ¿vas con ...?
>
> ¿vas a ...?
>
> ¿cuánto gastas en ...?

11 Write down your opinion about going shopping. Include your habits, what happened the last time you went shopping, and your plans. Then read what your partner has written and offer them advice.

> Debes ...   Hay que ...   Necesitas ...
> Tienes que ...   porque ...

7 Decide si Héctor, Carlos, Elena y Virginia son adictos o tienen fobia a las compras.

8 Escucha los consejos de Azucena y Trinidad. Apunta cuatro palabras (máximo) para cada consejo. Luego escribe los consejos en frases completas.

9 Lee. ¿Quién respetó los consejos?

Quería comprar algo para llevar puesto a la boda de mi prima. En lugar de buscar en catálogos, fui directamente a las tiendas. Buscaba una blusa formal para conjuntar con una falda que compré hace unos años. Quería algo bonito y bastante caro, así es que me gasté 140 euros en una blusa azul.

Cristina

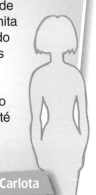

Fui a las tiendas, y en lugar de comprar la primera cosa bonita que vi, fui a buscar un vestido para la fiesta de cumpleaños de mi amiga. Buscaba algo que costara entre 60 y 100 euros. Me probé uno pero no me gustó, entonces me gasté 50 euros en unas zapatillas de tenis. Voy a buscar otro vestido mañana.

Carlota

Fui a buscar ropa para una entrevista de trabajo. Pasé veinte minutos en una tienda de zapatos y no encontré nada. Entonces fui a otra tienda y me compré un videojuego para hacerme sentir mejor. Me costó 70 euros.

Marco

G imperfecto continuo **V** fiestas **H** escuchar/hablar

La semana pasada fui a una fiesta en la casa de mi amigo Rigoberto. Era una fiesta de cumpleaños, pero no había pastel y no cantamos "Cumpleaños Feliz". Cuando llegué, algunos estaban escuchando música en el salón, pero la mayoría estaba hablando en la cocina donde había refrescos y otras bebidas.

Encontré a Rigo y le dije "Feliz cumpleaños". Me dijo que algunos amigos estaban jugando con una consola de videojuegos en uno de los dormitorios. Entonces subimos y vi a varios de mis amigos que estaban haciendo un concurso de tenis en el aparato interactivo. Resultaban ridículos, pero era divertido.

Decidí salir al patio donde unas chicas estaban bailando y los chicos hablaban sentados en las sillas. Una de las chicas quería invitar a los chicos a bailar, pero dijeron que más tarde, y momentos después entraron a la casa.

Fue una fiesta muy relajada, sin incidentes pero divertida. Unos amigos reunidos para pasarlo bien.

1 📸 📖 Lee el texto en voz alta, poniendo atención a la pronunciación.

GRAMÁTICA

Imperfect continuous

Just as on page 65 you used the present continuous, now you can use it in the imperfect.

Example: *Estaba bailando.*

2 📖 Busca los verbos en el pretérito (*I went, I saw, they said*) y en el imperfecto (*I was talking, they were dancing*).

3 ✏️ Haz una lista en inglés de todas las actividades que hacían en la fiesta.

4 📖 Busca todas las opiniones y palabras referentes al tiempo.

5 👤 Explica a un(a) compañero/a todo lo que entiendes. Discute qué hacer con las palabras desconocidas.

GRAMÁTICA

Interrupted action

Just as in English: I was dancing when they turned the music off. – *Estaba bailando cuando apagaron la musica.*

6 🖊️ Haz frases completas y tradúcelas al inglés.

Ejemplo: Estaba bailando en el salón cuando apagaron la música.

I was dancing in the sitting room when they turned the music off.

1 Estaba bailando en el salón cuando …
2 Estaba jugando al tenis con la consola cuando …
3 Estaba hablando con una chica cuando …
4 Estaba tomando un refresco cuando …
5 Estaba comiendo un bocadillo cuando …
6 Estaba lavándome las manos cuando …

a … lo dejé caer y rompí el vaso.
b … llegó su novio.
c … abrieron la puerta del baño.
d … apagaron la música.
e … golpeé a mi amigo en la cara.
f … encontré un insecto.

7 🎤 Escucha y decide cuál es la actitud en cada caso. Desde 'Humor'(5 puntos) hasta 'Horror' (0 puntos).

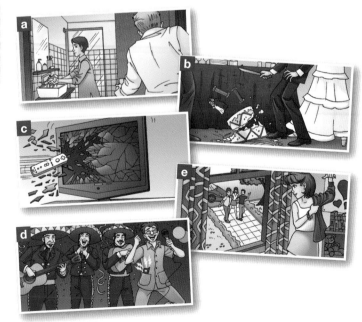

8 Utiliza un dado para hacer frases sobre una fiesta. Decide si son ridículas o lógicas.

1 En mi cumpleaños	1 el año pasado	1 hicimos una fiesta
2 En Navidad	2 hace dos años	2 fui a la casa de un amigo
3 En Carnaval	3 cuando tenía once años	3 fui a España
4 En el día de la madre	4 durante las vacaciones	4 fuimos a un concierto
5 En el cumpleaños de Ana	5 este año	5 fuimos a la iglesia
6 En la boda de mi hermano	6 como siempre	6 fui al centro

1 y	1 fue fabuloso	1 porque
2 pero	2 fue un desastre	2 entonces
3 entonces	3 lo pasé muy bien	3 por ejemplo
4 porque	4 lo disfrutamos	4 cuando
5 sin embargo	5 fue divertido	5 sobre todo cuando
6 aun si	6 no fue muy divertido	6 porque

1 mi madre dijo	1 "Gracias".	1 Entonces
2 dije	2 "Me duele el estómago".	2 Así que
3 mi padre dijo	3 "Prefiero quedarme en casa".	3 Luego
4 Ana dijo	4 "¿Dónde están los servicios?	4 Pero
5 mi hermana decidió decir	5 "Te quiero".	5 Como siempre
6 no dije	6 "No voy a comer eso".	6 Después

1 bailamos hasta la madrugada.	1 Los vecinos	1 estaban
2 mi hermana lloró.	2 Mis padres	2 no estaban
3 bailé en la mesa.	3 Mis amigos	3 estaban muy
4 hablé con Ana.	4 Los bomberos	4 estaban un poco
5 comimos paella.	5 Mis tíos	5 dijeron que estaban
6 tuve que volver a casa.	6 Los participantes	6 tenían el derecho a estar

1 contentos.
2 enfadados.
3 enfermos.
4 nerviosos.
5 de acuerdo.
6 impresionados.

Remate

9 Describe a party to your partner, using the table to help you.

10 Write a description of a party like Rigoberto's, but with more incidents like those in activity 6.

G comparativos **V** festivales **H** leer/entender

1

El dieciséis de agosto en **Villagarcía de Arousa**, los habitantes y miles de visitantes celebran el día de San Roque con una gran pelea de agua en la calle. Por la mañana hay procesiones religiosas, luego por la tarde empieza la batalla. Tiran miles de litros de agua, con cubos, mangueras, extintores de fuego … Todo el mundo se moja. La fiesta data de hace una década cuando el pueblo sufrió una sequía de casi dos años sin lluvia. Ofrecieron la poca agua que quedaba a San Roque, y la sequía terminó. Entonces cada año festejan el milagro con una batalla de agua.

2

En **Can Picafort**, un pueblo en la costa de Mallorca, el día quince de agosto, los habitantes celebran el ritual tradicional de soltar los patos. Tradicionalmente eran patos vivos, pero hoy lo hacen con patos de juguete (de plástico). A mediodía tiran unos trescientos cincuenta patos al mar, y los habitantes del pueblo compiten para agarrar todos los patos posibles en el agua.

3

Desde 1620 los habitantes de **Castrillo de Murcia** han celebrado en mayo la fiesta del Colucho. El Colucho es un hombre disfrazado que representa al diablo. Los padres ponen a los bebés recién nacidos en un colchón en el piso. Luego el Colucho salta encima de los bebés para ahuyentar a los espíritus malvados. Hay música de tambores, y es una fiesta muy seria y religiosa.

1 ¿De cuál/cuáles de las fiestas se trata?
a Es una fiesta tradicional.
b Los participantes se mojan.
c Es una fiesta religiosa.
d Los turistas pueden participar.

2 Busca estas palabras en español:

> bucket hosepipe drought miracle ducks
> toy mattress evil spirits drums

3 Ahora intenta leer las frases completas donde aparecen esas palabras.

4 Escucha e identifica la fiesta. ¿Qué ocurrió? Toma apuntes en inglés.

5 Imagina que fuiste a una de las otras fiestas. Describe tu experiencia.

> Fui … y vi …
> Había … que … –aba/–ía … (imperfecto)
> Luego … –ó/–aron … (pretérito)
> (No) me gustó … porque … era …
> El año próximo me gustaría …

Lety

Fui a la boda de mi amigo inglés. Fue una ocasión muy especial. Lo que me sorprendió fue que la boda no fue en una iglesia. ¡Fue en un hotel! Era muy diferente a las bodas en México, pero el lugar era muy bonito, con un jardín, un lago, y claro hubo una fiesta allí mismo en el hotel. La ceremonia fue muy corta. La hermana de mi amigo leyó un poema, firmaron el registro y eso fue todo. Después tardamos casi una hora en colocarnos para las fotos. Lo que pasa es que todos se organizan como típicos ingleses, hicieron fotos con la familia de la novia, fotos con los tíos, fotos con los niños, fotos con los amigos … Los invitados compraron regalos para los novios, pero no se los dieron en la boda. Los compraron por Internet, y la tienda entrega los regalos directamente a la casa de los novios. Si no compras un regalo, no te invitan, creo. Después de la boda 'desayunan' aunque es la hora de cenar. Luego hay una disco en el hotel y todo el mundo se emborracha. Otro detalle: se gastan casi diez mil libras en una boda, con el hotel, la comida, el vestido de la novia, el coche y las flores. Para mí fue una experiencia rara pero muy linda.

Jenny

Fui a una boda en un pueblo de México. Un primo de un amigo mío se casaba e invitaron a toda la familia y a todo el pueblo. Estaban todos sus tíos, sus primos, los abuelos, y los miembros de la familia que venían de Estados Unidos para la boda. Fui a la boda en la iglesia. La boda civil fue unos días antes y sólo para la familia. Lo más importante es la boda religiosa. Después hubo una fiesta en la calle principal del pueblo. Había mesas para sentarse y una orquesta para bailar. Los novios bailaron primero, un vals. Luego todos bailamos, ¡yo también! Bailamos en conga alrededor de los novios parados en sillas. Había música mexicana y música rocanrol. Después comimos todos juntos. La madre de la novia hizo la comida. Durante la comida pasaron uno de los zapatos de la novia por las mesas y los invitados pusieron dinero en el zapato como regalo. Después continuamos bailando. Los amigos del novio le quitaron la ropa y la llevaron como a un muerto, mientras la orquesta tocaba la marcha fúnebre. Fue una experiencia inolvidable. Lo que más me gustó fue el ambiente.

6 Lee sobre las dos bodas. Contesta a las preguntas en inglés.

At which wedding …
a … did they take ages taking photos?
b … did they dance in the street?
c … did they invite the whole town?
d … did they pass a shoe round?
e … did they spend loads of money?
f … did they buy presents in advance?
g … did they pretend the groom had died?

7 Lety y Jenny comparan las fiestas. Haz frases y explica por qué.

Ejemplo: En México una boda es menos cara que en Inglaterra porque la madre de la novia hace la comida pero …

En Inglaterra/México …

… una boda es	más	tradicional	que en	porque …
… la gente es	menos	personal	Inglaterra	por ejemplo …
		cara	que en	
		divertida	México	
		generosa		
		religiosa		
		alegre		

8 Completa las frases:
1 Lo que más me sorprendió fue que …
2 Lo que más me gustó fue …
3 Lo que pasa es que …
4 Lo que es muy típico es que …
5 Lo que hacen los ingleses es …

a … se organizan en grupos para las fotos.
b … beber mucho.
c … hay muchos primos y tíos invitados.
d … el ambiente.
e … se casaron en un hotel.

Remate

9 Find out on the Internet about some Spanish or Mexican festivals. Then write, in Spanish, a description of one of these festivals, or invent one and write about it.

> hay … es … hacen … llevan … ponen … comen … bailan … tiran … queman …

10 Read the descriptions other people in your class have written. Decide if you think they are real or invented festivals.

Imperfect and preterite

IMPERFECT AND PRETERITE

The imperfect and the continuous form of the imperfect can both be used to mean **was** *talking* or **was** *eating*:

-ar verbs	-er/ir verbs
habl**aba**	com**ía**
estaba hablando	estaba comiendo
I was talking	I was eating

The normal form of the imperfect is also used to mean **used to** *talk* or **used to** *eat*:

hablaba – I used to talk   comía – I used to eat

The preterite tense is used to talk about what happened:

-ar verbs	-er/ir verbs
habl**é**	com**í**
I talked	I ate

1 Look at these examples. Decide if the imperfect is being used to mean 'was ...ing' or 'used to ...':

  a En la cocina unas amigas estaban comiendo bocadillos.
  b En el salón, Juan y Elena jugaban a videojuegos.
  c Cuando era más joven tocaba el violín, pero ya no.

2 Translate these examples into English.
  a Estaba hablando con Juan. Me invitó a una fiesta.
  b Bailábamos en el jardín cuando llegaron mis padres.
  c No jugamos al tenis porque estaba lloviendo.

3a Use the imperfect to describe what was happening when you arrived at a party. Mention four things.

3b Use the preterite to say what happened at the party. Mention five things.

Pronouns

4 Give a definition of a pronoun and think of some examples in Spanish. Check in the Grammar section (pages 208–209).

5 Look at these examples and answer the questions:
  a What are the two places where object pronouns can come in a sentence? What does it depend on?

  Lo compré para mi profesor.
  Le compré un libro en español.
  Decidí comprarle un regalo.
  No puedo comprarlo, no tengo dinero.

  b What happens when you have a direct object pronoun (me, you, him, it ...) **and** an indirect object pronoun (to me, for me, to you, for you, to him, for him ...)?

  Me lo compró.
  Te lo regalo.
  Voy a comprártelo.
  Nos lo dijo en la fiesta.

  c What happens when a sentence has a '*le*' pronoun followed by a *lo/la/los/las* pronoun?

  Se lo regalé en su cumpleaños.
  Se la compré porque me gustaba.
  Se lo dije pero no me escuchaba.
  Decidí comprárselos.

6 Now translate the examples above into English.

7 Write an explanation using the examples on this page, to show how to use object pronouns.

OBJECT PRONOUNS

Pronouns replace a noun:
Compré **el libro** → **Lo** compré.
Regalé el libro **a mi hermano** → **Le** regalé el libro.
Compré el libro **para mi hermano** → compré el libro **para él**.

Direct object	Indirect object	Disjunctive (after a preposition such as *para*)
me *me*	to me *me*	for me *para mí*
you *te*	to you *te*	for you *para ti*
him / her / it *lo* / *la*	to him / to her *le*	for him / her **para él** / *para ella*
us *nos*	to us *nos*	for us *para nosotros*
you *os*	to you *os*	for you *para vosotros*
them *los* / *las*	to them *les*	for them **para ellos** / *para ellas*

8 Disjunctive pronouns follow a conjunction. What important points do you notice in these examples?

¿Es para mí? Sí, es para ti.
No lo conozco pero tengo una foto de él.
No me voy a sentar al lado de ella.
Fue a la fiesta con nosotros.
¿Puedo ir con vosotros?
¿Quieres salir conmigo? ¿Contigo? ¡Nunca!

POSSESSIVE PRONOUNS

mine	el mío/la mía/los míos/las mías
yours	el tuyo/la tuya/los tuyos/las tuyas
his/hers	el suyo/la suya/los suyos/las suyas
ours	el nuestro/la nuestra/los nuestros/las nuestras
yours	el vuestro /la vuestra/los vuestros/las vuestras
their	el suyo/la suya/los suyos/las suyas

The possessive pronoun replaces a noun:
Mi padre *baila mejor que* **tu padre**.
My dad dances better than your dad.
El mío *baila mejor que* **el tuyo**.
Mine dances better than yours.

The ending agrees with the person or thing that belongs, not the owner:
Mi casa es más grande que la tuya.
Mis hermanas son más inteligentes que las suyas.

---

9 Rewrite these sentences using the possessive pronoun.

Ejemplo: Su fiesta fue menos divertida que **mi fiesta**.
Su fiesta fue menos divertida que **la mía**.

a Mi teléfono es más caro que **tu teléfono**.
b Sus padres son más ricos que **nuestros padres**.
c Si te gustan los bocadillos, puedes comerte **mis bocadillos**.
d No tengo bolígrafo. ¿Puedo utilizar **tu bolígrafo**?

10 Don't forget how to use *lo* and *lo que*. Translate these sentences into English, and then write four more sentences beginning with 'lo'.

a Lo más importante es divertirse.
b Lo que más me gusta es estar con mis amigos.

11 Look at the description of an English wedding on page 85. Find all the sentences with pronouns, and translate them into English.

12 Translate into Spanish:

a "Do you want to go shopping with me? My brother has a new phone which is better than mine and I want to buy one for me. If you want, we could buy one for you too."

b "Well, I have to tell you ... I knew what you wanted, so I've already bought it for you!"

3A Habilidades

In this unit you've learnt how to ...

Leer

La manera de festejar los cumpleaños en México puede ser sorprendentemente cruel. Los niños hacen una fiesta, con el típico pastel. El pastel que tiene más fama es el de tres leches. En el pastel, se ponen velas. Una vela para cada año cumplido. Y el niño sopla para apagar las velas. Pero luego, en lugar de concederle el honor de cortar el pastel, todos gritan "Mordida, mordida" y el pobre chiquillo tiene que morder el pastel. Nunca falta el amigo chistoso que le empuja la cabeza en el pastel, y su boca y sus narices se llenan de pastel. Incapaz de respirar, el niño se va llorando a su dormitorio.

1 Learn the words.

❑ Make sure you know what these words mean:

> fiesta   sorpresa   cruel   famoso   chico   chiste   nariz

Find the words in the text that are related to them.

2 Work out the meanings.

❑ Try to use your knowledge of the endings (-*ar*/-*dad*/-*illo* etc) to work out the meaning of the words.

Or work out what the words mean in the sentence. Use this to work out what the ending does to the word.

3 Understand the sentence.

❑ Translate this sentence into English. How much of the sentence do you need to read before you can translate even one word?

Me regaló un libro y le dije que era muy simpática.

What can you tell about the person who writes this?

Fui de compras con mi hermana. Fuimos en el autobús en lugar de caminar. Mi madre nos dijo, "Sois muy perezosos."

What is the difference between these two sentences. Why?

Compré un jersey y una falda muy cara.
Compré un jersey y una falda muy caros.

4 Look out for red herrings.

❑ Listen (a–c). What are the red herrings you have to listen out for? Check with a partner and see if they missed anything.

Aprender

5 Keep your own personal vocabulary reference book.

❑ You need to decide:

- how to set it out: lists, pictures, word webs, highlighted words ...
- how to organise it: topic, alphabetical, word association, useful words, difficult words ...
- why you are putting a word in: a useful word, a word you muddle up with another, a word you keep forgetting, a word that's bound to be in the exam, a word you can't spell, a word you like, a word with two meanings ...
- how you are going to make your learning active: regularly highlight words, regularly use it for reference, test yourself and focus on problem words, write words out until you know them ...

Talk to a partner about how you record and revise vocabulary.

What vocabulary in this Unit do you need to record? How? Why?

6 Think about accuracy.

❑ How much attention do you pay to detail when you are learning Spanish words?

Write out this sentence five times, then check it is exactly the same as the original.

Me dio vergüenza bailar con Eugenia, así que jugué al tenis en el jardín con su hermano, aunque me hubiera gustado más estar con ella en lugar de con él.

Even when you read in your head, if you don't pay attention to the sound/spelling rules, it will make it impossible to understand. Read this sentence aloud, making sure you pronounce it accurately.

Después de apagar de un soplo las velas, todos gritaron que mordiera el pastel. Entonces le dio una mordida, y su amigo Heriberto le hizo el favor de aplastarle la cara en el pastel. Se fue corriendo a su habitación, ahogándose, las narices llenas de pastel.

Oral

Your Spanish teacher wants to organise an evening activity for your group and your exchange partners when they come. Prepare some answers to his/her questions. Don't forget to talk about your own past experience and how it went.

- ¿Qué tipos de actividad puedo organizar?
- ¿Cuál es mejor? ¿Por qué?
- ¿Cuál no sería una buena idea?
- ¿A quién invitamos?
- ¿Qué tengo que hacer?
- ¿Cómo integrar a los dos grupos (ingleses, españoles)?

Santiago,

¿Sabes qué? Voy a organizar una fiesta para tus alumnos cuando vengáis aquí de intercambio. Realmente, no sé qué hacer. Puedo preparar algo de comer – cubos de piña y queso en palillos, o pequeños pasteles de cereales y chocolate. Creo que compraré unas botellas de limonada y agua mineral. Podemos hacer juegos típicamente ingleses como las estatuas o los leones dormidos. Los alumnos deben conocer esos juegos como parte de su experiencia de estar en Inglaterra. Después si traigo mi guitarra, puedo tocar unas canciones tradicionales y los alumnos pueden cantar.

¿Qué te parece?

Vincent

Escrito

Write an email to a Spanish friend who will be here during a special time of year. Tell them:

- what usually happens
- what it was like last time
- what you have planned

Cómo ponerse de acuerdo para salir (p. 76 y 77)

regalos	*presents*
ir a los bolos	*to go bowling*
a lo mejor	*probably*
conmigo	*with me*
contigo	*with you*
suelo	*I usually ...*
lo siento, pero ...	*I'm sorry, but ...*
no ... sino ...	*not ..., but ...*

Cómo organizar una fiesta (p. 78 y 79)

un disfraz	*a costume*
un globo	*a balloon*
la madrugada	*the early hours*
un pastel	*a cake*
adornar	*to decorate*
traer	*to bring*
gratis	*free*
espero	*I hope*
sería una buena idea	*it would be a good idea*
te invito	*I'll treat you*
tengo ganas de	*I feel like*

Cómo hablar de las compras (p. 80 y 81)

una blusa	*blouse*
una boda	*wedding*
un cumpleaños	*birthday*
el dinero	*money*
una falda	*skirt*
un pantalón	*trousers*
el precio	*price*
una tienda	*shop*
un vestido	*dress*
unos zapatos	*some shoes*
unas zapatillas	*some trainers*
buscar	*to look for*
devolver	*to take back*
disfrutar	*to enjoy*
gastar	*to spend*
probarse ropa	*to try clothes on*
demasiado/a	*too much*
demasiados/as	*too many*
de todas formas	*anyway*
no te va	*it doesn't suit you*
¡qué vergüenza!	*how embarrassing!*

Cómo describir una fiesta (p. 82 y 83)

el Carnaval	*Carnival*
la Navidad	*Christmas*
los refrescos	*fizzy pop*
enfadado/a	*cross*
abrir	*to open*
apagar	*to turn off*
caer	*to fall*
cortar	*to cut*
golpear	*to hit*
llegar	*to arrive*
romper	*to break*
vestirse	*to get dressed*

Cómo describir un festival (p. 84 y 85)

un colchón	*mattress*
los espíritus malvados	*evil spirits*
los invitados	*guests*
un milagro	*miracle*
un muerto	*dead man*
la novia	*bride*
los tambores	*drums*
ahuyentar	*to chase away*
casarse	*to get married*
celebrar	*to celebrate*
emborracharse	*to get drunk*
entregar	*to deliver*
festejar	*to celebrate*
mojarse	*to get wet*
pelear	*to fight*
soltar	*to release*
tirar	*to throw*
alegre	*happy*
lindo/a	*beautiful*
e	*and (before an 'i')*
lo que me sorprendió fue que ...	*what surprised me was ...*
lo que pasa es ...	*what happens is ...*
tardamos casi una hora	*we spent nearly an hour*

Lectura (p. 180)

ancianos	*old people*

3B Cine y televisión

¿Ya sabes cómo ...

- ❑ hablar sobre películas y programas?
- ❑ hablar sobre un artista famoso?
- ❑ hablar sobre las carreras artísticas?
- ❑ hablar sobre diferentes actividades?
- ❑ hablar sobre tus gustos?

Escenario

- Prepara y presenta una reseña sobre una película.
- Busca información sobre un festival de música.

¡Hoy empieza el festival!

Habilidades

Escribir

When writing Spanish, how do you ...
- use synonyms?
- avoid repetition?

Leer

When reading Spanish, how do you ...
- use the dictionary for unknown words?
- recognise prefixes and suffixes?
- recognise key words?
- recognise false friends?

Gramática

As part of your Spanish 'toolkit', can you ...
- use the preterite and imperfect?
- use comparatives and superlatives?
- use negatives
- use verbs with prepositions?

G comparativos y superlativos V las películas y programas H estructuras diferentes

12.00	Informativos territoriales
14.30	Corazón de verano – la actualidad de los famosos
15.00	Telediario
15.30	El tiempo
16.00	Telenovela Adiós María
17.00	Charlas con Ana – reality show
18.20	Todofútbol – programa informativo de deportes
19.00	Gente – magazine sobre temas de actualidad
20.00	España desde el cielo – hoy, Cantabria y sus pueblos típicos
21.00	Telediario – noticias
22.00	Cine español: Todo sobre mi madre
00.45	¡Sobreviví! – programa sobre el hombre en situaciones extremas

Mi película favorita es, sin duda, la argentina *Kamchatka*. El argumento es muy interesante y la historia se desarrolla en la década de los 70 en Argentina, durante la represión militar. Ricardo Darín es uno de los protagonistas y hace el papel del padre de familia, un abogado que esconde a su familia para evitar su muerte. Sus dos hijos, de 9 y 5 años, utilizan su imaginación para entender su nueva vida lejos de sus amigos. Es una película dramática y cómica a la vez. La recomiendo. Merece la pena.

Julieta

Algo pasa con Mary es una película excelente y divertida. Cameron Diaz hace el papel de Mary, la chica más guapa del instituto, y Ben Stiller es un chico feo y poco atractivo. La historia, sin embargo, tiene lugar años más tarde, cuando se vuelven a encontrar. La vi en versión original, o sea, en inglés con subtítulos en español, y me dolía el estómago de tanto reírme. La historia me hizo mucha gracia y la volvería a ver.

Manu

1 Mira los pósters de las películas en la página 92. ¿Qué tipo de películas son?

a película de guerra
b película histórica
c comedia
d documental
e película romántica
f película de aventuras
g película de animación

2 Ahora escucha la definición de las películas y decide a cuál de ellas se refiere.

3 Escucha las siguientes descripciones sobre estas dos películas españolas, *Mar Adentro* y *El Orfanato*, y elige la opción adecuada.

a *El Orfanato* es una película (verdadera/romántica/ de terror).
b *Mar Adentro* trata de (la vida de una persona real/ una historia de ficción).
c (*El Orfanato/Mar Adentro*) ganó más premios.
d El protagonista de *Mar Adentro* es un hombre (joven/mayor).
e El tema de (*El Orfanato/Mar Adentro*) es un tema polémico.
f El director de (*El Orfanato/Mar Adentro*) ha ganado una estatuilla.
g (*El Orfanato/Mar Adentro*) termina mal.

4 Lee las opiniones en la página 92 de dos personas sobre estas películas. ¿Quién dice que ...

a ... en su película había dos niños protagonistas?
b ... su película era en versión original en inglés?
c ... su película trataba de un tema histórico?
d ... su película era muy graciosa?
e ... su película contaba la historia de una familia?

5 Habla con tu compañero/a sobre una película que te gusta y otra que no te gusta y explica por qué.

• Es divertida/interesante/triste/aburrida ...
• Trata de ...
• Los protagonistas son ...

6 Mira la programación de la televisión en la página 92 y contesta a las siguientes preguntas:

a ¿Cuántos programas de noticias hay?
b ¿Cómo se llama el programa que habla de la vida de las celebridades?
c ¿A qué hora ponen la película?
d ¿Qué programa ponen más tarde?

7 Escucha a estos dos amigos, Roberto y Mario, hablando de la programación de TVE2 y escribe sus opiniones.

a Informativos territoriales
b Corazón de verano
c El tiempo
d ¡Sobreviví!

8 Escoge la opción adecuada para ti en estas frases. Justifica tu opinión con tu compañero/a.

a Es (más/menos) apasionante ver una película en el cine que en la televisión.
b Las películas de ciencia-ficción son las películas (más/menos) emocionantes de toda la cartelera.
c Las adaptaciones de los libros a las películas suelen ser (mejores/peores).
d (Las mejores/las peores) películas son siempre las películas románticas.
e Las películas taquilleras son siempre (las mejores/ las peores).

es más auténtico   es más entretenido
es/no es tan interesante como

HABILIDADES

Expressing likes and dislikes

Look at Habilidades on page 104 to learn some useful verbs, adjectives and expressions that will help you write and speak more interestingly.

Remate

9 Choose a film you have seen and write a resumé of it. Explain why you like or dislike it.

• Es una película ... romántica/de guerra/de acción/ de aventuras ...
• Trata de ...
• El/la protagonista se llama ...
• La historia tiene lugar en ...
• Merece/no merece la pena verla porque ...
• Es la mejor/peor película que he visto porque ...
• Es más/menos interesante/divertida/emocionante que ... porque ...

G estructuras seguidas de infinitivo **V** vocabulario de opinión **H** sinónimos

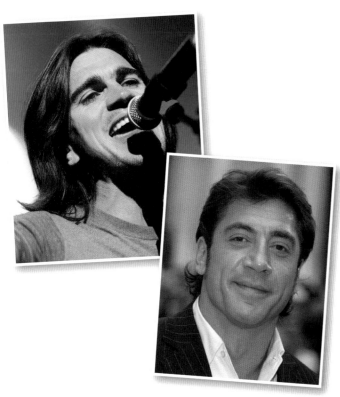

1 Escucha la opinión de Miranda sobre Juanes y Javier Bardem y decide si estas afirmaciones son verdaderas (**V**) o falsas (**F**) o no mencionadas (**NM**).

a El estilo musical de Juanes es muy específico.
b La música de Juanes es fácil de recordar.
c Juanes es muy popular en todos los países.
d Javier Bardem es famoso en su país natal.
e Javier Bardem es gracioso.
f Miranda es fan de Bardem desde hace muchos años.
g La película preferida de Bardem es la película que hizo con los hermanos Cohen.

2 Escucha la conversación entre Miranda y Bruno y contesta a las preguntas.

a ¿Quién fue a un concierto ayer?
b ¿Quién cantó en el concierto?
c ¿Quién bailó en el concierto?
d ¿Quién tiene una opinión diferente del grupo después de ir al concierto?
e ¿Quién pensó que el cantante era estupendo?
f ¿Quién pudo ver a la cantante de cerca?
g ¿Quién cree que el grupo tiene mucho talento?
h ¿Quién piensa que la música del grupo es repetitiva?

3 Habla con tu compañero/a. Después haced preguntas por turnos.

¿Qué música te gusta?
¿Tienes un(a) cantante preferido/a? ¿Por qué te gusta?
¿Sueles ir a conciertos? ¿Con quién vas?
¿Qué actores o actrices te gustan? ¿Cómo son?
¿Qué opinas de músicos de otros países? ¿Te gustan o no? ¿Por qué?

4 Lee las descripciones de estos actores y escritores y sustituye las palabras subrayadas por los sinónimos de la lista de abajo.

Bernardo Atxaga es un escritor vasco de novelas y cuentos cortos. Es un hombre culto e inteligente y su literatura se desarrolla en el País Vasco, donde es muy <u>famoso</u>.

Alfredo Landa es un hombre <u>afable</u> que tiene muchos amigos. <u>Parlanchín</u> como es, siempre habla mucho en las entrevistas, donde cuenta historias de su larga trayectoria artística.

Penélope Cruz es muy <u>dinámica</u> – siempre le ha gustado el baile y durante un tiempo practicó el ballet clásico aunque nunca llegó a tener el éxito de su hermana Mónica. Es <u>simpática</u> con los periodistas y no le importa hablar con la prensa.

Martín Rivas es la nueva revelación de la temporada. Antes de ser famoso, era un estudiante de secundaria. A primera vista parece un poco <u>altivo</u> pero en realidad es precisamente lo contrario. Es bastante <u>callado</u> con la prensa pero dice estar muy <u>contento</u> con el éxito de su serie *El internado* de la que es protagonista.

activo	reservado	hablador	agradable
orgulloso	célebre	feliz	amistoso

5 Utiliza las palabras necesarias de la actividad 4 para describir a una persona famosa de tu elección. Tu compañero/a tiene que adivinar quién es.

Ejemplo: Es una actriz muy famosa y dinámica. A primera vista parece altiva y distante, pero en realidad es muy simpática y afable. Tiene muchos hijos, algunos adoptados. (Angelina Jolie)

Juanes inaugura el Parque Juanes de la Paz

El cantante colombiano más famoso tiene un nuevo proyecto …

Juanes es un hombre dedicado a su música, a su mujer y a sus dos hijas, pero ha utilizado su fama también para ayudar a los demás, creando la fundación 'Mi sangre' contra las minas antipersona. Ahora acaba de fundar el Parque Juanes de la Paz para ayudar a la rehabilitación de minusválidos. Después de inaugurar el parque, Juanes volverá a su gira por España.

Javier Bardem, nuestro ganador del Oscar

Javier Bardem ha trabajado en series y en películas en España, pero ahora es internacionalmente famoso gracias a su papel en *No es país para viejos* de los hermanos Cohen.

Al empezar su carrera los críticos pensaban que iba a hacer siempre el mismo papel, pero Javier tiene talento para representar a todo tipo de personajes. Antes de ser el tetrapléjico Ramón Sampedro representó al poeta cubano Reynaldo Arenas y últimamente ha ganado el Oscar al mejor actor.

Sin embargo, Javier es un chico sencillo y, cuando no tiene que filmar, pasa el tiempo ayudando en el restaurante familiar, 'La Bardemcilla'.

6 📖 Lee los artículos del periódico. ¿Quién …

a … hace papeles muy diferentes?
b … es solidario?
c … trabajó en la televisión?
d … tiene más años de experiencia en su profesión?
e … es activista?
f … es muy familiar?

7 📖 Lee la discusión de estos jóvenes sobre un actor y decide cuál es la opción correcta.

A: −Acabo de ver una entrevista suya en la tele … ¡No lo soporto! No piensa nunca en los demás, solamente en sí mismo. Es (1) (egoísta/extrovertido/práctico).

B: −¡Pero qué dices! Me encanta, hace papeles diferentes todo el tiempo, ¡es genial! Es (2) (jugador/aburrido/camaleónico). Además, es muy dulce y siempre aparece en televisión dando besos y abrazos a sus niños. Es (3) (honrado/atrevido/cariñoso).

A: −Sí, pero no es tan dulce − ¡muchas veces ha tenido problemas por agredir a los periodistas! Es (4) (mentiroso/listo/agresivo).

B: −Dirás lo que quieras, pero siempre hace reír al público. Es (5) (famoso/formal/gracioso).

A: −Pero cuando no actúa es estúpido, insolente, maleducado … Es (6) (animado/insoportable/pesimista).

B: −¡Bueno, pues a mí no me vas a hacer cambiar de opinión!

A: −¡Ni tú a mí tampoco!

GRAMÁTICA

Estructuras seguidas de infinitivo

Hay estructuras en español que necesitan un infinitivo detrás:

Me gusta **ver** películas de acción.

Prefiero **ir** al cine que ver la televisión.

8 📖 Mira los artículos y busca todas las estructuras seguidas de infinitivo. ¿Sabes qué significan?

9 🗣 Habla con tu compañero/a y practica las estructuras:

- ¿Qué haces antes de ir al colegio? Antes de ir al colegio …
- ¿Qué te gusta hacer después de terminar las clases? Después de terminar el colegio, me gusta …
- ¿Qué acabas de hacer? Acabo de …
- ¿Tienes algún proyecto? Sí, tengo un proyecto. Voy a …

Remate

10 ✏ Write a web page for the fan club of your favourite actor.

11 🗣 Work with a partner and record an interview. You're at a concert of your favourite band. Talk to the singer or the group.

(G) el imperfecto y el pretérito (V) expresiones temporales (H) expresar tiempo

1 Mira las fotografías de los famosos. ¿Cuál crees que es su profesión? ¿Por qué? Habla con tu compañero/a.

2 Ahora escucha y rellena los espacios.

	Profesión	Fecha de nacimiento	País	Otra información
Raquel del Rosario				
Gael García Bernal				
Salma Hayek				
Pedro Almodóvar				

3 Trabaja con tu compañero/a y escribe las preguntas de la actividad 2.

Ejemplo: Raquel, ¿cuál es tu profesión? ¿Cuándo es tu cumpleaños?

4 Lee estos artículos sobre dos actores famosos en España y decide a qué texto se refiere cada frase.
a Habla de un programa de televisión.
b Habla de una actriz española.
c La protagonista no es una actriz madura.
d Habla de una chica guapa.
e Habla de una película polémica.
f Habla de una mujer a la que también le gusta escribir ficción.
g Habla de una actriz que está comenzando su carrera.
h Habla de una mujer que trabaja en España desde hace casi dos años.
i Habla de una actriz que quiere dedicarse al cine en el futuro.

1

La generación que viene

Hace ya un año y medio que vino de Cuba a España y desde entonces, Ana de Armas, de la famosa serie *El internado* es más popular que nunca. Su carrera es meteórica. Es joven y con poca experiencia, pero quiere aprender. Ana hace el papel de Carolina, la chica guapa y valiente que descubre los misterios del colegio. Ahora que es famosa, hace también trabajos de modelo para las revistas más conocidas del país, pero Ana es ambiciosa y quiere trabajar en películas más adelante. Con actores como Luis Merlo, la serie es récord de audiencia y todos queremos saber qué va a pasar en el internado 'Laguna negra' en esta tercera temporada.

2

Premio para Candela Peña

Al fin una de nuestras mejores actrices ha ganado un Goya por su trabajo en *Te doy mis ojos*, una película sobre la violencia contra las mujeres. Hija de los propietarios de un bar y sin nadie en la familia relacionado con el mundo del cine, Candela lleva años trabajando en muchas películas españolas y ha interpretado una gran variedad de papeles, pero sólo desde hace dos o tres años se la ha reconocido como la excelente actriz que es.

También ha publicado una novela, con lo cual podemos ver que es una mujer de muchos talentos.

5 Haz una presentación sobre la carrera artística de tus actores favoritos ty enséñala a toda la clase. ¡Cuatro personas son los jueces! Menciona:
• dónde nacieron
• su carrera (dónde estudiaron, cuándo empezaron a ser famosos)
• sus mejores películas y papeles
• sus planes para el futuro

6 📖 **Lee las descripciones de estos famosos cuando eran jóvenes y elige el adjetivo adecuado.**

  a Javier era (callado/deportista/familiar).

  b Salma Hayek era (estudiosa/interna/divertida) en el colegio.

  c La familia de Salma era bastante (inteligente/independiente/rica).

  d La carrera de Javier comenzó cuando era muy (joven/creativo/hablador).

  e Cuando era pequeño, Pedro Almodóvar era (reservado/simpático/deportista).

  f Javier era una persona (tímida/abierta/soñadora).

  g Pedro tiene otros tres hermanos, pero él es el (profesor/mayor/actor).

Javier Bardem comenzó a actuar a los seis años y en 1992 tuvo su primer éxito. Jugaba para el equipo nacional español de rugby pero lo abandonó por el cine, que siempre le había gustado. Javier era un niño hablador y simpático y el cine era un juego para él. Primero actuó en series de televisión y telenovelas, y estudiaba pintura, pero finalmente decidió continuar la tradición familiar y hacerse actor.

Salma Hayek nació en una familia burguesa y con dinero y por lo tanto, tuvo muchas oportunidades de estudiar. Sus padres la mandaron interna a un colegio en Louisiana a los 12 años y vivió en Texas hasta los 17. Salma pudo haber sido gimnasta profesional, pero los padres no la dejaron formar parte del equipo nacional mexicano. Estudiaba relaciones internacionales cuando decidió abandonarlo todo por el cine.

Pedro Almodóvar venía de una familia pobre de La Mancha y era el mayor de cuatro hermanos. Durante un tiempo fue profesor y enseñaba a leer en la escuela del pueblo, y también escribía cartas para los vecinos que no sabían escribir. Pedro era un niño tímido y soñador que descubrió el cine cuando se fue a estudiar a un internado en Cáceres, lejos de su familia.

---

7 🎧 **Escucha la entrevista con el cantante Juanes e indica verdadero, falso o no mencionado.**

  a Juanes es el nombre real del cantante.

  b Juanes tocaba muchos instrumentos tradicionales.

  c Juanes nació en Colombia.

  d Juanes compone sus canciones.

  e Juanes es pacifista.

  f Juanes canta solamente en España y Latinoamérica.

  g A Juanes sólo le gustaba el heavy metal.

  h Juanes toca en sus conciertos música popular colombiana.

  i Juanes es un hombre familiar.

  j Juanes lleva treinta años cantando en solitario.

GRAMÁTICA

Imperfecto y pretérito

Remember to use the imperfect to describe a continuous action in the past, or what someone used to do in the past:

Cuando Juanes era joven, le gustaba el heavy metal. *When Juanes was young, he liked heavy metal.*

The preterite is not continuous, it has an end:

Juanes aprendió a tocar la guitarra de pequeño. *Juanes learnt to play the guitar when he was little.*

---

8 📖 ✏️ **Lee el texto y escribe los verbos en el imperfecto.**

¡Qué tiempos aquellos, cuando yo (ser) pequeño! Mis amigos y yo (salir) a jugar todas las mañanas y solamente (volver) a casa para comer. Por las tardes mis hermanos (dormir) la siesta pero yo (jugar) con los vecinos porque nunca (tener) sueño. Me (encantar) estar en casa de la abuela y siempre (llorar) cuando, al final de las vacaciones, mis padres (venir) a buscarme para volver a la ciudad.

---

9 ✏️ **Lee los artículos de la actividad 4 otra vez y escribe todas las expresiones temporales que encuentres. ¿Cuáles son más sofisticadas?**

Remate

10 👥 *Big Brother* **is looking for contestants. Create a perfect contestant for the programme.**

  • ¿Cómo era su infancia?

  • ¿Dónde nació?

  • ¿Qué le gustaba hacer?

  • ¿Por qué se presentó a *Gran Hermano*?

  • ¿Qué hizo antes de participar en el programa?

11 👥 ✏️ **Choose two famous people and find out about their childhood from the Internet. Write some phrases using the imperfect tense. Your classmates have to discover who they are.**

  • Nació en …

  • Vivió en …

  • Cuando era pequeño le gustaba …

G negativos **V** actividades de tiempo libre **H** expresiones de frecuencia

1 🎤 Escucha a Paco y a su amigo hablando del campamento de verano. ¿Qué actividades mencionan?

2 🎤 Escucha otra vez y escribe cuáles son las actividades ideales del chico que no quiere ir al campamento.

3 📖 Une las preguntas y las respuestas.

a ¿Qué deportes te gustan?
b ¿Qué actividades no te gusta hacer?
c ¿Qué actividades sueles hacer en tu tiempo libre?
d ¿Cuántas veces por semana las practicas?
e ¿Qué actividades te gustaría practicar?

1 Me gustaría hacer surf en la semana que dura el campamento.
2 Suelo practicar natación y el baloncesto.
3 Me gustan los deportes acuáticos en general.
4 Nunca practico el baile ni la gimnasia – ¡no tengo sentido del ritmo!
5 Normalmente practico mis actividades dos veces por semana pero no siempre tengo tiempo libre.

4 🧑‍🤝‍🧑 Practica con tu compañero/a. Responde a las preguntas de la actividad 3 y utiliza expresiones de frecuencia:

Ejemplo: ¿Qué deportes te gustan? Me gusta el tenis, y juego casi todos los días. También practico natación siempre que puedo.

> casi   siempre que puedo   de vez en cuando
> raramente   nunca

5 📖 Lee las siguientes opiniones sobre las actividades de tiempo libre y los anuncios del periódico. Une los anuncios con la persona adecuada.¡Cuidado! hay una persona de más.

a No entiendo por qué hay tantas personas que hacen equitación. A mí me parece un deporte elitista: casi nadie puede permitirse tener un caballo en su casa salvo la gente que tiene mucho dinero, y además, es muy peligroso. A mí me encanta el fútbol y lo veo en la tele y en directo si puedo. ¡Eso sí que es divertido!

b A mí no me convencen: ni los deportes acuáticos, ni el fútbol, ni el tenis – nada es mejor que el montañismo. Salgo de mi casa con mis botas y mi mochila y ya está, soy yo y la naturaleza a mi alrededor. No hay estrés por llegar al final y puedes ir a tu propio ritmo.

c Nada puede compararse con el surf. Me gustan las emociones fuertes, las olas inmensas y el riesgo. Yo no valgo para estar en casa viendo la tele, o jugando a los videojuegos. A mí me va la acción y estar en el agua. No me encuentro en ningún lugar mejor que en el mar. Sé que depende de la persona, pero cuando estoy en mi tabla soy feliz.

d Prefiero los pasatiempos intelectuales: los crucigramas, los sudokus ... Mi trabajo es muy activo y por eso cuando tengo tiempo libre quiero relajarme en el sofá con un lápiz en la mano y pensar. Tengo un grupo de amigos que también comparten mi pasión por el ajedrez y jugamos todos los domingos.

Anuncio 1: Soy nuevo en la ciudad y busco compañeros para pasar el tiempo libre. Me gusta pasear y disfrutar del paisaje. Antes hacía senderismo y escalada. Llámame al 985 234571.

Anuncio 2: Tengo quince años y busco a alguien que quiera compartir mi pasión por la playa y los deportes acuáticos. Me gusta bucear y la pesca submarina también. Interesados llamar al 953 897450.

Anuncio 3: Soy un fan del Real Madrid que acaba de llegar a la capital. Busco a otros forofos que quieran compartir su pasión por su equipo favorito. Interesados llamar a mi móvil 339 9132475.

6 Lee otra vez los textos de la actividad 5 y habla con tu compañero/a. ¿Qué persona sería la más apropiada para ti y por qué?

7 Escucha a Eva hablar de los pasatiempos de su familia. ¿Verdadero, falso o no mencionado?

a Sus hermanos y su padre practican deportes de equipo.

b Su madre es profesora de gimnasia.

c Sus padres hacen 'footing' por la mañana temprano.

d Su padre nunca va a tomar café con los amigos.

e En la familia de Eva, nadie critica a la madre.

f Van a la piscina todos los días.

8 Lee las frases y escoge la opción apropiada.

a No me gustan los deportes y por eso (nunca/siempre) he jugado al tenis.

b (Nadie/muchas personas) de mi familia es aficionada al fútbol y por eso nunca vamos a los partidos.

c No tenemos (nada/ningún) en común: a ti te gusta salir por la noche y yo prefiero quedarme en casa.

d Odio el rugby, ¡es un deporte tan violento! A mí (también/tampoco) me gusta.

e (Ninguna/alguna) de mis amigas hace deporte, así que nunca vamos al gimnasio.

9 Habla con tu compañero/a. Elegid un deporte y uno tiene que estar a favor y el otro en contra.

10 Escucha la crónica sobre la Semana Negra de Gijón y elige la opción adecuada.

a La Semana Negra tiene lugar (en el invierno/en el verano).

b El festival dura (una semana/más de una semana/dos días).

c El festival comenzó a celebrarse hace (dos años/veinte años/doce décadas).

d Durante el festival puedes (escuchar poemas/ver películas policíacas).

e Durante la Semana Negra también puedes ver exposiciones (fotográficas/de periódicos).

11 Lee las siguientes opiniones de la encuesta sobre la Semana Negra y responde a las preguntas.

a ¿Qué piensa Doña Manolita de los conciertos de la Semana Negra?

b ¿Por qué va la gente a la Semana Negra, según Miriam?

c ¿Qué es lo más importante para los jóvenes que van a la Semana Negra, según Telmo?

d ¿Qué es necesario para mejorar la situación durante la Semana Negra, según Telmo?

e ¿Qué es lo mejor de la Semana Negra, según Oscar?

No soporto el ruido de los conciertos de la Semana Negra – siempre estoy deseando que se acabe el festival. **Doña Manolita, 75 años**

Me encanta el ambiente que hay, tanta gente interesada en la cultura. ¡Y cada año somos más! **Miriam, 28 años**

Lo que no me gusta de los festivales es que siempre atraen a los jóvenes que beben y tiran basura en los parques. A ellos no les importa la ciudad, sólo les interesa pasarlo bien. ¡Necesitamos más policía en las calles para evitar el problema! **Telmo, 62 años**

No me gusta la literatura policíaca pero creo que la Semana Negra es una oportunidad excelente para hacer propaganda de nuestra ciudad. ¡Gijón es maravillosa! **Oscar, 18 años**

12 Une las preguntas con las respuestas.

1 ¿Qué tienes en la mano?	**a** Nunca/jamás
2 ¿Quién te ayuda con los deberes?	**b** No, ni a ella ni a mi madre
3 ¿Tienes alguna amiga en clase?	**c** Yo tampoco
4 ¿Has fumado alguna vez?	**d** Nadie
5 ¿Has visto a tu hermana?	**e** No, ninguna
6 ¿Tienes un bolígrafo? Yo no.	**f** Nada

Remate

13 Write a leaflet advertising a summer camp and try to convince your friends to spend their holidays there.

¡Butlins! ¡Las vacaciones de tus sueños!
El campamento tiene lugar en la costa, en Margate ...
Durante estas vacaciones puedes hacer ...
Lo mejor es que ...

3B Cómo hablar sobre tus gustos

G verbos seguidos de preposiciones **V** gustos y preferencias **H** sufijos y prefijos

1 Mira las revistas españolas. ¿Cuál te interesa y por qué? ¿Cuál no y por qué?

2 Escucha y rellena el cuadro con las preferencias de estos jóvenes. ¿Qué tipo de revistas les gustan? ¿Por qué?

	Quo	¡Hola!	Patrones	Fotogramas	Geo	+Quefutbol
opinión						
razón						

3 Habla con tu compañero/a. Preparad una respuesta en español a esta pregunta:

¿Qué revistas sueles leer? ¿Cuáles te gustan o no y por qué?

Las sugerencias de nuestros lectores

1

Carlos Acosta – su biografía

Acabo de empezar a leer la biografía del bailarín cubano Carlos Acosta y estoy enganchada. Carlos nació en una familia modesta en La Habana, y su padre insiste en hacerle estudiar ballet … tenéis que leerla, es genial.

2

Cuentos de Eva Luna, de Isabel Allende

Si te gustan los cuentos cortos y la mezcla de fantasía y realidad, de amor y tragedia, decídete a comprar este libro. Una vez que lo empiezas, no puedes parar hasta terminarlo.

3

World Press Photo 2008

Para los apasionados del fotoperiodismo, este libro es fascinante porque contiene las imágenes más poderosas de los sucesos más importante de este año.

4

El amor en los tiempos del cólera, de Gabriel García Márquez

Dos enamorados que se quieren durante toda su vida, este libro escrito al más puro estilo de Márquez es una de las mejores obras literarias jamás escritas.

4 Lee las sugerencias de los lectores de la revista *Qué leer*. ¿A qué libro se refiere?

a ¿Qué dos libros cuentan historias reales?

b ¿Qué dos libros tienen una faceta romántica?

c ¿Qué libro es una novela?

d ¿Qué dos libros no puedes dejar de leer una vez que los empiezas?

e ¿Qué libro es una crónica de actualidad?

5 Describe un libro. La clase tiene que adivinar de qué libro se trata.

- Este libro cuenta una historia de ...
- Trata de ...
- Me gusta porque ...

6 Escucha a los jóvenes hablando de sus gustos antes y ahora y elige la opción adecuada. ¿Verdadero o falso?

a A Rocío le gustaban las historias de suspense.

b Ahora ya no ve series de misterio.

c La amiga de Rocío no estaba interesada en el cine.

d La amiga de Rocío no dedica mucho tiempo a la televisión.

e A la amiga de Rocío le gustaban los programas infantiles.

f Ahora Rocío ve los vídeos de cuando era pequeña.

7 👥 Haz una encuesta en clase. ¿Qué tipo de programas de televisión prefieren tus compañeros/as y por qué?

8 📖 Lee las opiniones 1–4 sobre los programas de televisión y emparéjalos con las siguientes frases.

a Tuvo que abandonar su pasatiempo favorito durante un tiempo.
b Antes veía programas en otras lenguas.
c Ahora le gusta volver a ver películas conocidas.
d Antes no le interesaba tanto la televisión.
e Antes veía la televisión como una obligación.

1 Cuando era pequeña, mi madre me obligaba a ver solamente programas educativos y por eso odiaba la tele. Yo quería ver los programas de mis amigos, pero ella no me dejaba. Un día me harté de obedecer y hablé con ella. Era un programa divertido y era apto para jóvenes. ¡Después empezamos a ver la tele juntas!

2 Antes empezaba a ver un programa y siempre encontraba algo diferente que hacer más interesante. No era muy paciente, la verdad. Ahora que trabajo y mi ritmo de vida es mucho más activo, veo la tele como algo relajante. En cuanto acabo de cenar pongo mi programa favorito y ¡qué relax!

3 Yo, si hay un buen programa en la tele, me olvido del mundo y soy feliz. También me gusta volver a ver series o películas que me han gustado. Antes nunca hacía eso, pero ahora me relaja.

4 Cuando era un adolescente, no paraba de ver la televisión, pero sobre todo películas, primero en español y luego en inglés para practicar el idioma. Después dejé de ver la tele porque empecé a trabajar como camarero y no tenía tiempo. Ahora tengo un trabajo más estable y tengo más tiempo libre y puedo relajarme delante de la televisión.

9 👤 Practica con tu compañero/a. ¿Qué leías antes y ahora? ¿Han cambiado mucho tus gustos?

10 🖊 ¿Qué verbos conoces que no necesitan preposición?

11 🖊 Mira en la actividad 8 y escribe la preposición.

verbo	preposición	significado
hartarse		to be fed up with
dejar		to stop doing something, quit
volver		to do something again
empezar		to start to
acabar		to finish doing something

HABILIDADES

Suffixes and prefixes

Some well-known suffixes are:

-dad   English equivalent of '–ty' (*ciudad* city)
-ción   English equivalent of '–tion' (*acción* action)
-ía   English equivalent of '–y' (*farmacia* pharmacy)
-ment   English equivalent of '–ly' (*rápidamente* quickly)
-és/esa   indicates nationality (*inglés/inglesa* English)
-ería   name of a shop (*panadería* baker's)

Some well-known prefixes are:

des-   English equivalent of 'un-/dis-' (*desventaja* disadvantage)
in-/im-   English equivalent of 'un' (*imparable* unstoppable)

Remate

12 👥 Do a survey in class:

- ¿Qué programas veías antes? Veía …
- ¿Qué programas empezaste a ver? Empecé a ver …
- ¿Qué programas te hartaste de ver cuando eras pequeño? Me harté de ver …
- ¿Qué programas has vuelto a ver? He vuelto a ver …

13 🖊 Talk to several classmates and write about what they used to like watching on TV and what they watch now. The rest of the class then has to guess which person it is.

"Antes veía el programa/la serie … pero ahora prefiere … porque …"

3B Gramática en acción

Imperfect and preterite

PAST TENSES

Both the imperfect and the preterite are past tenses, but they are used in different contexts:

- The imperfect is used for descriptions and repeated actions in the past, and it doesn't have a specific beginning or end.
- The preterite is used for completed actions in the past and the length of time is defined.

1 Fill in the grid with the correct endings for each tense.

Preterite tense		Imperfect tense	
-ar	**-er, -ir**	**-ar**	**-er, -ir**
- é		-aba	
-aste			-ías
	-ió	-aba	
-amos			-íamos
	-isteis		
-aron			-ían

2 Which of these verbs are irregular in the preterite? Can you think of more?

hacer   salir   poder   estar   dar   tomar   hablar   ver

IRREGULAR PRETERITES

There are many irregular verbs in the preterite, but remember that some of them have similar patterns:

poder	pude, pudiste, pudo
poner	puse, pusiste, puso
dar	di, diste, dio ...
ver	vi, viste, vio ...
tener	tuve, tuviste, tuvo ...
estar	estuve, estuviste, estuvo ...

3 Make yourself a set of numbered cards, writing a verb infinitive on each card. Use different coloured cards for irregular and regular verbs. Then throw dice to choose the cards and practise the verb endings.

Can you remember what happens to the preterite in the first person, with verbs that end in *-gar*, *-zar* or *-car* like *jugar*, *sacar* or *empezar*?

4 Complete the sentences with the right verb.

- a Julio, ¿adónde ...... ayer?
- b Mis padres ...... Mallorca el verano pasado.
- c Mis amigos ...... muchas fotos en el zoo.
- d Yo ...... al fútbol el fin de semana pasado.
- e Hace dos años mis primos y yo ...... en aquel restaurante famoso.
- f Pedro y María, ¿ ...... ayer por la noche?

1 jugué	**4** sacaron
2 salisteis	**5** comimos
3 fuiste	**6** visitaron

IRREGULAR IMPERFECTS

There are only two irregular verbs in the imperfect – *ser* and *ir*.

Write down the complete imperfect tense for both verbs, to make sure you remember them well.

5 Choose the right verb for the sentence:

- a Manuel (iba/iban/ibas) a la fuente con el abuelo cuando era chico.
- b Roberto (era/eran/éramos) mi mejor amigo a los siete años.
- c Mis abuelos (tenía/tenían/teníais) una casa en el campo.
- d Cuando mi familia y yo (vivían/vivíamos/vivía) en California, (tenía/teníamos/teníais) una casa en la costa.

NEGATIVES

Remember what you have learnt about the negatives. Put them at the beginning of the sentence to make it easier.

To make a sentence negative, you put '*no*' before the verb, but there are other negative expressions:

nada – nothing

nadie – nobody, no one, not anyone

nunca – never

jamás – never, not ever

ninguno/a – none, not any

ni ... ni – neither ... nor

tampoco – nor, neither

ya no – not anymore, no longer

Normally, '*no*' goes before the verb; in order to emphasize the negative expression, use it first and omit '*no*':

Nadie bebe alcohol en mi casa. / No bebe alcohol nadie en mi casa.

Nunca voy al cine. / No voy nunca al cine. / No voy al cine nunca.

6 Fill the gaps in these sentences with the right negative:

a _____ vive en esta casa desde hace 10 años.

b _____ voy de vacaciones porque no tengo dinero.

c Tú no tienes muchos amigos y yo _____ .

d _____ persona entró aquí en los últimos diez minutos.

e No hay _____ interesante en la tele.

f Ni tú _____ yo vamos a salir por la noche, ¡estamos castigados!

1	nunca	**4**	nadie
2	ninguna	**5**	ni
3	nada	**6**	tampoco

Verbs with prepositions

7 Some verbs need certain prepositions to work properly. Check the following sentences and add the right prepositions:

a Mis padres me obligaron ... limpiar mi habitación.

b Empezamos ... estudiar ruso por las tardes.

c Me harto ... obedecer siempre a mis profesores.

d Durante las vacaciones aprendí ... practicar el surf.

e Si mi amigo deja ... fumar, será estupendo.

f Siempre hablamos ... las mismas personas, ¡qué aburrido!

g Cuando acaban ... comer, siempre van a dar un paseo.

8 Read this letter and write down all the imperfect and preterite verbs in two columns. Then write a reply using all the grammar of this Unit.

¡Hola! ¿qué tal?

Acabo de volver de mis vacaciones en Vigo. Fueron estupendas – fui a la playa y me bañé mucho, y por las tardes salí con mis amigos a los bares del centro. Hacía un tiempo estupendo pero el agua estaba siempre fría – ¡es normal porque es el Atlántico! Ayer fui al cine con mis hermanos a ver una película americana. ¡No había nadie más en el cine porque hacía calor! Se trataba de una comedia romántica que no estuvo mal. ¡Ya sé que antes no soportaba esas películas porque las creía estúpidas pero ahora no me importa tanto y me reí bastante!

¿Y tú? ¿Qué hiciste durante tu tiempo libre en las vacaciones? ¿Qué películas te gustan? ¿Han cambiado tus preferencias?

Ya me contarás.

Un abrazo,

Luis

3B Habilidades

In this unit you've learnt how to ...

Aprender

1 Learn and remember vocabulary.

❏ Make cards with the word in Spanish on one side and English on the other. Keep the cards in an envelope and get a few out every day to see how many you can remember.
If you dedicate five minutes to your vocabulary learning every day, it will be much easier to remember the words and they are much more likely to stick. Try to set yourself a target for the week.

When you feel you have learnt them well, get a piece of paper and write them to check that you know how to spell them.

2 Learn positive and negative adjectives.

❏ Make some cue cards for positive and negative adjectives, using different coloured cards for positive and negative. You could start by making sure you know what the following adjectives mean, and putting them on the right cards:

> aburrido entretenido emocionante espléndido
> triste malo fantástico lento rápido pesado
> corto apasionante

Try to think of some more positive and negative adjectives to put on cue cards.

3 Learn synonyms.

❏ Make some cue cards for synonyms, putting the synonyms on different sides of the card.

Try to remember them by testing yourself daily. You can also try creating playing cards, in which the person with more synonyms wins.

4 Check your learning.

❏ Use activity 4 on page 94 to see how successful these learning strategies have been.

Leer

5 Recognise words in a text.

❏ You don't need to know every word in a text to understand the gist of it. The most important thing is to try to recognise cognates and remember some rules about endings that should help you to identify words:

–ción and *–sión* tend to have English equivalents (*estación* station)

–dad ending often means a word ending in '-ty' in English (*ciudad* city)

–mente tends to be '-ly' in English (*rápidamente* rapidly)

Escribir

6 Expand your answers about likes and dislikes.

❏ Try to use a variety of vocabulary and don't forget to express opinions as much as possible.

You know *me gusta/n, me encanta/n*, but there are many other expressions that would be more sophisticated − for example:

me aburre(n)
me apasiona(n)
me vuelve(n) loco/a
me fascina(n)

Which of the above expressions are positive, and which are negative?

Here are some more expressions you could use to express dislike, in both writing and speaking:

¡Menudo bodrio!
¡Menuda pérdida de tiempo!
¡Qué pesadez de...!
¡Qué ... más predecible!

❏ Make sure you know what the above expressions mean, and try using them to describe something you don't like, such as a film or book.

Oral

Prepare a film review to be spoken aloud in Spanish.

1   Work in group of three. Your file review could be about El Orfanato or any other film you've seen. To get idea about the format for your review, have a look at the website of any Spanish cinema magazine.

2   Your review should be divided into three parts:
   • Part 1: brief biographies of the director (*el director*) and principal actors (*el actor/la actriz principal*) in the film.
   • Part 2: a short summary of the film's story (*el argumento*).
   • Part 3: comments about the film from three or four expert critics. Each comment should include:
      – a summary of the critic's comments about the film.
      – their rating of the film (1–5 stars or score out of 10).

3   Try to include as many views and interesting facts as possible about the actors and director. What were they like when they were young? What did they do before they become famous?

   Each person in your group will present one part of the review, so take notes to help with your speech. You could also prepare PowerPoint slides to act as prompts. Rehearse your presentation first!

4   Present your work to the rest of the class. The criteria for winning the best presentation are length, delivery, understandability and vocabulary.

Director: Juan Antonio Bayona

Intérpretes: Belén Rueda, Fernando Cayo, Geraldine Chaplin, Montserrat Carullo, Mabel Rivera, Andrés Gertrudix, Roger Príncep

Escrito

El Festival de Benicàssim

1   Research the Festival de Benicàssim (or another festival, if you prefer).

2   Write an account of the festival in Spanish, explaining:
   • what happens at the festival.
   • the pros and cons of the celebration.

   You can use the text and opinions below for information, but write everything in your own words.

> "No soporto el ruido de los jóvenes y su música horrible. Durante el Festival de Benicàssim me voy de vacaciones para estar lo más lejos posible."

> "Me encanta el festival. Cuando llega julio, cuento los días para que llegue el festival y los jóvenes que vienen a pasarlo bien en mi ciudad. Me gusta conocer gente nueva y escuchar música diferente."

> "No comprendo por qué los vecinos tienen tantos problemas con el festival. Son solamente cuatro días al año, ¡no es excesivo! Son unos aburridos ..."

El Festival Internacional de Benicàssim comenzó en 1994. Antes solamente venían chicos españoles para escuchar música y disfrutar de las vacaciones, pero ahora vienen jóvenes de todo el mundo que conocen la buena fama de este festival. La fiesta dura cuatro días en julio, normalmente del 17 al 20 de julio.

El camping, que está muy cerca de la playa y de un parque acuático enorme, va incluído en el precio de la entrada, y con ella puedes ver a tus grupos preferidos durante todo el día y toda la noche.

En este festival hay música de muchos tipos diferentes, además de otro tipo de entretenimientos como mercados, bares, teatro, baile y cine.

Hay muchos grupos nuevos que tienen su primera oportunidad de tocar en Benicàssim, y hay exposiciones y, sobre todo, mucha diversión.

Las entradas cuestan 130 euros, ¡compra tu entrada ya!

> "Lo peor es que hay demasiada gente y no hay espacio en la playa con los chicos que vienen al festival, pero, por otra parte, el turismo es bueno para la ciudad y son cuatro días muy divertidos."

Cómo hablar sobre películas y programas (p. 92 y 93)

el desenlace	outcome
el documental	documentary
la estatuilla	statuette
el huérfano	orphan
la juventud	youth
la película de guerra	war film
la película de terror	horror film
el premio	award
el/la protagonista	main character
gracioso/a	funny
inesperado/a	unexpected
polémico/a	controversial
tetrapléjico/a	tetraplegic
cumplir	to achieve
ganar	to win
hacer el papel de	to play the role of
hacer gracia	to make laugh
luchar	to fight
merecer la pena	to be worth it
tener lugar en ...	to take place in ...
me aburre	it bores me
me encanta(n)/me apasiona(n)	I love
me fascina(n)	I'm fascinated by
me vuelve(n) loco/a	I'm mad about
se basa en ...	it's based on
termina mal	it has a bad ending
trata de ...	it is about

Cómo hablar sobre un artista famoso (p. 94 y 95)

afable	friendly
altivo/a	proud
atrevido/a	daring
callado/a	quiet
camaleónico/a	adaptable
cariñoso/a	loving
culto/a	cultivated
dinámico/a	dynamic
famoso/a	famous
honrado/a	honourable
insoportable	unbearable
listo/a	clever
mentiroso/a	liar
parlanchín	chatty
simpático/a	friendly
inaugurar	to open for the first time
fundar	to create

Cómo hablar sobre las carreras artísticas (p. 96 y 97)

al fin	finally

desde entonces	since then
desde hace ...	since ...
hace ya ...	it's already ...
más adelante	later on
estudioso/a	hardworking, studious
soñador(a)	dreamy
tímido/a	shy

Cómo hablar sobre diferentes actividades (p. 98 y 99)

el ajedrez	chess
la escalada	climbing
el footing	jogging
el forofo	fan
la pesca submarina	underwater fishing
el senderismo	trekking
bucear	to dive
comenzar a	to start to
dar comienzo	to start
estar a favor	to be in favour
estar de buen humor	to be in a good mood
estar en contra	to be against
estar loco por	to be mad about
estar obsesionado con	to be obsessed by
ser frustrante	to be frustrating
nada	nothing
nadie	nobody
ni ... ni	neither ... nor
ninguno/a	none
nunca/jamás	never
también	also, too
tampoco	neither
de vez en cuando	sometimes
no me pierdo ...	I don't miss ...
no soporto ...	I can't stand ...
siempre que puedo	whenever I can

Cómo hablar sobre tus gustos (p. 100 y 101)

acabar de	to have just done
aprender a	to learn to
dejar de	to stop (doing something)
empezar a	to start to
estar enganchado/a	to be hooked on
hablar de	to talk about
hartarse de	to be fed up with
no parar de	not to stop (doing something)
volver a	to do something again
en cuanto a ...	with regards to ...
me obligaban a	they made me
me relaja	it relaxes me
suelo leer ...	I tend to read

4A Mis vacaciones

¿Ya sabes cómo ...

- ❑ describir tus destinos de vacaciones?
- ❑ reservar alojamiento?
- ❑ relatar tus vacaciones pasadas?
- ❑ describir tus vacaciones ideales?
- ❑ hablar de las vacaciones en el extranjero?

Escenario

- • ¡Planifica el viaje de fin de curso!
- • Escribe una carta a los padres con la información.

¡Felices vacaciones!

Habilidades

Escuchar

When listening to Spanish, how do you ...
- • recognise questions from statements?
- • use context to help you?
- • anticipate the likely answers?

Leer

When reading Spanish, how do you ...
- • avoid getting hung up on what you don't know?
- • work out the meaning of unfamiliar words?
- • use grammar to help you answer questions?

Gramática

As part of your Spanish 'toolkit', can you ...
- • use ordinal numbers?
- • use the formal and informal forms?
- • choose between *ser* and *estar* correctly?
- • use future and conditional tenses?
- • use expressions of time?

G el condicional **V** adjetivos **H** opiniones

Islas Maldivas

La cordillera de los Alpes

Barcelona

Perú

Ibiza

a Me gustan los países menos desarrollados porque así puedo aprender sobre culturas muy diferentes a la mía.

b Trabajo mucho durante todo el año y cuando llegan las vacaciones estoy agotada así que sólo me apetece relajarme con una buena novela.

c Ya tendré tiempo para hacer cultura, por ahora lo que me encanta es ir de fiesta con mis amigos.

d Prefiero las ciudades al campo porque me gusta su energía y variedad y me interesan la arquitectura y la gastronomía.

e Me fascina la belleza de las montañas y me encantan el montañismo, la escalada y la espeleología pero mi pasión son los deportes de invierno.

¿Adónde te gusta ir? ¿Por qué?

1	2	3	4	5	6
Me gusta	ir a	Escocia	para visitar a mis abuelos	porque	hace buen tiempo
Me fascina		Málaga			llueve a menudo
	viajar a		para ir a la playa	pues	
Me interesa		Portugal			hace calor
	veranear en		para conocer la cultura	pero	
Me encanta		la India			es relajante
	pasar las vacaciones en		para descansar	aunque	
Prefiero		los Pirineos			siempre hace sol

1a Mira la página anterior. Empareja cada frase con la foto más adecuada.

1b Encuentra la traducción de estas palabras en la página anterior:

1 Less developed countries
2 When the holidays arrive I am exhausted
3 I only fancy relaxing
4 What I love is going out partying
5 I am fascinated by

2a Escucha y decide quién menciona estos aspectos del clima – ¿Mikel, Arantxa, Betty o Salva?

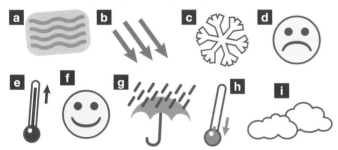

2b Escucha otra vez y rellena la tabla.

Nombre	País	Razones	Actividades

3 Utiliza la tabla en la página 108 para escribir una frase secreta con un elemento de cada columna. Túrnate con un compañero/a para adivinar las frases secretas. Debéis escribir ✓ o ✗ para cada elemento.

Ejemplo de una frase secreta: Me fascina viajar a Escocia para visitar a mis abuelos pero llueve a menudo.

4a Copia las frases y complétalas con la palabra que falta.

a Para largas distancias prefiero viajar en … porque es más rápido y ahora los vuelos no son caros, aunque los controles en las aduanas a veces son un fastidio.
b En … se viaja bien. Es un medio de transporte relajado, relativamente económico, y que contamina menos, sin embargo los horarios son poco fiables.
c Imagino que viajar en … es más barato pero para distancias largas es muy lento e incómodo.

d El … es una opción cómoda y te da libertad pero los atascos en las carreteras son un problema.
e La … es ideal pero no es práctica si llevas mucho equipaje.

4b Escribe las ventajas y desventajas de los medios de transporte que se mencionan en la actividad 4a. Utiliza un diccionario si es necesario.

Una ventaja/desventaja del coche es …
Lo mejor/peor del avión es …

GRAMÁTICA

The conditional tense is something that **would** happen in the future if …

I would travel by train (if I had the time).   *Viajaría en tren.*

But we also use it to describe an ideal situation:

I would buy my own plane.   *Compraría mi propio avión.*

See page 119.

5a Rellena los huecos con el verbo adecuado.

Para mis vacaciones ideales (1) … al Caribe seis semanas con mis amigos porque (2) … la playa y el buen tiempo. (3) … en primera clase ya que es más cómodo y (4) … en un hotel de cinco estrellas con piscina, jacuzzi y pistas de tenis. Todas las mañanas (5) … hasta muy tarde, después (6) … el sol en la playa, (7) … en el mar o en la piscina y (8) … a voleibol con mis amigos. Por las tardes (9) … por la ciudad y (10) … regalos caros para mi familia. También (11) … comprar un yate en el que mis amigos y yo (12) … una semana.

pasearía   tomaría   iría   me gusta   pasaríamos
volaría   nadaría   me alojaría   compraría   jugaría
dormiría   me gustaría

5b Escucha y corrige tus respuestas.

Remate

6 What type of holiday do you prefer and why? Prepare some notes for a spoken reply lasting at least 30 seconds.

Prefiero ir … con … porque … y además …

7 Write a description of your ideal holiday in 60–120 words. You can use ideas from page 108 if you want.

Iría a … con … porque me gusta …
Viajaría en … porque … y me alojaría en …
Por las mañanas iría a … y por las tardes …

G tú/usted **V** alojamiento **H** ¿preguntas o afirmaciones?

1

Sr. Gutiérrez,

Nos gustaría pasar las vacaciones en su hotel y quisiera reservar dos habitaciones dobles: una de matrimonio con baño, terraza y vistas al mar y una con dos camas y ducha. Vamos a llegar el 13 de agosto para 7 noches.

Le agradecería que confirmara si en su hotel hay ascensor y aire acondicionado y que me envíe un folleto de las atracciones turísticas de los alrededores.

Atentamente,

Sra. Gómez

2

Srta. Garzón,

REF. Confirmación reserva

Su reserva para cuatro camas en un dormitorio mixto para las noches del 18 al 22 de julio queda confirmada.

Le recuerdo que el albergue no dispone de aparcamiento y le adjunto un plano de la ciudad donde puede ver la ubicación del aparcamiento más cercano.

Muy atentamente,

Domingo Vivancos

3

Sr. Iglesias,

Por la presente confirmo su reserva para la primera quincena de enero. El alquiler del apartamento incluye la calefacción y demás gastos. Aceptamos efectivo o tarjetas de crédito.

Adjunto el horario de autobuses y el mapa de la zona que me pidió.

Atentamente,

Elisa Sotoya

4

Confirmación Reserva Familia Suárez

Confirmada una parcela grande del 1–15 de julio.

Instalaciones y servicios: lavandería, duchas con agua caliente, caja fuerte en recepción, alquiler de bicicletas, teléfonos.

1a Empareja estos emails con la familia o grupo a quien pertenecen.

1b ¿Qué significan en inglés las palabras subrayadas?

1c Lee otra vez y encuentra la palabra o palabras más adecuadas para estos símbolos.

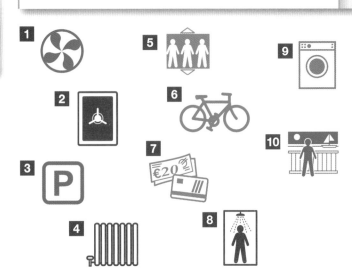

HABILIDADES

Remember that in Spanish it is particularly important to emphasise intonation of questions because the wording of these may be the same as a statement.

Hay ascensores en el hotel. There are lifts in the hotel
¿Hay ascensores en el hotel? Are there lifts in the hotel?

2a 🎤 ⚫ Escucha estas conversaciones (1–4) y escribe la información.

Alojamiento   Precio
Personas   Instalaciones
Fecha/Noches   Modo de pago
Régimen*   Información adicional

* *Sólo alojamiento, desayuno incluido, media pensión o pensión completa*

2b 🎤 Escucha otra vez. Encuentra las palabras o expresiones que significan:

1 room with a double bed
2 sea view
3 'eat as much as you can' buffet
4 the tennis courts
5 a double room with a cot
6 a souvenirs shop
7 a big locker next to the bed

3 ⚫ Ordena las conversaciones.

HOTEL DEL MAR

Conversación 1

a *210€ por noche con desayuno incluido. ¿Cómo quiere pagar?*
b *Buenas tardes. ¿Qué desea?*
c Con tarjeta, aquí tiene.
d *¿Cuántos son?*
e *¿Tiene habitaciones libres?*
f Mi mujer y yo.
g *¿Qué tipo de habitación prefiere?*
h *¿Me permite su pasaporte? Es inglés, ¿verdad?*
i Si es posible, una habitación con baño y vistas al mar ¿Cuánto cuesta?

Conversación 2

a *63€ por noche con desayuno incluido.*
b *¿Cómo quieres pagar?*
c *Buenas tardes. ¿Qué deseas?*
d *¿Cuántos sois?*
e *¿Me permites tu pasaporte? Eres alemán ¿verdad?*
f ¿Cuánto cuesta la habitación doble?
g Está bien, la tomamos.
h ¿Tienes camas disponibles?
i *¿Qué tipo de habitación prefieres? Tengo una habitación de dos si no quieres un dormitorio común.*
j Mi novia y yo.
k En efectivo, aquí tienes.

4 📋 Escoge la respuesta correcta.

a Al guía turístico: ¿Tienes/tiene un mapa de la zona?
b A un señor mayor: ¿Necesitas/necesita ayuda?
c A un amigo: ¿Podemos ir a tu/su apartamento?
d A un cliente: ¿Qué deseas/desea?
e A tu padre: ¿Quieres/quiere ir de vacaciones a Perú?
f A un niño pequeño: ¿Dónde está tu/su toalla?

Remate

5a ⚫ You're a client and you call to make the following reservations. Prepare the questions and answers suggested by the information below for each of the conversations A, B and C.

A	B	C
4 Aug	24 Dec	15 Mar+tent
5 nights	7 nights	3 nights
1 couple	1 woman	2 adults+2 children
double+shower	single+shower	hot shower?
how much?	breakfast?	how much?
pool?	station how far?	card?
card	cash	card
surname?	surname?	surname?

5b 🎤 Listen and complete the dialogues with your notes from 5a.

5c 🎤 Practise again. Pay attention! Which receptionist doesn't use formal language?

5d 👥 Take turns with a partner to play the role of the receptionist. Invent and practise other similar conversations.

6 ⚫ Make a reservation by email for your family's summer holidays. Mention: when, how many nights, type of room, meals, method of payment, and ask for information about the facilities available.

G números ordinales **V** problemas y soluciones **H** anticipar vocabulario

1a Mira estas ilustraciones. Para cada una anota el vocabulario relacionado que se te ocurra.

Ejemplo: jabón, no hay jabón, falta jabón, necesito jabón

HABILIDADES

Examiners are hot on your knowledge of synonyms so always consider other ways of expressing the same idea.

1b Lee lo que han escrito estos jóvenes. ¿Quién menciona cada uno de estos problemas?

Cuéntanos tu historia ...

Malagueña

<u>Primero</u>, cuando llegamos al hotel, nuestra habitación no estaba lista: las sábanas y el cuarto de baño estaban sucios y el grifo estaba roto. Por la noche nos dimos cuenta de que la luz no funcionaba y además no se podía dormir porque había mucho ruido de la discoteca del <u>cuarto</u> piso.

Cyber

Lo mío no tuvo nada de gracia. Era temporada alta y en el hotel me dieron una habitación en la <u>octava</u> planta y como el ascensor no funcionaba tuve que subir el equipaje por la escalera que era muy vieja y poco segura. Al llegar arriba descubrí que el recepcionista me había dado la llave equivocada y tuve que bajar otra vez. ¡Un desastre!

Enamorada

Buscábamos alojamiento barato así que reservamos un hotel pequeño que no conocíamos ... Barato sí, pero no había toallas, ni tan sólo jabón en el cuarto de baño y la ventana estaba rota. Tampoco había papel higiénico y el retrete se atascó el <u>segundo</u> día. Además, la recepcionista era muy desagradable y la comida daba asco. ¡Nunca más!

1c Encuentra palabras o frases con el mismo significado.

a preparada
b era imposible
c el octavo piso
d las maletas
e desconocíamos
f el wáter
g antipática

2 Escucha estas conversaciones. Identifica en cada caso:

- ¿Problema?
- ¿Solución?
- ¿Número de habitación?

Keep in mind the vocabulary you have prepared for activity 1a. Could you predict some solutions?

3a ¿Qué significan las palabras subrayadas de la actividad 1b?

3b Ordena estos números ordinales de menor a mayor.

a segundo/a   **f** sexto/a
b quinto/a   **g** séptimo/a
c noveno/a   **h** primer(o/a)
d décimo/a   **i** octavo/a
e cuarto/a   **j** tercer(o/a)

Ejemplo: primero (first), ... (second), ...

GRAMÁTICA

Spanish ordinal numbers are either masculine or feminine depending on what they refer to: *cuarto piso* but *cuarta planta*

Beware! *primero* and *tercero* lose the '-o' before masculine nouns.

3c Traduce al inglés.

a the fourth day   **e** the first door
b the third year   **f** the eighth window
c the second door   **g** the first receptionist
d the first train   **h** the sixth key

Querido Oriol,

Te cuento de mis vacaciones. Normalmente voy de vacaciones a Francia porque está cerca pero el año pasado en abril fui a Puerto Rico diez días. Viajé en avión desde Madrid y el viaje fue cómodo pero muy largo. Durante la primera semana me alojé en la capital y cuando llegué al hotel el recepcionista me pareció bastante desagradable y antipático aunque el hotel me gustó porque tenía una piscina grande donde nadé y tomé el sol todos los días.

El viernes llegó mi amiga Tara, alquilamos un coche y fuimos a Rincón que es un pueblecito muy bonito en la costa oeste de la isla. Allí nos alojamos en un albergue juvenil muy sencillo, en una habitación pequeña y con camas un poco incómodas pero estaba todo limpio y era acogedor así que no me pareció inaceptable. Durante nuestra estancia hicimos surf y nos relajamos en las playas preciosas y tranquilas. El lunes tuvimos que quedarnos en el hotel porque el tiempo era inestable y llovió pero el martes hicimos submarinismo por la mañana y piragüismo por la tarde. ¡Fue un día fantástico!

Lo mejor de Puerto Rico fue la música porque me encanta el reggaetón pero lo que menos me gustó fue la comida porque es muy pesada.

¡Hasta pronto!

Ariel

4 📖 Lee el texto y encuentra antónimos de:

agradable   simpático   cómodo   aceptable   estable

5a 📖 Lee estas preguntas. ¿Qué significan? ¿Qué tipo de respuesta es más adecuada?

tiempo   lugar   tipo de alojamiento   actividades   opinión

a ¿Adónde vas de vacaciones normalmente?
b ¿Adónde fuiste el año pasado?
c ¿Cómo fue el viaje?
d ¿Dónde te alojaste?
e ¿Te gustó el alojamiento?
f ¿Qué hiciste?
g ¿Qué tiempo hizo?
h ¿Qué es lo que más te gustó?

5b 🖊 Imagina que eres Ariel. Contesta a las preguntas de 5a según el texto.

5c 👤 Ahora piensa en tus vacaciones pasadas o en unas vacaciones imaginarias. Túrnate con un compañero/a para preguntar y responder las preguntas de la actividad 5a.

6 👥 En equipos completad estas frases. Tenéis un minuto para cada categoría para anotar todas las posibilidades que podáis.

a El año pasado fui a …
b Fui en …
c El viaje fue …
d Me alojé en …
e El alojamiento era …
f En el hotel había …
g Durante las vacaciones (actividades) …
h Durante mi estancia (tiempo) …
i Lo que más me gustó fue …
j Lo peor fue …

Puntuación	
La frase tiene sentido	1 punto
Es gramaticalmente correcta	1 punto
Es única	1 punto
Categoría sin respuestas válidas	–5 puntos

Remate

7 🎧 Listen and take notes on the following:

1 Usual/recent destination
2 Length of stay
3 Journey
4 Accommodation
5 Weather
6 Activities
7 Opinion

8 🖊 Write an account of a previous holiday. Use the following steps:

1 Write 10 phrases using activity 6.
2 Extend your phrases by adding more description.
3 Convert your phrases into paragraphs, using connectors.
4 Create a way to add at least two verbs in the present tense. (For example: *normalmente … pero el año pasado … porque …*)
5 Add a paragraph about your plans for a future holiday.

4A Cómo describir tus vacaciones ideales

G el futuro **V** actividades de ocio **H** preguntas

1
Empareja lo que dice el joven con lo que dicen sus padres.

1 ¡Siempre vamos al mismo sitio!
2 ¡Siempre me aburro con mis padres!
3 ¡El viaje hasta el sur es muy largo!
4 ¡A todos mis amigos les dejan ir solos!
5 ¡Nunca me dan dinero para hacer nada divertido!
6 ¡Ahora ya no me gusta ir al pueblo!

a Este año podríamos ir en avión.
b Se gasta una fortuna en tonterías.
c Podría invitar a un amigo.
d No es suficientemente mayor para eso.
e ¿Adónde le gustaría ir?
f ¡No sabe lo que quiere!

GRAMÁTICA

The immediate future is formed with the present tense of the verb *ir* + *a* + infinitive. See page 118.

2a
Lee este email y rellena los espacios con el verbo adecuado en futuro inmediato.

Queridísimo Román,

¡Tengo muchas ganas de ir a Ronda! Normalmente vuelo a Sevilla pero este año (1) _____ a Málaga y (2) _____ el tren porque es más barato.
En Ronda me gustaría visitar el museo de arte y ver el Puente Nuevo, (3) _____ por el barrio de San Francisco donde están los bares y restaurantes de moda aunque no (4) _____ a ver el Palacio Mondragón porque hace tres años fui a verlo. Si hace buen tiempo, después (5) _____ unos días en la playa donde podemos bañarnos y hacer surf porque en abril sin duda (6) _____ viento. También me gustaría ir a Sierra Nevada un fin de semana porque aprendí a esquiar en un viaje del colegio hace seis meses.
Mi amiga Alicia está harta de escucharme porque sólo hablo de las vacaciones y sobre mis planes. (7) ¡ _____ bomba! – Susana XX

> voy a pasear   voy a volar   va a hacer   voy a ir
> vamos a pasarlo   voy a coger   vamos a pasar

2b
Lee el texto completo y contesta a las preguntas.

1 ¿Adónde va a ir de vacaciones Susana?
2 ¿Cómo va a ir?
3 ¿Cuándo va a ir?
4 ¿Qué hay de interés en Ronda?
5 ¿Qué tiempo va a hacer en la costa?
6 ¿Por qué hace años que Susana no esquía?
7 ¿Cuánto tiempo van a pasar en Sierra Nevada?
8 ¿Quién es Alicia? ¿Por qué está molesta?

2c
Encuentra en el email las expresiones que significan:

1 I am looking forward to
2 fashionable
3 three years ago
4 six months ago
5 (she) is fed up

3a Copia y rellena la tabla.

Futuro inmediato		Futuro simple	
Voy a pasear	I am going to take a walk	Pasearé	I will take a walk
Voy a volar		Volaré	
Voy a coger			
	I am going to play		
			I will travel
		Me alojaré	
Voy a nadar			
	I am going to sunbathe		
			I will visit
Voy a ir			

3b ¿A qué verbos muy comunes pertenecen estos futuros irregulares?

tendré, haré, saldré, podré, vendré

4a Empareja estas preguntas con sus respuestas.

1 ¿Adónde irás de vacaciones este año?
2 ¿Con quién irás?
3 ¿Cómo viajarás?
4 ¿Dónde te alojarás?
5 ¿Qué harás?

a Jugaré/Iré/Visitaré ...
b Iré con ...
c Me alojaré en ...
d Viajaré en ...
e Iré a ...

HABILIDADES

Knowing the meaning of question words helps you narrow down the possible answers or answer more promptly in speaking tasks.

Do you know what these mean?
¿Cómo? ¿Qué? ¿Por qué? ¿Quién? ¿Dónde?
¿Adónde? ¿Cuándo? ¿Cuánto? ¿A qué hora?

4b Utiliza las preguntas de la actividad anterior para entrevistar a diez de tus compañeros. Contesta a las preguntas cuando seas entrevistado.

4c Presenta tus descubrimientos de una forma gráfica.

Ejemplo: El 20% de los estudiantes irán de vacaciones a España.

5 Este joven periodista entrevista a los ciudadanos sobre sus planes para las vacaciones para un programa de verano. Escucha y rellena la tabla.

¿Quién?	¿Cuándo?	¿Adónde?	Actividades	Información adicional

6 Lee estas respuestas. Escribe una pregunta adecuada.

Ejemplo: Por lo general suelo ir a Alicante porque mi padre ahora vive allí. − ¿Adónde vas normalmente de vacaciones?

a Al final el año pasado me quedé aquí en Galicia porque mi padre vino a visitarme con mi madrastra y mi hermanastro.
b Hicimos excursiones todos los días pero no fuimos a la playa porque hacía bastante frío.
c El año que viene voy a ir a Marruecos con una amiga.
d Vamos a viajar en avión porque es más rápido.
e Nos vamos a alojar en un hotel en Fez.
f En Marruecos va a hacer calor y buen tiempo.
g Por la mañana vamos a bañarnos en la piscina del hotel y por la tarde vamos a pasear e investigar el mercado típico porque nos encanta ir de compras.

Remate

7 The reporter from activity 5 needs your help for his programme this evening. Prepare an interview of about 10 questions (or more) about the future holidays of a friend. Take turns to play the interviewer and the interviewee.

8 Use your imagination to plan your intergalactic holiday to Venus or another planet in the solar system. How will you get there? With whom? Where will you stay? What will the accommodation be like? What are you going to do there? Write a summary.

G expresiones de tiempo **V** comparaciones **H** lecturas largas

Mazarrón

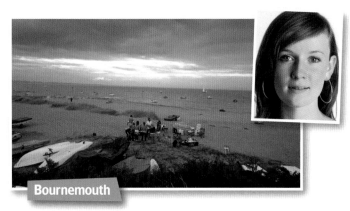

Bournemouth

En Mazarrón:

1 la mayoría de las piscinas están al aire libre.

2 el cielo raramente está nublado.

3 las temperaturas altas y el sol están garantizados.

4 se almuerza sobre las tres.

5 la comida más fuerte es el almuerzo.

6 se come una dieta mediterránea.

7 se cena sobre las diez.

8 la mayoría de bañistas son extranjeros.

1a Escribe frases pertinentes para la foto de Bournemouth.

Ejemplo: En Bournemouth la mayoría de las piscinas son cubiertas y están climatizadas.

GRAMÁTICA

Remember that the verb 'to be' is translated by *ser* or *estar* depending on its use. See page 119.

1b Identifica las formas de los verbos ser y estar en el texto y en las frases de la actividad 1a. ¿Por qué se usa ser o estar en cada ocasión?

2 Completa estas frases con las palabras que faltan.

> más sana que   más tarde que   mientras que
> menos turistas que

a En Andalucía la mayoría de las piscinas están al aire libre (1) _____ en Londres son cubiertas.

b En España se almuerza (2) _____ en el Reino Unido.

c Generalmente la dieta mediterránea es (3) _____ la dieta anglosajona.

d En el condado de Hampshire hay (4) _____ en Marbella.

3a Escucha la grabación. ¿Prefieren las vacaciones en su país o en el extranjero? ¿Por qué?

3b Trabaja con un compañero/a. Haced una lista de las ventajas y desventajas de las vacaciones en Inglaterra.

HABILIDADES

Use 'STIIG' to approach to long readings: Scan, Think, Identify, Ignore, Guess.

4a Observa brevemente el texto de la página opuesta. En no más de un minuto decide de qué trata. Considera:

- el contexto (el tema del capítulo, fotos)
- el formato (email, carta, propaganda, publicidad, formal, informal)
- el vocabulario conocido

4b Lee estas afirmaciones y decide qué tipo de información deberías buscar en el texto para saber si son correctas.

> Palabras relacionadas con:
> opiniones   gente   fechas   hora   animales   actividades

a Las vacaciones de verano en España son más largas que en Inglaterra.

b Le encanta ir de colonias.

c Duerme todos los días hasta las dos.

d En agosto va al apartamento con sus amigos.

e Hacen actividades variadas por las tardes.

f No tiene mascotas.

4c 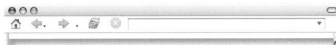 Ahora decide si las frases de la actividad 4b son correctas o falsas según el texto.

¡Hola, James!

Me preguntas sobre las vacaciones en mi país … Bueno, aquí las empezamos el 22 de junio y volvemos al instituto el 15 de septiembre así que tenemos casi tres meses.

Cuando termina el instituto voy de colonias a Soria con mi hermano dos semanas. Allí tenemos tres horas de inglés al día y el resto lo dedicamos a deporte, competiciones, juegos al aire libre, excursiones … Voy desde hace 8 años. ¡Es genial! :-)

Durante el mes de julio estoy en casa porque mis padres trabajan. Habitualmente me levanto sobre las once y media y hago el vago hasta la hora de comer, pero por desgracia este año tengo que ir a clases de repaso entre semana de 12 a 2 porque suspendí tres asignaturas. Empecé hace una semana … ¡Qué agobio! :-(

En casa se almuerza a las tres y después me encuentro con mis amigos en la piscina pública donde nos relajamos y ligamos con las chicas. La piscina cierra a las ocho y es muy temprano para ir a casa así que vamos a la plaza o nos damos unas vueltas en moto por la ciudad. Vuelvo a casa a las diez para cenar y después chateo con mis amigos en internet o me bajo música y alguna película.

En agosto todos vamos al apartamento de la costa: mis padres, mis tíos, mis primos … porque aquí muchos comercios y fábricas cierran durante todo el mes así que todo el mundo está de vacaciones. En España no hay mucha tradición de viajar al extranjero porque no hay dinero, pero en Torrembarra lo pasamos bien: por la mañana vamos a la playa y por las tardes – después de la tradicional siesta – hacemos alguna actividad como montar a caballo, karting, ir de compras, alquilar motos acuáticas o jugar un partido de voleibol o fútbol. Después de cenar salimos a pasear toda la familia, llevamos al perro a correr por la playa (¡a veces nos bañamos de noche! ;-)) o jugamos a cartas o juegos de mesa hasta la madrugada.

Y en septiembre … bueno, a empollar para los exámenes, hacer todos los deberes … ¡Qué aburrido, odio septiembre! :_ (

Un abrazo

Juanma

5a 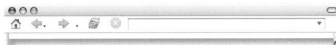 Busca en el email las expresiones que significan:

a I've been going for eight years

b A week ago

Use *desde* when you want to say 'since':

since Monday   ***desde** el lunes*

Use *desde hace* + present tense when you want to say 'for':

I have been living in Spain *for* three years   *Vivo en España **desde hace** tres años.*

Use *hace* when in English you say 'ago':

I went to Cuba two years *ago*   *Fui a Cuba **hace** dos años.*

5b Traduce las frases:

a I've been going to Devon for five years.

b I went to Port Aventura two years ago.

c I've been surfing for two years.

d I had exams a week ago.

HABILIDADES

Often a writing activity comes after a reading activity. You can recycle and manipulate structures from the reading text when writing your own text.

For example, in the panel below this method is used to create a postscript to Juanma's email message, asking James some questions.

PD. Cuéntame … ¿Cómo son las vacaciones típicas en tu país? ¿Cuándo empiezan? ¿Cuánto duran? ¿A qué hora te levantas durante las vacaciones? ¿Cómo pasas tu tiempo? ¿Adónde vas de vacaciones? ¿Tienes que estudiar durante las vacaciones?

Remate

6 Read the postscript of Juanma's email and write an email answering his questions.

7 Read Juanma's email again and answer the following questions:

a ¿Cuándo terminan las vacaciones escolares en España?

b ¿Qué son las colonias?

c ¿Por qué le desagradan las mañanas de julio?

d ¿Qué hace después de ir a la piscina?

e ¿Tiene ordenador?

f ¿Cuándo va a la playa? ¿Por qué?

g ¿Por qué los españoles no viajan al extranjero según Juanma?

h ¿Qué deportes practica durante las vacaciones?

i ¿Cuándo sale a pasear?

j ¿Por qué detesta septiembre?

4A Gramática en acción

Regular Verbs

PRESENT

We use **the present tense** to talk about what happens normally, generally, every year, sometimes, etc:

(Usually) I get up late during the holidays.
Me levanto tarde durante las vacaciones.

-AR: –o, –as, –a, –amos, –áis, –an
-ER: –o, –es, –e, –emos, –éis, –en
-IR: –o, –es, –e, – imos, –ís, –en

PAST

The preterite indicates a completed action in the past and is often accompanied by time phrases such as 'yesterday', 'last week', etc:

I went to the cinema. *Fui al cine.*

The imperfect is used to set the scene:

The weather was nice. *Hacía buen tiempo.*

It is also used to talk about what we used to do:

I used to spend my holidays in Devon.
Pasaba mis vacaciones en Devon.

And to explain what we were doing:

I was fishing. *Estaba pescando.*

	Preterite	Imperfect
–AR	–é, –aste, –ó, –amos, –asteis, –aron	–aba, –abas, –aba, ábamos, –abais, –aban
–ER + –IR	–í, –iste,– ió, –imos,– isteis,– ieron	–ía, –ías,– ía,– íamos,– íais,– ían

1 Choose the correct tense for each sentence.

a Cuando era pequeño pasé/pasaba las vacaciones con mis abuelos.

b El año pasado pasamos/pasábamos las vacaciones en Suiza.

c Cuando viví/vivía en Gijón, salí/salía con mis amigos todas las noches.

d Mi madre tomó el sol/tomaba el sol cuando saqué/sacaba la foto.

e El año pasado estuve/estaba en Tenerife.

f Mis amigos durmieron/dormían por la mañana mientras yo estuve/estaba en la playa.

g El verano pasado no fui/iba de vacaciones porque suspendí/suspendía mis exámenes.

h Mis abuelos siempre pasaron/pasaban sus vacaciones con nosotros.

2 Translate these sentences into Spanish.

a When I was little I used to love going to the beach with my grandmother.

b Last year I went to Puerto Rico with my sister.

c We used to travel to Andalucía by car but last year we flew with easyJet.

d I made a reservation for two rooms with shower.

e I was sunbathing when it started to rain.

FUTURE

The immediate future is used to talk about future events and is often accompanied by time phrases such as 'later', 'tomorrow', 'next week', etc. It follows the formula: present tense of *ir* + *a* + infinitive (unchanged).

voy a viajar, vas a viajar, va a viajar, vamos a viajar, vais a viajar, van a viajar

I am going to go out later. *Luego voy a salir.*
It looks like it is going to rain. *Parece que va a llover.*

3 Write the following in Spanish.

a I am going to go on holiday.

b We are going to travel by plane.

c They are going to sunbathe on the beach.

d She is going to go surfing.

e She is going to take loads of pictures.

f We are going to visit our grandparents.

FUTURE

The simple future adds the endings to the infinitive. The same endings apply to all to all three groups (*-ar,-er,-ir*).

pasar: pasar**é**, pasar**ás**, pasar**á**, pasar**emos**, pasar**éis**, pasar**án**

I will go to Paris. *Iré a París.*
It will snow tomorrow. *Nevará mañana.*

4 Write out the future tense of:

nadar   leer   dormir

5 Complete the sentences using the correct form of the future tense of the verbs in activity 4.

a Nosotros ...... en el mar.

b Ellos ...... el periódico por las mañanas.

c Yo ...... hasta muy tarde todos los días.

d Tú ...... el libro que te regaló Susana.

e Mamá ...... en la piscina del hotel.

CONDITIONAL

The conditional is used to indicate what would happen if ... **I would go** to the Caribbean (if I had money) or **I would travel** with my friends (if my parents let me).

viajar: viajar**ía**, viajar**ías**, viajar**ía**, viajar**íamos**, viajar**íais**, viajar**ían**.

6 Translate these sentences into Spanish.

a I would go to Brasil.
b You (singular) would stay in your friend's house.
c He would fly with American Airlines.
d It would be fun.
e You, Sir, would travel in first class.
f We would dance in the streets.
g You (plural) would swim in the sea.
h They would sleep until very late.

7 Immediate future, future simple or conditional?

a Iría de compras todos los días.
b Voy a ir a Panamá en diciembre.
c Aprendería a hacer vela.
d Iré de viaje después de los exámenes.
e Viajaría siempre en primera clase.
f Voy a reservar dos habitaciones.
g Voy a quejarme de la falta de respeto del personal.
h Me levantaré temprano para hacer el curso de vela.

Remember that although some 90% of Spanish verbs are regular and follow the rules explained, there are a few verbs that do not follow them. There are five very common ones that you will need for your GCSE: *ser, estar, tener, hacer, ir.*

REFLEXIVE VERBS

We recognise them because when we look up the infinitive it has the ending *se* after the *-ar, -er, -ir* endings. The ending *se* often changes the meaning of the verb.

llamar – to call: I call my friend Carla. *Llamo a mi amiga Carla.*

llamarse – to be called: My name is Carla. *Me llamo Carla.*

Replace the *se* by the correct pronoun and place it immediately before the verb.

llamarse: **me** llam**o**, **te** llam**as**, **se** llam**a**, **nos** llam**amos**, **os** lam**áis**, **se** llam**an**.

Note: rules for reflexive verbs are slightly different for commands.

8 Write the following.

a Levantarse, yo, (imperfect)
b Alojarse, él, (simple future)
c Aburrirse, nosotros, (preterite)
d Bañarse, ellos, (conditional)

9 Work out the correct tense of the verbs in parenthesis.

a Si mañana gano la lotería ...... una yate muy exuberante. (comprar)
b Esta tarde ...... a la playa con mis amigas. (ir)
c Normalmente ...... las vacaciones en América. (pasar)
d En el futuro ...... en Andalucía. (vivir)
e Ayer ...... la Alhambra de Granada. (visitar)

ser and *estar*

Ser and *estar* both mean 'to be' so it is important to know when to use each one.

USES OF SER

Permanent characteristics including:

Materials	*El vaso es de cristal.*
Nationality	*Soy inglés.*
Physical description	*Soy alto.*
Personality	*Soy divertido.*
Profession	*Soy arquitecto.*
The time	*Son las tres.*

USES OF ESTAR

Temporary states including:

Moods	*Estoy deprimido.*
Location	*El coche está en el garaje.*
(any type)	*Londres está en Inglaterra.*

10 *Es* or *está*?

a La vista ... preciosa. (The view is beautiful.)
b El padre de Javier ... médico. (Javier's dad is a doctor.)
c La maleta ... de cuero. (The suitcase is made of leather.)
d Mi hermana ... contenta . (My sister is happy.)
e Bea ... de vacaciones en Perú. (Bea is on holiday in Perú.)

4A Habilidades

In this unit you've learnt how to ...

Hablar

1 Identify the strongest syllable in a word.

❑ When a word has a physical accent, that syllable is the one you need to pronounce the strongest.

When it doesn't have an accent, the strongest syllable is:

- the one before last if the word ends in a vowel, *n* or *s*
- the last one if the word ends in a consonant other than *n* or *s*.

Identify the strongest syllables in these words, then try pronouncing them:

> esta maleta   está cansado   un largo viaje
> se largó a las tres   viajé en tren

2 Get your intontation right in questions.

❑ Remember that all question words have an accent in Spanish – for example, *quién, cómo, por qué, cuándo, cuánto, dónde, adónde.*

But apart from this, often there is no difference in the way we write questions and statements in Spanish, so intonation is very important to avoid ambiguity.

a Listen to these examples and notice the difference:

You will travel by train.   *Viajarás en tren.*
Will you travel by train?   *¿Viajarás en tren?*

b Now listen to these phrases. Are they questions or statements?

❑ Practise saying these sentences out loud and see if your partner knows if you are saying the statement or the question.

1 Fuiste de vacaciones con tus padres. / ¿Fuiste de vacaciones con tus padres?
2 Vamos a Córdoba en avión. / ¿Vamos a Córdoba en avión?
3 Jugamos al fútbol en la playa. / ¿Jugamos al fútbol en la playa?
4 Te gustaría ir a la Isla de Pascua. / ¿Te gustaría ir a la Isla de Pascua?
5 Van a alquilar un coche. / ¿Van a alquilar un coche?

Escuchar y leer

3 Answer questions about recordings and readings.

❑ Question words help you get marks even if you are not entirely sure of what the question means.

Match these question words to their likely answers:

¿Quién ...?	days, months, times, and time phrases (*ayer*)
¿Cuándo ...?	places (*la piscina* or *Madrid*)
¿Cuánto ...?	numbers and quantities
¿Dónde ...?	people's names, relationships (*su padre*) and professions (*la secretaria*)
¿Adónde ...?	

4 Look for adjectives and link words.

❑ When a question refers to opinions, adjectives and linking words become crucial.

You can identify adjectives by their *–do, –da* and *–e* endings amongst others: *aburrido, divertida, agradable,* etc. Use gender to help you: *es sincera* can only refer to a female.

Beware of linking words such as *pero, aunque* and *sin embargo* as these may change the meaning of the original idea.

5 Recognise verb tenses

In some questions it may be important to recognise the tenses:

If a verb ends in an accentuated vowel such as *viajó,* it's a past tense and if the ending is attached to a full infinitive it is definitely in the future or conditional: ***viajar**ía.*

Also look at time markers such as *ayer, normalmente, la semana próxima,* etc.

❑ Listen and answer the questions. Pay particular attention to the tenses to make sure you answer correctly.

1 ¿En el pasado dónde veraneaba?
2 ¿Cuándo irá de vacaciones?
3 ¿A quién encuentra simpática?
4 ¿Cómo era el apartamento en Bilbao?

Oral

You have been appointed to draw up a proposal for an end-of-year school trip for your Spanish class.

1. Prepare a three-minute presentation to explain your proposal. Your teacher will decide if you are to use the internet or travel brochures to research a destination, or to use your imagination and make your proposal original and creative (but consistent!) instead.

    In your presentation you must mention:
    * how you intend to travel and why
    * how long you propose to stay and when
    * what are the accommodation and meal arrangements
    * what activities you are planning
    * what are the alternatives if you encounter bad weather
    * why you think your class would enjoy the trip you propose.

    Make sure you create opportunities to use a variety of tenses and plenty of opinions and justification.

2. Present your proposal to the rest of the class.

3. Improvise appropriate answers to your peer's questions. You don't have to be truthful but it **must** make sense.

4. Listen to the presentation of the other pairs. Have they missed any of the points above? You must ask at least one question.

5. Once you have listened to all the presentations – which trip would you prefer? Why?

Propuesta excursión de final de curso

Clase y número de alumnos: _____

Destino: _____

Fechas: _____

Transporte: _____

Alojamiento: _____

Actividades: _____

Precio por estudiante: _____

Responsable propuesto: _____

Firma: _____ Fecha propuesta: _____

Escrito

1. You have to comply with the school's regulations, so make a copy of the school trip proposal form shown at the top of this page, and fill in the details.

2. Write a letter to parents with an overview of the trip you have planned.
    * Check page 110 for ideas on how to begin and end your formal letter.
    * Mention travel arrangements, activities and cost.

Cómo describir tus destinos de vacaciones (p. 108 y 109)

las aduanas	customs (in border controls)
los atascos	traffic jams
la belleza	beauty
las carreteras	roads
el equipaje	luggage
un fastidio	a nuisance
los países menos desarrollados	less developed countries
los regalos	presents
los vuelos	flights
agotado/a	exhausted
fiable	reliable
descansar	to rest
ir de fiesta	to go out partying
te da libertad	it gives you freedom

Cómo reservar alojamiento (p. 110 y 111)

agua caliente	hot water
el albergue	youth hostel
el alojamiento	accommodation
alquiler de bicicletas	bicycle rental
los alrededores	surrounding area
una caja fuerte	a safe
los demás gastos	other expenses/utility bills
un dormitorio común	communal dormitory
efectivo	cash
un folleto	leaflet
forma de pago	payment method
una habitación de matrimonio	room with a double bed
instalaciones	facilities
la lavandería	launderette
media pensión	half board
una parcela	plot (camping, allotment, etc)
pensión completa	full board
la primera quincena	the first fortnight
sólo alojamiento	self catering/bed only
la ubicación	location
vistas al mar	sea view
atentamente	yours sincerely

Cómo relatar tus vacaciones pasadas (p. 112 y 113)

el jabón	soap
la llave equivocada	the wrong key
las maletas	suitcases
el piragüismo	canoeing
el ruido	noise
las sábanas	sheets
el submarinismo	diving
la temporada alta	high season
las toallas	towels

el wáter	toilet
acogedor(a)	welcoming
sencillo/a	simple
poco seguro/a	not very safe
bajar	to go down
dormir	to sleep
subir	to go up
cuéntanos tu historia	tell us your story
daba asco	it was disgusting
el grifo estaba roto	the tap was broken
la luz no funcionaba	the light was not working
no tuvo nada de gracia	it wasn't at all funny
nos dimos cuenta	we realised
el retrete se atascó	the toilet got blocked

Cómo describir tus vacaciones ideales (p. 114 y 115)

la entrevista	the interview
el mismo sitio	the same place
el/la periodista	journalist
las tonterías	silly things
estar harto/a	to be fed up
estar molesto/a	to be annoyed
ir solo	to go alone
pasear	to take a walk
tener muchas ganas	to look forward to
de moda	fashionable
sin duda	without a doubt

Cómo hablar de las vacaciones en el extranjero (p. 116 y 117)

un abrazo	a hug
los/las bañistas	swimmers
las colonias	summer camp
los extranjeros	foreigners
la madrugada	daybreak/night time (01:00–05:00)
las mascotas	pets
la piscina cubierta	indoor pool
empollar	to study (excessively)
hacer el vago	to laze around
ligar	to flirt
bajarse música	to download music
fuerte	strong/heavy
al aire libre	outdoors
habitualmente	usually
por desgracia	unfortunately
¿Cuánto duran?	How long do they last?
¡Qué agobio!	What a pain!

4B Nuestro mundo

¿Ya sabes cómo ...

❑ describir la contaminación?

❑ conservar el planeta?

❑ hablar del ecoturismo?

❑ comparar tu vida con las de otros?

❑ apreciar la cultura ajena?

Escenario

- **Presenta un símbolo de la cultura hispana.**
- **Investiga un grupo ecológico.**

¡Respete la naturaleza!

Habilidades

Leer

In Spanish, how do you ...
- read a text with questions in mind?
- read a text for specific details?
- analyse a text?

Escuchar

When listening to Spanish, how do you ...
- listen for gist and detail?
- take notes effectively?
- check your answers?

Gramática

As part of your Spanish 'toolkit', can you ...
- give positive and negative instructions?
- use the subjunctive?
- use time clauses like *desde hacía?*
- use *ser* and *estar* correctly?
- write indirect questions?

G el futuro **V** problemas ambientales **H** estrategias auditivas (1)

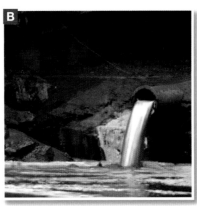

¿Por qué están en peligro las islas Galápagos? Por culpa de invasores – unos 100.000 turistas al año – y de pescadores piratas que explotan sus aguas. Las Galápagos se han llenado de restaurantes, hoteles y cruceros que afectan a las tortugas indígenas que llevan casi un cuarto de siglo comiendo hierba. El presidente ecuatoriano ha prometido suspender algunos permisos de turismo y residencia y la ONU ha declarado las Galápagos en peligro. ¡Otro paraíso que muerde el polvo!

El parque nacional de Doñana, situado en la desembocadura del río Guadalquivir, es el humedal* más conocido de la Península Ibérica. Se estima que con la subida del nivel del mar quedarán inundadas alrededor de 10.000 hectáreas por culpa del cambio climático.

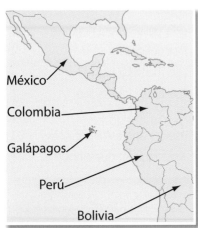

México
Colombia
Galápagos
Perú
Bolivia

Guadalajara
Tarragona
Parque Nacional de Doñana
Baleares
Canarias

* wetlands/marsh

1a 📖 Lee los dos textos de la página 124 e identifica los problemas.

1b 📖 Empareja las ilustraciones A–F con un problema de la lista de abajo.

1	La basura doméstica	**4**	La polución industrial
2	La deforestación	**5**	Los desechos radioactivos
3	El cambio climático	**6**	La destrucción de especies

HABILIDADES

Listening for gist and context

Always try to anticipate the context from the title and illustrations.

• Look at the maps opposite and the places marked by arrows. Think about how they might sound in Spanish.

Think about key words you will need to listen out for in this context.

• Look again at the words which describe the problems and try to anticipate what you are going to hear.

• Repeat the words in your head during the pauses in the recording.

• Never write out sentences whilst you are listening.

2a 🎧 Escucha e identifica el problema y emparéjalo con un dibujo de la página 124.

2b 🎧 Escucha otra vez y relaciona el problema con un lugar en el mapa.

3a 📖 Empareja cada problema con una definición o causa.

Ejemplo: La sequía: No llueve y la tierra se vuelve desierto.

1	La sobreexplotación pesquera	**7**	El estrés
2	La sobreexplotación de los pastos	**8**	Las inundaciones
3	La lluvia ácida	**9**	La basura
4	La contaminación acústica	**10**	Los aerosoles
5	La deforestación	**11**	Los desechos radioactivos
6	El cambio climático		

3b ✏️ Escribe la definición o causa de estos fenómenos.

1 La destrucción de especies
2 La sobrepoblación

Remate

4 🗣️ Use the phrases below and discuss what you think the most serious problems are.

> Me parece que …   En mi opinión …
> Lo peor es …   El problema más grave es …

5 🗣️ Then the whole class should discuss the problems. Which do you think will be the most serious problems in the future?

> ¿Cómo vamos a combatir estos problemas?
> ¿Qué podéis hacer vosotros?   Será necesario/ importante …   Habrá que … Tendremos que …

6 🗣️ Now discuss what you think are the most serious problems in your local area. How do you propose to resolve them?

7 ✏️ Write a letter to your local council and tell them about the problem you think is most serious in your area and what you propose to do about it.

> Hay demasiada (basura en las calles)
> No hay suficientes (basureros)
> Hay/habrá que (limpiar las calles)

a Hay demasiada gente que no recicla la basura.

b Las centrales nucleares producen residuos.

c La gente se siente excesivamente nerviosa.

d Cortan todos los árboles.

e Los pescadores pescan más de lo que necesitan y los peces que sobran o que son muy pequeños son devueltos al mar.

f Hay demasiado ruido de aviones, camiones o de la maquinaria industrial.

g La polución química industrial entra en el ciclo de las aguas.

h El gas CFC escapa al aire.

i El nivel del mar sube demasiado.

j En muchos lugares hay demasiados animales y no hay suficiente hierba.

k Los gases de efecto invernadero causan el calentamiento global.

4B Cómo conservar el planeta

Estudia y lee la sección de gramática. Luego contesta a las preguntas.

GRAMÁTICA

Regular imperatives

tú	vosotros	usted	ustedes
habla	hablad	hable	hablen
come	comed	coma	coman
escribe	escribid	escriba	escriban

NO

hables	habléis	hable	hablen
comas	comáis	coma	coman
escribas	escribáis	escriba	escriban

- Note especially the polite forms *usted* and *ustedes* and all the negative forms. This is in fact the subjunctive mood. See the Gramática page and the Gramática section at the back of Student's Book.

- You need to use the subjunctive when you use *cuando* or similar time words when you refer to the future.

  ¡Cuando **tenga** *ochenta años espero que el planeta todavía exista!*

  En cuanto que **empieces** *a reciclar ayudarás a conservar el planeta.*

1 Traduce las últimas dos frases de arriba al inglés.

2 Empareja los imperativos formales (irregulares) con los imperativos informales de abajo.

a ponga   f haga
b tenga   g vaya(se)
c vea   h oiga
d diga   i salga
e venga

> decid   haced   oíd   poned
> salid   tened   venid   ved   id(os)

3 ¿Qué significa cada verbo de la actividad 2? Utiliza tu diccionario y escribe el infinitivo.

4 Escribe las frases con la forma correcta del verbo.

a (Escribir, vosotros) sobre papel reciclado.
b No (hablar, tú) tanto por teléfono.
c No (tirar, ustedes) los papeles al suelo.
d (Poner, usted) los platos sucios aquí.
e (Reciclar, vosotros) vidrio y latas.
f No (usar, vosotros) el coche cada día.
g (Montar, ustedes) a bicicleta.
h (Apagar, tú) la tele si no la estás viendo.
i (Reducir, ustedes) la basura doméstica.
j (Consumir, vosotros) menos electricidad.

5a Lee el póster.

Ayúdenos a cuidar el medio ambiente.

Gracias por su cooperación.

En los Parques Nacionales de España, por favor:

- **Cuide la naturaleza**
- **Proteja la flora y fauna**
- **Respete a los animales**
- **Vaya por los caminos indicados**
- **Ponga su basura en una bolsa**
- **Apague su cigarillo con mucho cuidado**

5b Escucha y relaciona lo que oyes con una instrucción de arriba.

6a 📖 Lee y empareja cada dibujo con una frase.

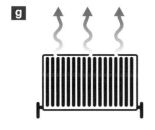

1 Economiza la luz.
2 No dejes el grifo abierto.
3 Recicla las latas y botellas.
4 Baja la calefacción.
5 No uses aerosoles.
6 Cultiva tus propios vegetales y fruta.
7 No uses el coche.
8 Ve en bicicleta.
9 No dejes la tele encendida.
10 Planta más árboles.

6b 📖 Para cada frase escoge una instrucción adecuada.

Ejemplo: **1** Economiza la luz − **c** apágala

a	no la subas	**f**	no la dejes aparcado en casa
b	no los cortes	**g**	ciérralo
c	apágala	**h**	usa otra cosa
d	camina	**i**	no los compres
e	apágala	**j**	ponlas en el contenedor apropiado

6c ✏️ ¡Busca otra manera de decir lo mismo! Utiliza las palabras de la caja.

1 Hay que ...... agua y luz.
2 Tenemos que ...... a los animales/las especies.
3 Debemos ...... los bosques y las selvas.
4 Habrá que/habría que ...... el papel y cartón.
5 Tendremos/tendríamos que ...... la calefacción.
6 Deberíamos ...... a energías alternativas como los panales solares.

> cuidar cambiar reciclar
> bajar economizar proteger

Remate

7 👥 Prepare questions with a friend to find out what the rest of the class do in the home to help the situation. Then carry out a survey.

8 ✏️ Design a poster campaign for school: use the *tú* form to give instructions.

Example: En la biblioteca y sala de recursos ...

En el patio durante el recreo ...
En la cantina durante el almuerzo ...
Al salir de clases al final del día ...

¡Escribe sobre papel reciclado!
¡No hables por teléfono!
¡Pasa menos tiempo al ordenador!
¡No pases tanto tiempo al ordenador!

1 Usa los consejos para analizar el texto, y contesta a las preguntas en inglés.

a Why was ecotourism not considered a problem years ago?

b How have things changed?

c What is happening to the animals? (Mention three things)

d Why do you think this is?

e What conclusion does the writer come to?

2 Lee la primera frase otra vez, y analízala.

a Pick out the words you can guess because they are like an English word.
For example: *observar*, to observe

b Pick out words which you think look like a Spanish word you know.
For example: *adentrarse/adentro*, inside/within

c ¿Which words are verbs? ¿What tense are they in?

d How can you work out what *ecosaludable* means?

HABILIDADES

Reading strategies (1)

Check page 36 in Unit 1B to remind yourself about reading strategies. In brief – you should read each text three times:

- **First time** for general information and context.
What can you tell about the text from the title?

- **Second time** to focus on words you know and understand.

Link the words you know to the questions. How do they help you to form an idea of what the text is about?

- **Third time** to think about the words you don't know.

HABILIDADES

Reading strategies (2)

Ask yourself how important the words are to the question. Remember you don't have to understand absolutely every word. The questions don't necessarily cover every bit of the text. Is there a question directly related to the first sentence?

- Be careful – the questions below may not always follow the structure of the text (questions 1 and 2).

- Some questions will require specific details (question 3).

- Some questions may require you to give an interpretation of the text (question 4).

¿Ecoturismo o ecodesastre?

Adentrarse en la naturaleza salvaje, observar a los animales de cerca no siempre es ecosaludable.

Hace unos años, cuando había pocos ecoturistas no era un grave problema, pero ahora que tantos quieren participar en este tipo de ocio, los biólogos han detectado que algo extraño está pasando en el mundo de los animales.

Los osos polares, los pingüinos, los delfines, los canguros y hasta los pájaros están inquietos. Pierden peso, sufren problemas del corazón y lo peor de todo es que les hemos contagiado nuestras enfermedades. Además, sufren del estrés y ataques de rabia, depresión y ansiedad. En fin, el comportamiento social de los animales salvajes bajo observación constante ha cambiado.

Es cierto que esta nueva afición por conocer de primera mano los paraísos naturales demuestra que los humanos y la vida salvaje no son una buena combinacíon, y que el experimento de sensibilizar a la gente poniéndola frente a la naturaleza virgen está teniendo el efecto contrario al deseado.

3 Contesta a las preguntas en inglés.

1 How many animals are mentioned?

2 Who has detected the changes?

3 What is the worst thing that has happened to the animals?

4 What do you think the writer means by 'having an opposite effect'?

4 📖 Usa los consejos de la página 128 para leer los dos textos de abajo.

A

El desarrollo rural con el turismo y la naturaleza

Este proyecto para salvaguardar la riqueza biológica y cultural de El Bierzo – León, territorio del noroeste del país afectado por la despoblación en las zonas rurales, comienza a tener frutos.

Aquí el castaño es un tótem; su cultivo es ancestral que se realiza desde antes de los romanos. El abandono de los pueblos y las actividades tradicionales ponen en serio peligro a estos árboles tanto como las enfermedades y los incendios forestales.

Este innovador proyecto titulado La Mirada Circular une las iniciativas de los habitantes y aporta nuevas ideas que combinan desarrollo, turismo y medio ambiente.

Es una colaboración entre la gente rural, la Universidad de León y el gobierno español. Con el lema – tu visita es nuestro futuro – quieren recibir a turistas conscientes e informados pero no en masa ni con efectos negativos para la naturaleza. Además tienen un web (www.lamiradacircular.org) donde las personas interesadas pueden inscribirse con ideas nuevas para el desarrollo de la región. Si no ponemos fin a este proceso destructivo del abandono del medio rural el territorio se va a deteriorarse rápidamente.

B

Aquí en el sudoeste de España, en el Parque Nacional de Monfragüen, no muy lejos de Cáceres, los niños pueden apreciar la naturaleza de cerca. Hay unas 180 especies de aves que habitan este lugar rocoso cerca del río Tajo y los niños pueden observarlas desde un mirador con toda la información necesaria. En verano hay otras aventuras infantiles como travesías a canoa por el lago para ver de cerca cormoranes, patos y garzas.

Les invitamos a hacer picnic en familia, ver de cerca los zorros y cerdos ibéricos y visitar el Centro de Interpretación de la Naturaleza en Villareal de San Carlos.

5 📖 Contesta a las preguntas en inglés.

a Which project is more child friendly?

b Which one is about a project in the north of Spain?

c Which project is designed to help tourism and the local people

d Which one helps to explain the local environment?

e Which one has various sources of support?

Remate

6 🗣 Discuss any of the issues in the box with a partner. Start with simple questions and use the help box below to help with your answers.

a ¿Qué te parece ...?

b ¿Qué piensas de ...?

c ¿Qué opinas de ...?

> el ecoturismo la contaminación industrial
> la deforestación el cambio climático el reciclaje
> la sobrepoblación la polución de los ríos
> la extinción de especies

7 🗣 Then go on to discuss these questions.

a ¿Es importante educar y sensibilizar a la gente?

b ¿Es importante conservar la naturaleza?

c ¿Es posible conservar y educar al mismo tiempo?

> En mi opinión es/sería/será mejor/peor/interesante ...
>
> Creo que se trata de (algo) difícil de resolver/muy importante
>
> A mi modo de ver ...   Estoy en contra de ...
>
> Me enfada/me cansa ...   Estoy a favor de ...
>
> Me parece que ...   (No) estoy de acuerdo ...
>
> Lo considero ...   (No) tiene razón ...
>
> Lo bueno/lo malo ...   Es mentira ...
>
> Lo mejor/lo peor ...   Es verdad ...
>
> Francamente ...
>
> Lo que más/menos me preocupa / me importa / me molesta / me choca / me encanta / me entusiasma / me gusta / me sorprende ...
> Lo que pasa es que ...
>
> porque puede destruir / causar un trauma / dañar / infectar / enseñar a respetar / entusiasmar / sensibilizar

8 ✏ Research into the National Parks of Spain. Choose one and write a brief description of it using the headings below.

> nombre   lugar   tamaño   conocido por   tipo

(G) ser/estar   (V) nuestras vidas   (H) estrategias auditivas (2)

Inglaterra – agosto   Isidoro

Queridísima familia,

Hace quince días que estoy con la familia Roberts y todos son muy amables. En la academia de idiomas estoy aprendiendo bastante. Por fin me he acostumbrado un poco más a la vida inglesa pero todavía hay cosas que me sorprenden. Por ejemplo aquí no comen pan con la comida pero sí hacen sándwiches cuando tienen hambre o para la merienda. Algo que me encanta es la manera en que todos hacen cola para esperar el autobús o para pedir un tiquete o entrar en el cine. Lo que no me gusta es el clima porque hay días grises en los que no sale el sol aunque estamos en agosto. Sin embargo aquí en el campo donde estoy todo está muy verde y lleno de flores lindas comparado con Andalucía donde todo está seco y marrón en esta época del año. Anteayer Matthew y yo fuimos a Londres a un concierto donde tocaba la orquesta juvenil de Venezuela – fue algo fenomenal. Al principio los ingleses aplaudieron muy corteses pero al final se animaron mucho y como había bastantes latinos en la audiencia todos nos levantamos dando aplausos y gritos ...

1a 📖 **Lee la carta de Isidoro y contesta a las preguntas.**

1 ¿Isidoro está en España o Inglaterra?
2 ¿Qué hace allí?
3 ¿Hay algunas cosas que le sorprenden?
4 ¿Le gusta la familia que vive donde se aloja? ¿Cómo lo sabes?
5 ¿Cuántas diferencias indica? Explica una.
6 Anota lo que le gusta y lo que no le gusta.
7 ¿Qué comparación hace?
8 ¿Qué tal le pareció el concierto?

1b 📖 **Busca estas palabras o frases en español.**

> for two weeks   I've got used to   tea/afternoon snack
> queue up   even though   however   compared with
> dry   the day before yesterday   at first

1c 📖 **Busca las frases que contienen los verbos** *ser* **y** *estar*. **Indica por qué se usa cada uno.**

2a 🎧 **Lorena le pregunta a Mari Ángeles sobre su vida en Argentina. Lee la lista de preguntas. ¿Qué tipo de información vas a buscar?**

1	¿Qué tiempo ...?	a	place
2	¿Qué hacías ...?	b	time of day or year
3	¿Cómo son ...?	c	weather
4	¿Cuándo ...?	d	reason
5	¿Dónde ...?	e	descriptions
6	¿Por qué ...?	f	doing actions

2b 🎧 **Escucha la conversación y concéntrate en cada pregunta. No escribas nada.**

Ejemplo: ¿Qué tiempo hace allí en tu pueblo?

2c 🎧 **Escucha otra vez y anota detalles para cada pregunta.**

Ejemplo: ¿Qué tiempo hace ... en tu pueblo + en agosto?

2d ✏️ **Ahora contesta a las preguntas en inglés.**

1 What three facts do we learn about the August weather in Bariloche?
2 When are the main school holidays?
3 How are the houses described/what are the houses compared to?
4 Where did Mari Ángeles spend her summer holidays?
5 Why did she choose to go to Spain?
6 What comment does she add about Miami?

3a 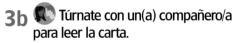 Lee la carta y busca:
1 nombres de lugares, palabras o frases que contrastan, opiniones y palabras descriptivas
2 los diferentes usos de *ser* y *estar*

3b 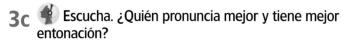 Túrnate con un(a) compañero/a para leer la carta.

3c Escucha. ¿Quién pronuncia mejor y tiene mejor entonación?

Hola amigos míos

Os cuento que la vida en Urubichá es muy diferente a nuestra vida en Madrid. Aquí en el noreste de Bolivia parece que estamos en otro mundo porque no sólo la geografía es distinta, las costumbres, la gente y hasta el idioma no tienen nada que ver con España. Lo único que sigue igual es el amor por la música, y la orquesta del pueblo me parece sensacional sobre todo si tenemos en cuenta que no tiene las facilidades de una ciudad grande.

Me levanto temprano para ayudar a mi madre con las faenas de la casa – éstas no varían nunca. Aquí en el pueblo la gente es muy humilde y amable mientras que en la capital todos estábamos muy ocupados y siempre teníamos mucha prisa. Aquí todo va mucho más lento y la gente habla y conversa amablemente.

La gente indígena se viste con sus trajes regionales que a mí me parecen muy bonitos pero creo que vosotros los encontraríais curiosos. Además hablan guarayo, su idioma nativo, y hasta algunos no hablan español.

Me encanta esta vida tan tranquila pero como quiero seguir con mis estudios volveré a Madrid muy pronto.

Hasta entonces un abrazo fuerte de Jorge

4 Busca frases o palabras equivalentes en el texto.
a in another world
b even the language
c the only thing
d especially
e these never vary
f whereas
g in a great hurry
h besides

5 Contesta a las preguntas en inglés.
a Why does Jorge say it feels like he's living in another world?
b What two things does he say are the same.
c How does he compare the people of his town with those of Madrid?
d How do you think he feels about his home town? Why?

6a Escucha y anota las diferencias entre España e Inglaterra. Escribe una palabra para cada diferencia. Tienes que acordarte del resto.

6b Con tus notas discute las diferencias con un(a) compañero/a. Usa las frases clave.

> más que   menos que   tan como   tanto como
> mientras que   comparado con   si se compara con
> en comparación   pero   en cambio

6c ¿Hay algunos aspectos similares entre los dos países? ¿Cuáles son?

6d Ahora escribe cinco frases comparando la vida de España y de Inglaterra según Isidoro. Usa las frases clave de arriba. Acuérdate de la primera carta en la actividad 1a también.

Remate

7 Imagine another conversation between Lorena and Mari Ángeles or Isidoro and their family. Speak about the differences between their lives. Use the questions from activity 2a.
Example: Oye Mari Ángeles, ¿qué hacías en tu pueblo? ¿Por qué viniste a España?

8 Research information about Bariloche or Urubichá. Imagine you are Mari Ángeles or Jorge and write about life in your village. Comment on the different aspects and the similarities between life at home and in Madrid. Explain which you prefer and say why.

G preguntas indirectas **V** música y baile **H** estrategias para exámenes

Lorena

Como muy bien saben mi ídolo es Joaquín Cortés y cuando tenga la oportunidad quiero seguir estudiando baile y mi ilusión más grande sería bailar bajo su dirección.

Para mí es la persona que mejor representa la fusión de culturas en el baile.

Nació en Córdoba donde se crió en la cultura gitana bailando flamenco, pero a los 15 años entró en el Ballet Nacional de España y estudió ballet clásico. No tardó mucho en llegar a ser su bailarín principal.

Mi primer recuerdo de él fue en su espectáculo *Pura Pasión* y luego en *Mi Soledad*. Ahora en *Live* nos hace un recorrido por el flamenco con una fusion de música clásica, árabe, judía, afrocubana y jazz.

Isidoro

Aunque nació en París, mi ídolo, Manu Chao, es de origen español, ya que su padre es de Galicia y su madre vasca de Bilbao. Siempre fue una persona comprometida y sus ideas políticas a veces no le han ganado premios ni amigos pero a mí me parece muy importante el mensaje de una canción. Esto es lo que siempre me ha atraído de su música. Había terminado con su grupo *Mano Negra* cuando llegó a Madrid. Allí escribió canciones en varios idiomas – inglés, francés, portugués, árabe y claro en español porque, como dice, quería reproducir el sonido de la música de la calle y bares. Creo que su canción *Me llaman Calle* es típica de esta fusión de baladas con flamenco y mezcla de salsa con ska y punk rock. Siempre apoya a los menos afortunados del mundo. Cuando pueda voy a seguir sus pasos.

Mari Ángeles

Estoy al cien por cien de acuerdo con lo que acaba de decir Isidoro y también mi ídolo se ha comprometido en sus canciones con los pobres del mundo. La colombiana, Shakira, es compositora y cantautora y desde pequeña ha escrito sus propias canciones. Empezó a ganar fama con su primer álbum *Pies Descalzos* que también es el nombre de la fundación con la que ganó mención honorífica de las Naciones Unidas por su trabajo con los niños pobres que son víctimas de la violencia. "No olvidemos que al final del día cuando todos se vayan a casa, 960 niños habrán muerto en América Latina" dijo. Pero claro su música es lo que a mí me entusiasma – es una mezcla de poplatino con reggaetón. También en su álbum *Servicio de Lavandería* va fusionando poprock con elementos de música latina – tango y andina – con árabe y en su canción *Hips Don't Lie* introduce cumbia con salsa y hiphop. Estos son los sonidos que a la gente joven les hacen cantar y bailar, y quisiera cantar y tocar como ella.

1a Lee lo que ha dicho Lorena, Isidoro y Mari Ángeles sobre sus ídolos y su amor por la música y el baile. ¿Quién menciona ...

1 ... orígenes gitanas?
2 ... un grupo?
3 ... una obra de caridad?
4 ... varios idiomas?
5 ... el ballet clásico?
6 ... escribir canciones?

1b Anota las diferentes clases de música mencionadas. ¿Cómo se dicen en inglés?

1c Contesta a las preguntas en inglés.

1 ¿Why have Lorena, Isidoro y Mari Ángeles chosen these 'idols'?
2 ¿What links Shakira's first Album with the charitable foundation she has created?
3 ¿What does Isidoro say is very important in a song?
4 ¿What sort of dancing is Joaquín Cortés doing now?

1d Busca estas palabras en español.

1 he grew up
2 it wasn't long before
3 my first memory
4 since his father is from
5 a committed person
6 didn't win him any friends
7 always supports the less fortunate
8 I agree 100%
9 a mixture
10 I would love to sing

Exam strategies (1)

- How did you find each phrase in 1d? Was there a word in the phrase which gave you a clue to what the whole phrase meant?
- For 1c check you have included as much detail as is relevant to make sure you gain maximum marks. Check your English means what you intend it to mean!
- In each text find a use of the subjunctive when referring to the future. What word helped you spot it?

Exam strategies (2)

Did you remember to apply all the reading strategies systematically?

- Take it in turns with a partner to read the text aloud.
- Now read the questions and then discuss the details you think you need to include in your answers. It's obvious you don't need to know what every word means. Are there any you think are essential which you still can't work out? Write them down and look at the way they work in the sentence.
- Write down examples of the different tenses you can find.

2a Lee el texto.

Jorge

La música que yo persigo es diferente en muchos aspectos pero no menos importante. Mis ídolos son de hace más de dos cientos años cuando mi pueblo de Urubichá fue creado por una misión franciscana que creó un amor por la música barroca entre el pueblo indígena. Como ya saben nosotros tenemos la oportunidad de aprender a tocar instrumentos gratis y tenemos una orquesta y un coro muy conocido, algo que parece raro a mucha gente porque somos gente humilde del noreste de Bolivia, muy lejos de Europa. Otra curiosidad es que hemos aprendido a labrar la madera para hacer violines − el secreto es tener una madera fina y muy seca. Nuestro director nos convierte en profesores de los otros cuando tenemos suficiente concocimiento.

Lo que más orgullo me hace sentir ahora es que tres de mi grupo ya han sido elegidos para participar en la Orquesta Juvenil Latinoamericana (OJL), unos 260 integrantes de unos 22 países de América Latina y el Caribe. ¿Qué les parece? ¡Fenomenal, no!

En Venezuela ganaron una medalla que dice **"Tocar y luchar" que significa que no importa cuánta plata tengas, de qué edad seas o de qué color, lo importante es tocar.**

Para mí lo importante es reconocer que la música puede ser fundamental en la vida de los jóvenes de los barrios pobres. Cuando veas tocar a la orquesta no te cabrá duda alguna de que la alegría que nos aporta la música en cualquier forma − sea clásica, barroca, pop, reggaetón o punk − ayuda a unir el mundo tanto de ricos y pobres como de culturas diferentes. ¡Ojalá siga siendo tan optimista toda mi vida!

2b Contesta a las preguntas en inglés.

1 What happened 200 years ago?
Why was it significant?
2 What is important about the way they learn instruments?
3 What two things does Jorge say people think are strange about the music in Urubichá?
4 Why is he so proud?

2c Traduce el texto en negrita al inglés.

Remate

3 Think of all the different types of music you know and discuss them with a partner. Invent some questions for a class survey on music and dance. Use the prompts below to help you get started.

- ¿Qué clase/tipo ...?
- ¿Dónde ...?
- ¿Te gusta(n) ...?
- ¿Cuándo ...?
- ¿De dónde es ...?
- ¿Tocas ...?

a ¿Qué te parece ...?
b ¿Qué piensas de

4 Research any one of the styles of music or dance mentioned in the texts and make notes. Then write a brief paragraph and explain why you have chosen this particular style.

Review of commands and instructions

POSITIVE COMMANDS

To tell someone to do something (the imperative) using regular verbs:

1 take the infinitive: hablar / comer / escribir

2 remove the ending: habl- / com- / escrib-

3 add the appropriate ending from the table below:

	tú	vosotros	usted	ustedes
-AR verbs	habla	hablad	hable	hablen
-ER verbs	come	comed	coma	coman
-IR verbs	escribe	escribid	escriba	escriban

What pattern can you see in the way these verb endings change?

Note that in the *vosotros* form, reflexive verbs drop the *d* before adding the pronoun:

levantad   levantaos

sentad   sentaos

1 Remember there are several irregular commands in the *tú* form. Here are the first letters. Write them down from memory and add what they mean in English.

D   H   O   P   S   T   V   V   V.

Ejemplo: D – di   *say*

RADICAL- AND SPELL-CHANGING VERBS

	tú	vosotros	usted	ustedes
contar	cuenta	contad	cuente	cuenten
jugar	juega	jugad	juegue	jueguen
dormir	duerme	dormid	duerma	duerman

2 Write out a table as above for the following verbs:

> preferir   poder   empezar
> cerrar   querer   volver   elegir

NEGATIVE COMMANDS

To tell someone NOT to do something using regular verbs:

1 take the infinitive and remove the ending, as before

2 add the appropriate ending from the table below.

		tú	vosotros	usted	ustedes
-AR verbs	no:	hables	habléis	hable	hablen
-ER verbs	no:	comas	comáis	coma	coman
-IR verbs	no:	escribas	escribáis	escriba	escriban

3 Write out a table of negative commands for the verbs in activity 2.

The subjunctive

The subjunctive mood is used quite frequently in Spanish. You will mainly need to use it:

- in polite and negative commands
- after *cuando* when talking about the future

FORMING THE SUBJUNCTIVE

To form the present subjunctive:

1 take the first person (*yo*) form of the present tense

2 remove the last letter (*o*)

3 add the appropriate ending from the tables below:

	yo	tú	usted
-AR verbs	hable	hables	hable
-ER verbs	coma	comas	coma
-IR verbs	escriba	escribas	escriba

	nosotros	vosotros	ustedes
-AR verbs	hablemos	habléis	hablen
-ER verbs	comamos	comáis	coman
-IR verbs	escribamos	escribáis	escriban

Verbs with an irregular first person follow the same rules:
  hacer (yo hago):
  haga / hagas / haga / hagamos / hagáis / hagan
  tener (yo tengo):
  tenga / tengas / tenga / tengamos / tengáis / tengan

So do radical- and spell-changing verbs:
  jugar (yo juego):
  juegue / juegues / juegue / juguemos / juguéis / jueguen

4a For the following words, write down the Spanish verb in the *tú* form and the *usted* form of the subjunctive mood:

> listen   read   write   speak   look for   answer
> choose   give   ask questions   note down   check

4b Now write down the *nosotros* form of the subjunctive for the verbs in activity 4a.

Ejemplo: let's listen   escuchemos

Using the subjunctive

Look at the table of negative command forms on the left. You will see that this is in fact the present tense of the subjunctive mood. Negative commands are one important use of the subjunctive.

You must also use the subjunctive when you talk about the future using *cuando* or a similar expression:

Cuando termine mis estudios voy a viajar mucho.

En cuanto tengamos los resultados estaremos contentos.

5 Translate the last two sentences in the box above into English.

6 Change these positive instructions into negative ones:

Ejemplo: Habla despacio. No hables tan rápido.

a Escriba una frase entera.   e Ve todo recto.
b Acuéstate en seguida.   f Cállate inmediatamente.
c Contesta ahora mismo.   g Pensad un poco.
d Corred por el pasillo.   h Vengan a mi casa.

Review of indirect questions and exclamations

- **Direct speech** is used when you quote the exact words spoken.
- **Indirect speech** is used when you want to explain or report what somebody said.

Remember that you have to change all the parts of the sentence that relate to the speaker, not just the verb.

And don't forget that question words and exclamation words always have an accent!

Example: **Direct speech:** *Me preguntó "¿A qué hora vas a llegar?"*

Indirect speech: *Me preguntó a qué hora iba a llegar.*

Review of (*desde*) *hace*/*hacía*

Look back at page 48 in Unit 2A and check the examples given.

Remember the English translation does not follow the Spanish.

When used with the present tense, *hace* and *desde hace* describe an action that is still going on:

¿Cuánto tiempo hace que estudias español? Hace sólo dos años.

How long have you been studying Spanish? For only two years.

When used with the imperfect tense, they describe an action that happened in the past and has now finished:

¿Hacía cuánto tiempo que estudiabas en ese colegio? Hacía cuatro años que estudiaba allí.

How long did you study at that school? I studied there for four years.

7 Say how long you have been doing the following:
¿Hace cuánto tiempo que ...

a ... vives en tu casa?
b ... estudias en este colegio?
c ... tocas un instrumento?
d ... eres miembro de un club?

Review of *ser* and *estar*

Remember there are two verbs which mean 'to be' in Spanish. Look back at Units 1B and 4A to remind yourself.

8 Translate these sentences into Spanish and, for each underlined verb, explain why you have used *ser* or *estar*:

a Madrid is in the centre of Spain and is the capital city.
b Where are the tickets for the concert? It's already six o clock.
c Joaquín Cortés is a very famous dancer.
d Is he married?

In this unit you've learnt how to ...

Leer

1 Understand the questions.

When you're reading a text:

- keep the questions in mind, and
- for longer texts, read once for understanding, then remind yourself of the questions and read the text again.

❏ Write down as many question words as you can remember in Spanish, then write the meaning of each one.

2 Work out the meaning of a text.

❏ Try this technique on a text paragraph you haven't read before:

- Write down all the words you know.
- Write down words you can recognise because they look or sound like other English or Spanish words you know. Check their meanings with your teacher or in a dictionary.
- Now you can probably guess more words from the context and the words you have listed.
- Study the words on either side of the words you know. Are they adjectives, verbs, linking words? Try and identify what work they do in the sentence.

Escuchar

3 Concentrate on the spoken text.

Concentration is key to all tasks, and especially when listening. Close your eyes or keep your eyes fixed on the questions. Don't let your attention wander!

❏ Try this technique on a listening text you haven't heard before:

- Check whether you need to answer in Spanish or English.
- Identify key words in the questions and think about possible answers.
- Listen once for gist and again for details.

When you've finished answering the questions, check your answers.
Don't leave any blanks – if necessary, make an intelligent guess.

4 Develop effective note-taking.

❏ Remember your favourite abbreviations. Put them on a learning card and write what they mean on the back.

Go back and listen to some of the listening questions in this unit and write abbreviations for the words you found hard to remember.

Aprender

5 Think about how to manage the examinations.

Make sure you know what the specification requires you to do.

❏ Practise going through some past papers to become familiar with the style of questions. Make sure you know exactly what you need to do to get the maximum number of marks.

Develop your own strategies for keeping calm such as breathing deeply, closing your eyes for a minute or repeating a favourite phrase to give you confidence.

During an exam, make sure you leave yourself enough time to check through your answers – see 6 below.

6 Check your answers systematically.

❏ Learn this technique for systematic checking:

- Read the questions again to make sure you have included all the relevant detail.
  For example, if you read or hear *a eso de las cinco*, make sure you have answered 'at about five o'clock'.
- Check for any tricky adjectives.
- Check that you have the correct tense for the verb in your answer.
- If there is a negative word in the sentence, check that you have understood fully what it implies for your answer.

Oral

Spanish and Latin American life

1 Research an aspect of Spanish or Latin American life which you think represents the culture, taking notes about it. (See the panel below for ideas.)

2 Now explain in Spanish to the rest of the class what you have chosen and why.

3 The class will then judge your presentation both for its content and for the way you have presented it.
   - Who gave the most interesting presentation?
   - Who spoke with the best accent and most fluently?

Ideas for culture themes

la guitarra	la salsa/rumba/cumbia
el flamenco	el tango argentino
las corridas de toros	los mariachis mexicanos
las tapas	el día de los muertos
la Semana Santa de Sevilla	los gigantes y cabezudos
los bailes regionales	la tuna

Escrito

Local environmental group

1 Do some research about a local environmenttal group. Take notes about their aims and activities, how many members they have, any recent campaign successes and so on.
   Using your notes, write and record a three-minute report on the environmental group, suitable for sending to an exchange school in Spain.

   For example, if you live on the coast in the UK, you may have heard of Surfers Against Sewage (SAS): www.sas.org.uk – but you can choose another group if you prefer.

2 Investigate an international environmental group and write a report about who they are and what they do, in about 100–150 words.
   For example, you could choose one of these:
   - Rayleigh International – which organises expeditions abroad for young people to work on environmental projects: www.rayleighinternational.org
   - WWF/Adena – the wildlife environmental group in Spain: www.wwf.es

4B Vocabulario

Cómo describir la contaminación (p. 124 y 125)

el cambio climático	climate change
una campaña	campaign
la caza	hunting
la central nuclear	nuclear power station
la contaminación	pollution
los desechos	waste products
el efecto invernadero	greenhouse effect
el humedal	wetlands
los incendios	fires
las inundaciones	floods
el lema	slogan
un paraíso	paradise
el peligro	danger
los pescadores	fishermen
los residuos	waste products
el ruido	noise
la sequía	drought
la subida	rising
los vertidos	spillages
indígena	indigenous

Cómo conservar el planeta (p. 126 y 127)

los bosques	woods
la calefacción	heating
el camino	pathway
el grifo	tap
las latas	tins
el medio ambiente	environment
los panales solares	solar panels
la selva	forest
encendido	left on/alight
eólica	wind (farms)
apagar	to put out/switch off
caminar	to walk
cuidar	to take care of
cultivar	to grow/cultivate
matar	to kill
proteger	to protect
tirar	to throw away

Cómo hablar del ecoturismo (p. 128 y 129)

el comportamiento	behaviour
los consejos	advice
el corazón	heart
el desarrollo	development
la despoblación	depopulation
la mezcla	mix(ture)
un mirador	observatory
el mundo	world
la riqueza	richness

la travesía	crossing
extraño/a	strange/rare
inquieto/a	worried
salvaje	wild
adentrarse	to go into/penetrate
aportar	to bring
deteriorarse	to get worse
inscribirse	to enlist/subscribe to
salvaguardar	to safeguard

Cómo comparar tu vida con las de otros (p. 130 y 131)

los aplausos	applause
los gritos	shouts
los lagos	lakes
la madera	wood
la merienda	tea/snack
aislado/a	isolated
bromista	joker
cortés	polite
helado/a	icy
humilde	humble
lindo/a	pretty
seco/a	dry
acostumbrarse	to get used to
hacer cola	to queue up
limitar con	to border on
sorprender	to surprise
tener prisa	to be in a hurry
mientras que	whilst
sin embargo	nevertheless/however

Cómo apreciar la cultura ajena (p. 132 y 133)

el bailarín	dancer
el/la cantautor(a)	singer/songwriter
el mensaje	message
el orgullo	pride
el recuerdo	memory
el sonido	sound
el torero	bullfighter
afortunado/a	fortunate
gitano/a	gypsy
apoyar	to support
tardar en	to take time to
se crió	he grew up
nació	he was born
cien por cien	one hundred percent
no cabe duda	there's no doubt

5A Mis estudios y mi trabajo

¿Ya sabes cómo ...

- ❏ cotillear sobre asignaturas y profesores?
- ❏ conversar sobre tu instituto?
- ❏ describir tu vida escolar?
- ❏ hablar sobre tu paga?
- ❏ hablar sobre los trabajos a tiempo parcial?

Escenario

- Trabajar a tiempo parcial: ¿Bueno o malo?
- ¡Promociona tu nuevo instituto virtual!

¿Qué te parece tu nuevo instituto?

Habilidades

Escuchar

When listening, how do you ...
- evaluate your guesses?
- reduce the possibilities in multiple choices?
- get marks for answers you don't know?

Hablar

When speaking, how do you ...
- pronounce words that look English?
- keep speaking to avoid more questions?
- add variety to your vocabulary?

Gramática

As part of your Spanish 'toolkit', can you ...
- use the imperative?
- use articles correctly?
- use the passive?
- use the preterite?
- use adjectives, quantifiers and intensifiers?
- use reflexive pronouns?

G forma negativa **V** opiniones **H** variedad de vocabulario

Ardiel Ventura

Clara Suarez

Ignacio Velazquez

¿Sabías que en España los estudiantes llaman a sus profesores por su nombre y no por su apellido?

Horario escolar 3º Educación Secundaria Obligatoria (ESO)
3º A Aula 6

	Lunes	Martes	Miércoles	Jueves	Viernes
08:30 – 09:20	Optativa / Francés	Educación física	Tutoría	Inglés	Lengua y literatura
09:25 – 10:15	Lengua y literatura	Ciencias sociales / Geografía	Lengua y literatura	Ciencias sociales / Historia	Matemáticas
10:20 – 11:10	Ciencias naturales	Ciencias naturales	Religión	Música	Música
11:10 – 11:40	RECREO	RECREO	RECREO	RECREO	RECREO
11:40 – 12:30	Matemáticas	Ciencias Sociales / Ética	Matemáticas	Religión	Inglés
12:35 – 13:25	Tecnología	Tecnología	Ciencias naturales	Tecnología	Ciencias naturales
13:30 – 14:20	Inglés	Arte	Optativa / Comunicación	Arte	Educación física

¿Quién habla?

1 "Bonjour, je m'appelle Jean Paul! Et toi?"
2 "Romeo y Julieta de Shakespeare representa ..."
3 "Vamos, tenéis cinco minutos: 3x+2y=13x"
4 "Señorita ... ¿Qué es un mamífero?"
5 "Tres palabras clave: Por favor, gracias y lo siento."
6 "¡Formad dos equipos de 11 jugadores!"
7 "En 1492 Cristóbal Colón descubrió las Américas y ..."
8 "Abrid un nuevo documento de PowerPoint."
9 "¡Muy bien Javier! ¡Correcto! La fórmula del agua es H_2O."
10 "Clase, a ver ¿Cuántos países hay ahora en Europa?"

1 ¿Qué asignatura es? Lee *¿Quién habla?* y encuentra las parejas. ¡Atención! Dos asignaturas tienen más de una respuesta.

a Matemáticas
b Educación física
c Lengua y literatura
d Idiomas
e Ciencias sociales
f Ciencias naturales
g Informática
h Ética

2a 📖 Lee lo que dice Miguel. ¿Qué asignaturas enseñan los profesores de la página anterior?

> Me llamo Miguel y curso tercero de la ESO en el instituto Alexandre de Riquer. Por el momento este año voy bien y todavía no he suspendido ninguna asignatura aunque odio las ciencias sociales porque nos aburrimos mucho en clase así que el comportamiento de algunos alumnos no es muy bueno. Nuestro profesor es muy estricto y no respeta nuestras opiniones. Por el contrario, la profesora de inglés es la profesora ideal porque es muy simpática y sus clases son muy divertidas. ¡Me llevo muy bien con ella! También se me dan bien las matemáticas y el profesor de este año es estupendo. Tengo suerte ... ¡Voy a un buen instituto!

GRAMÁTICA

Some adjectives come before the noun and lose the 'o' if the noun is masculine – *buen, mal, primer, tercer, ningún, algún*

Grande – *gran* before both masculine and feminine nouns.

Example: *un buen instituto; el tercer curso de ESO; un gran hombre; una gran persona.*

2b 📖 Lee las frases. ¿Verdaderas, falsas o no se menciona?

1 Las clases del profesor de ciencias sociales son divertidas.
2 En ciencias de la naturaleza los estudiantes se comportan mal.
3 Miguel se divierte en la clase de inglés.
4 Miguel se lleva bien con su profesor de matemáticas.
5 Las matemáticas se le dan mal.

2c ✏️ Corrige las frases falsas.

3a 🎧 Escucha. ¿Qué dicen sobre sus asignaturas? Rellena la tabla.

Nombre	Asignaturas	Opinión	Información adicional
Sara	Educación física	Asignatura favorita	Se lleva bien con la profe
Josema			
Silvi			
Moisés			

3b ✏️ Compara tus respuestas de la actividad 3a con el horario de la página anterior. Escribe una frase para cada estudiante: explica cuál es su día preferido y por qué. Escucha otra vez si es necesario.

Ejemplo: El día preferido de Sara es el martes porque tiene educación física y no tiene literatura.

4 ✏️ ¿Qué significan en inglés estas opiniones?

☺	☹	☺
Me interesa(n)	No aguanto	No me importa(n)
Me fascina(n)	No soporto	
Me apasiona(n)	Me desagrada(n)	
Me agrada(n)	Me aburre(n)	
Me atrae(n)	Me agobia(n)	

5a ✏️ Empareja los contrarios. Utiliza un diccionario si es necesario.

> inútil   agradable   útil   antipático   insoportable
> monótono   tolerante   soportable   simpático
> desagradable   entretenido   estricto

5b ✏️ Expresa la misma idea utilizando la forma negativa y el adjetivo contrario.

Ejemplo: El profesor es estricto. El profesor no es tolerante.
1 Las matemáticas son útiles.
2 La profesora de inglés es desagradable.
3 Las clases de historia son entretenidas.
4 Los deberes de ciencias son insoportables.

Remate

6 💬 In two minutes, try to memorise the vocabulary from activities 4 and 5a. With a partner, take turns to ask these questions, in any order:

1 ¿Te gusta tu profesor(a) de inglés/matemáticas/ciencias?
2 ¿Cuál es tu asignatura preferida?
3 ¿Qué profesor prefieres?
4 ¿Te gustan las matemáticas/ciencias/el inglés?
5 ¿Cuál es tu opinión de las matemáticas?

7 ✏️ Write a paragraph about your teachers and subjects. Use your new vocabulary and link your sentences. Mention:

- what you are good at and not so good at
- what your favourite subjects are and why
- which teachers you like and dislike and why

Estudia y lee la sección de gramática, y luego contesta a las preguntas.

¡Hola Alex!

Te envío … fotos de mi nuevo instituto que se llama Ben Arabi. Es … instituto mixto con quinientos alumnos de ESO y otros doscientos de Bachillerato. … edificio es grande y moderno porque fue construido hace sólo cuatro años así que tiene buenas instalaciones particularmente si te gusta … deporte.

Hay canchas de tenis y de baloncesto y además tenemos dos campos de fútbol. … gimnasio también es muy grande y está bien equipado. No tenemos piscina pero la piscina pública fue inaugurada por el alcalde del pueblo hace seis meses y está a cinco minutos así que no importa.

En Ben Arabi hay veinte aulas normales, … laboratorio para los experimentos de ciencias, … sala de ordenadores, … biblioteca bastante espaciosa con … sala de profesores al lado y … sala de actos que es enorme. Por desgracia … sala de ordenadores siempre está llena y aunque tiene treinta ordenadores, es muy difícil encontrar uno libre durante … recreo o … almuerzo.

… cantina es acogedora y … comida que es cocinada allí no está mal pero es un poco cara. También tenemos … patio cubierto y otro al aire libre con mesas y bancos para relajarnos durante … recreo. En Ben Arabi hay dos ascensores y aseos especiales porque está acondicionado para estudiantes minusválidos.

… verdad es que me encanta … instituto porque … ambiente es muy distinto al mi colegio de antes. ¡Creo que a ti también te gustaría!

Rosa

GRAMÁTICA

Articles – the, a, an, a few, some

Remember that there are some key differences in the usage of these:

Use the definite article (*el, la, los, las*) after opinions and before days of the week:

*Me gusta **el** español. **Los** lunes tengo inglés.*

Do not use the indefinite article (*un, una, unos, unas*) to refer to someone's profession or religion: *Es profesora. Es cristiano.*

1 Copia y completa el email con los artículos que faltan.

2 Haz una lista con las instalaciones que se mencionan en el email de Rosa. ¿Qué significan?

Ejemplo: canchas de tenis − tennis courts

3 Lee el email y contesta a las preguntas en inglés.

a How many students are there in the school?
b What is the building like?
c What are the sports facilities like?
d Why doesn't she mind not having a pool?
e What is the problem with the ICT room?
f Why do you think there are two playgrounds?
g What are the lifts for?
h Does she like her school? Why?

HABILIDADES

When answering questions take special notice of negatives because they change the meaning of the sentence.

Example: mal = bad, ***no** está mal* = it's not bad

4a Escucha lo que dice Alex sobre su instituto. Completa las frases con las palabras en el recuadro de abajo.

1 Su instituto es ... y no es ...
2 El edificio principal ...
3 Las instalaciones deportivas son ...
4 Las instalaciones de informática son ...

muy buenas   mixto   bastante grande
no es grande   pobres

4b Escucha otra vez y contesta a las preguntas en inglés.

Exam tip!

If a maximum number of marks is indicated next to a question on the exam paper, this is probably equal to the number of different pieces of information you need to give in your answer.

1 How does Alex get to school? [2]
2 What is there in the main building? [3]
3 What is the only outdoor school facility? [1]
4 When can students in Years 1–3 of ESO use the computer facilities? [3]

5 Jugad a 'El Rival más Débil' y contestad a las preguntas.

1 ¿Cómo es tu instituto?
2 ¿Qué instalaciones tiene tu instituto?
3 ¿Cómo son las instalaciones deportivas?
4 ¿Cómo son las instalaciones de informática?

How to play

- Work in small groups.
- Each group member in order adds an element to the sentence.
- Five coherent elements per question mean a completed chain.
- If an element is incoherent, repeated or takes more than 10 seconds, the chain is broken. The team must move on to the next question.
- At the end of the round the team members vote the weakest link and start again until a winner is found.

6 Escribe una descripción de tu instituto.

Ejemplo: Voy al instituto ...   Está en ...   Hay ...
Sin embargo no hay ...   También tiene ...

GRAMÁTICA

Passive voice

In the active voice the subject of the sentence performs the actions, in the passive voice the subject underlines receives the actions.

To form the passive voice use **ser** + past participle:

Passive: *La piscina* **fue inaugurada** *por el alcalde* – The swimming pool was inaugurated by the mayor.

Active: *El alcalde* **inauguró** *la piscina* – The mayor inaugurated the swimming pool.

In Spanish the passive voice is generally avoided by using impersonal constructions with 'se': *El edificio* **fue construido** → *se construyó*
La comida que **es cocinada** *allí* → *que se cocina*

HABILIDADES

When completing listening tasks ...
- read the questions so you know what you are listening for
- the speakers may give information you don't need, focus on what you **do** need!

When giving an oral presentation ...
- do not read from a script
- prepare some cue cards and improvise if you get stuck
- give expression to what you are saying by varying your tone so it sounds interesting and convincing
- practise, practise, practise

Remate

7 Listen and answer the questions in English.

1 Where is Soraya's school situated? [2]
2 What kind of school is it? [1]
3 How many pupils are there? [1]
4 What are the buildings like? [2]
5 What are the classrooms like? [2]
6 What are the sports facilities like? Why? [2]
7 In how many classrooms can internet be used? [1]
8 What does Soraya do in the library? [1]
9 What is there to eat in the canteen? [2]
10 According to Soraya, what is the most important thing? [1]

8 Imagine your ideal secondary school or college.

- In small groups, or as a whole class, have a brainstorming session, pooling all your ideas of the things you would like.
- On your own prepare a two minute oral presentation about it. Be creative but consistent.

5A Cómo describir tu vida escolar

G números **V** vida escolar **H** respuestas gramaticales

1 El horario escolar de la página 140 pertenece a un estudiante español de 15 años. Míralo. ¿Qué diferencias hay con tu horario? Compara:

- Clases y descansos: ¿A qué hora empiezan? ¿A qué hora terminan? ¿Cuánto duran?
- Las asignaturas: ¿Cuántas hay? ¿Son las mismas?

  Ejemplo: En el instituto español las clases empiezan a las ... pero/sin embargo/ mientras que aquí empiezan a las ...

2 Lee las frases y clasifica las ideas como **Lleva uniforme** o **No lleva uniforme**.

Ejemplo: No tengo que decidir qué ropa ponerme – **Lleva uniforme**

1 No tengo que decidir qué ropa ponerme.
2 No puedo expresar mi personalidad.
3 Es incómodo.
4 Es un problema porque mis amigos tienen dinero.
5 Todos somos iguales, no se ven las diferencias.
6 De todas formas tengo que comprar ropa para salir.
7 Paso una hora decidiendo qué ponerme.

3 Empareja estas frases con los dibujos.

1 Voy al instituto andando.
2 No tengo que llevar uniforme.
3 Las clases empiezan a las ocho y media.
4 Tenemos seis clases cada día.
5 Sólo tenemos un descanso.
6 Las clases terminan a las dos y media.
7 Almuerzo en casa después del cole.
8 Tengo deberes cada día.

GRAMÁTICA

Generally indefinite adjectives must match the gender of the noun they describe:
algún día – some day   *alguna clase* – some class

This is not the case with *cada* (each, every):
cada día (masc) – every day   *cada clase* (fem) – every class

4 Alicia visitó un colegio en el norte de Londres recientemente. Escucha lo que dice y completa las frases con un adjetivo de la caja (sobran dos).

a Fue una experiencia ...
b El uniforme le pareció ...
c En España no se lleva uniforme en los colegios ...
d La clase de cocina le pareció ...
e El instituto es muy ...
f Las instalaciones deportivas eran ...

incómodo   públicos   viejo   buenas   cómodo
fenomenal   sorprendente   antiguas

HABILIDADES

When there is a choice of possible answers, consider whether the grammar of the different options gives you any clues. Are you looking for a masculine singular word or a feminine one? A singular or a plural noun? Knowing what you're looking for grammatically can help you to narrow down the possibilities.

GRAMÁTICA

Numbers

Uno changes to *un* before a masculine noun – *veintiún estudiantes.*

Ciento changes to *cien* before masculine and feminine nouns and *mil* and *millones.*

cien chicos y cien chicas; cien mil; cien millones.

5a Busca los números que se mencionan en el chat. Escríbelos en español, en inglés y explica a qué hacen referencia.

Ejemplo: seis y media – half past six – time his afterschool club begins

---

Sweet_15 dice: ¡Hola Jorge! ¿Estás ahí?

Travieso dice: Sí, y estoy un poco cansado porque acabo de llegar de clase de informática. Voy los martes de seis y media a ocho y media, es una actividad extraescolar pero tengo que pagar dieciocho euros por trimestre. Mi madre se queja mucho porque los libros de este año costaron ciento treinta y seis euros.

Sweet_15 dice: What??? ¿Qué? ¿Ciento treinta y seis euros?

Travieso dice: Sí, aquí en España tenemos que comprar los libros para todas las asignaturas además del material escolar. Con estudiantes en casa, septiembre cuesta mucho.

Sweet_15 dice: Ouch!! Really?? Oops … en español … ¿De verdad??

Travieso dice: Este año compré una carpeta para música con una foto de Shakira. ¡Es guapísima! :–) y los cuadernos tienen fotos del Barça porque es mi equipo de fútbol favorito.

Sweet_15 dice: ¡Eres un fanático! ;-) ¿Has terminado las vacaciones?

Travieso dice: No, aún no. Volvemos al colegio el siete de enero.

Sweet_15 dice: ¡Qué suerte!

Travieso dice: Sí, pero aparte de la Navidad, aquí sólo tenemos una semana para Semana Santa y los tres meses de verano mientras que tú tienes … ¿Cómo se dice …? … ¡Ah!: 'Half-terms' ;-)

Sweet_15 dice: Has cambiado de colegio este año, ¿no?

Travieso dice: Sí, ya no voy al colegio, voy a un instituto con bastante buena reputación. El horario es mucho mejor porque no hay lecciones por la tarde. ¡En primaria terminaba a las cinco! Ahora almuerzo en casa sobre las tres, cuando llego del instituto. No está demasiado lejos: a quince minutos en autobús.

Sweet_15 dice: Mi madre me llama …

Sweet_15 se ha desconectado.

HABILIDADES

Use quantifiers and intensifiers such as *poco, mucho, muy, bastante*, etc. to improve your speaking and writing!

5b Busca en el chat.

1 a little tired
2 costs a lot
3 she is very pretty
4 quite good reputation
5 it's much better
6 too far

5c Ahora busca:

1 I have just arrived
2 in addition to
3 besides Christmas
4 about three o'clock

Remate

6 Jorge is online and wants to have a conversation with you. Answer his questions.

a ¿Te gusta tu uniforme?
b ¿Preferirías llevar tu propia ropa? ¿Por qué?
c ¿Te importa almorzar en el instituto? ¿Por qué?
d ¿Qué prefieres: una semana de vacaciones cada trimestre o tres meses en verano? ¿Por qué?

7 Choose one of the titles below and write an article for the school magazine. You should aim to write more than 100 words in any format you like, and include at least one illustration.

- ¡No más uniformes!
- Vacaciones escolares: ¿tres meses en verano o un descanso cada seis semanas?

(G) imperativos (repaso) (V) dinero y ocio (H) frases más largas

1a Lee lo que dicen estos jóvenes y contesta a las preguntas sobre cada persona. Mira el ejemplo de Elisa.

1 ¿Nombre? *Elisa.*
2 ¿Cuánto dinero recibe? *30€*
3 ¿Quién se lo da? *sus padres*
4 ¿Qué tiene que hacer? *pasear al perro/sacar la basura*
5 ¿Cómo lo gasta? *cine/ropa*
6 ¿Información adicional? –

Elisa

Normalmente saco al perro de paseo cada día por la noche antes de cenar y al mismo tiempo llevo la basura a los contenedores. Mis padres me dan *30€*. Con mi dinero voy al cine los martes y compro ropa.

Alberto

Somos seis hermanos y mis padres no se pueden permitir darme dinero. Si ayudo a mi madre con mis hermanos, y preparo el desayuno mi abuela me da *20€* a la semana. Normalmente los gasto en salir con mis amigos.

Celia

Tengo que lavar los platos después del almuerzo todos los días y tengo que pasar la aspiradora los sábados. Mis padres no me dan dinero pero me pagan la ropa, me dejan comprar música y me dan algo de dinero cuando salgo con mis amigos.

Juanjo

Recibo *15€* por semana. No es justo ... Tengo que arreglar mi dormitorio, lavar el coche de mi padre, ayudar a mi madre con la colada, pasar el polvo y vaciar el lavaplatos. Gasto mis *15€* en gasolina para mi moto.

1b Ahora escucha a cuatro jóvenes más. Contesta a las preguntas de la actividad 1a.

GRAMÁTICA

Look back at Unit 4B to remind yourself about positive and negative imperatives, and irregular verbs in the imperative.

2 Lee esta nota. Copia las frases y complétalas con los imperativos del recuadro.

> Joaquín, si quieres tu paga:
>
> 1 ¡arregla tu dormitorio!
> 2 i...... al perro!
> 3 i...... la basura!
> 4 i...... los platos!
> 5 i...... a tu hermano!
> 6 i...... la ropa!
> 7 i...... tus deberes!
> 8 i...... tus exámenes!
>
> Mamá x

> pasea   lava   no suspendas   plancha   haz
> arregla   saca   cuida

HABILIDADES

In listening and reading tasks characters often talk about themselves. Remember to change verb endings and write in the third person when you write about them.

3a ¿Qué debe hacer Joaquín para conseguir su paga? Utiliza tus respuestas de la actividad anterior.

Ejemplo: Joaquín **tiene que/debe** arreglar su dormitorio.

3b Ahora convierte tus respuestas de la actividad anterior en un párrafo. Utiliza conectores y añade adverbios de tiempo.

> todos los días   cada mañana   los martes
> dos veces por semana   además   también   después

4a Lee el email de Luz y las afirmaciones de abajo. ¿Son verdaderas o falsas?

Querida amiga,

¡Estoy harta! Mis padres me tratan como a una esclava. No es justo tener que trabajar para conseguir una paga. Somos estudiantes, ese es nuestro trabajo. ¿Te dan dinero tus padres? ¿Qué tienes que hacer? Esta semana tuve que preparar el desayuno todos los días y tuve que pasear al perro todas las tardes. Además, durante la semana fui a buscar a mi hermano al colegio, e hice la cena, puse la mesa y lavé los platos dos días y todo por 20€ a la semana. ¡Es ridículo! Estás de acuerdo, ¿no? Voy a insistir en un aumento aunque ellos dicen que gasto demasiado. Con mi paga normalmente salgo el fin de semana y compro caramelos. ¿Y tú? ¿En qué gastas tu dinero?

¡Escribe pronto!

Luz

1 Luz cree que sus padres son justos.
2 Luz no quiere trabajar para tener una paga.
3 La semana pasada Luz preparó el desayuno todos los días.
4 Luz paseó al perro antes del almuerzo.
5 Luz cocinó tres noches.
6 Luz cree que 20€ a la semana es suficiente dinero.
7 Los padres de Luz creen que gasta mucho.
8 Luz gasta su dinero cuando sale el fin de semana.

4b Corrige las afirmaciones falsas.

GRAMÁTICA

Remember the preterite is used to express events that were completed in the past: *aprobé el examen* – I passed the exam

It is very important to remember the accents: *estudio* – I study, *estudió* – he/she studied

Be aware of spelling changes for sound purposes: *practicar* but *practiqué*, and irregular verbs: *hice* – I did

5 Busca los verbos en el pretérito del email de Luz. ¿Qué significan?

Ejemplo: Tuve que – I had to, from *tener que* (to have to)

6 Responde el email de Luz. Contesta a todas sus preguntas.

HABILIDADES

When speaking or writing, you will get better grades if you extend your sentences. Try to include as much information as possible about an event: What happened? Why? Where? When? Who with? Also, add an opinion and justify it.

7 Túrnate con un(a) compañero/a para preguntar y contestar. Sigue los consejos del recuadro de Habilidades y alarga tus respuestas.

a ¿Te dan dinero tus padres?
b ¿Crees que es suficiente?
c ¿Qué tienes que hacer para recibir tu paga?
d ¿Qué hiciste la semana pasada?
e ¿Cómo gastas tu dinero?
f ¿Es justo tener que hacer tareas para ganar una paga?

Remate

8 Listen to Iván and answer the questions.

a ¿Cuánto dinero recibe?
b ¿Quién le da el dinero?
c ¿Qué tareas hace por su dinero?
d ¿Cree que es justo hacer tareas? ¿Por qué?
e ¿Cómo gasta su dinero normalmente?
f ¿Por qué no puede salir esta semana?

9 Look at the comic strip and write a passage about the character's pocket money situation. Refer back to activities 1a and 4a for help with ideas and sentence structures you can use.

G verbos reflexivos **V** empleos **H** pronunciación

1a  Empareja los trabajos con los dibujos.

1 dependiente de panadería
2 camarero
3 profesora
4 mecánico
5 aprendiz de peluquería
6 recepcionista

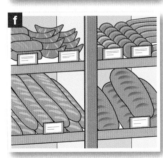

Nombre: Sofía Husillos   **Trabajo:** Canguro

Trabajo tres tardes por semana de ocho a once en una casa cerca del colegio. Cuido a tres niños de dos y cinco años y me pagan 10€ por tarde. No es mucho pero a menudo puedo hacer mis deberes allí mientras los niños duermen. Es un buen trabajo porque no tengo que hacer mucho, el problema es que esas noches me acuesto muy tarde. Normalmente me gasto el dinero en ropa y a veces voy al cine con mis amigas.

Nombre: Rubén Santillana   **Trabajo:** Repartidor

Me levanto muy temprano para repartir los periódicos por el barrio antes del instituto. Trabajo de seis a ocho durante la semana y de ocho a diez los sábados. No me gusta nada porque es muy duro y está mal pagado pero necesito el dinero y el ejercicio me sienta bien. Gano 48€ por semana que intento ahorrar para comprarme la moto.

Nombre: Oscar París   **Trabajo:** Obrero

Gano 70€ semanales en una obra donde sudo de siete a una y de tres y media a siete y media. El sábado me despierto muy temprano para ir al trabajo así que no puedo salir los viernes pero en cuanto llego por la tarde me ducho y salgo. Es un día muy largo y no me gusta demasiado mi empleo porque es muy cansado y trabajar al aire libre es muy duro, pero está bien pagado. Ahorro 40€ cada semana para ir a la universidad en el futuro y gasto 30€ en chucherías, música y salir.

1b Escucha. ¿Cuál es su trabajo? Escribe la letra adecuada.

GRAMÁTICA

Cuál means 'what' or 'which' – it is used when distinguishing between two or more things. It has the plural form **cuáles**.

2a Lee lo que dicen estos jóvenes. ¿Cuál de los jóvenes …

1 … gana más?
2 … tiene un trabajo poco exigente?
3 … cree que trabajar al aire libre es duro?
4 … necesita el dinero?
5 … trabaja menos horas?

2b Lee de nuevo lo que dicen los jóvenes y contesta a las preguntas para Rubén y Oscar. Mira el ejemplo de Sofía.

1 ¿De qué trabaja? *Canguro*
2 ¿Dónde? *En una casa*
3 ¿Cuándo? *20:00 a 23:00 tres veces por semana*
4 ¿Qué hace? *Cuida a 3 niños*
5 ¿Cuánto gana? *10€ por tarde*
6 ¿Qué opina del trabajo? *Es un buen trabajo*
7 ¿Por qué? *No tiene que hacer mucho*
8 ¿Qué hace con su dinero? *Lo gasta en ropa/ir al cine*

3 Busca los ejemplos de verbos reflexivos en primera persona en los textos de la actividad 2a.

Ejemplo: **me** acuest**o**

4a Escribe un párrafo. Debes escoger un elemento de cada sección.

1 Tengo un trabajo a tiempo parcial, trabajo de...
   a camarero en una cafetería ...
   b canguro en casa de mi vecina ...
   c recepcionista en la consulta de un médico ...

2 por las tardes ...
   a durante la semana de seis a ocho.
   b los lunes y jueves de tres a cinco y los sábados por la mañana.
   c de lunes a viernes de cinco a ocho y media.

3 En mi opinión mi trabajo es ...
   a divertido porque conozco a gente nueva.
   b duro porque son muchas horas después del instituto.
   c pesado porque me aburro.

4 Me pagan ...
   a 30€ a la semana ...
   b 4€ por hora ...
   c 15€ por tarde ...

5 y gasto mi dinero en ...
   a ropa y zapatos ...
   b salir con mis amigos ...
   c regalos para mis amigas ...

6 aunque ...
   a ahorro 5€ a la semana.
   b debería ahorrar para el verano.
   c mi madre dice que debería ahorrar.

4b Juego: ¡Empieza de nuevo! En equipos turnaos para adivinar el párrafo de un(a) compañero/a. Si cometéis un error el escritor dirá *¡NO! ¡Empieza de nuevo!* Otro compañero tiene que intentarlo empezando desde el principio.

HABILIDADES

When speaking Spanish make sure you sound Spanish. For example, ensure you clearly pronounce all the letters in the word 'euros' [eh-oo-ros], if you don't, it sounds like 'yuros' to Spanish people and they may not understand what you mean.

5 Completa y alarga las frases. Utiliza los conectores y tus propias ideas.

Los trabajos a tiempo parcial para estudiantes (no) son una buena idea porque ...
   • ... no tienen tiempo para hacer sus deberes.
   • ... aprenden a valorar el dinero.
   • ... ayudan a los padres económicamente.
   • ... obtienen peores resultados en el instituto.

aunque   sin embargo   además   también   así que

Remate

6a Listen to Elena's answers. Choose the correct question for each of her answers (a–f).
   1 ¿Tienes un trabajo a tiempo parcial?
   2 ¿Cómo es tu horario?
   3 ¿Cuánto ganas?
   4 ¿Te gusta tu trabajo?
   5 ¿Cómo gastas tu dinero?
   6 ¿Crees que es buena idea trabajar y estudiar?

6b Now listen and answer the questions in English.
   1 What is Elena's job?
   2 Name two things she does at work.
   3 She says that she doesn't work on Mondays. Why?
   4 How much does she earn per week?
   5 What does she say about her friends?
   6 What is her opinion of her job? Why?
   7 Mention three things she does with her money.
   8 Mention two reasons why she thinks it is good for her to have a part-time job.

7a Now it is your turn to answer the questions to activity 6a for yourself. Take turns with a partner to ask and answer the questions. Remember to extend your answers by including as much detail as possible.

7b Report to the rest of the class the information you found out about your partner. Remember to change verbs to the third person!

DEFINITE AND IDEFINITE ARTICLES

- The Spanish equivalent of the definite article 'the' is *el/la/los/las*.

- The equivalents of the indefinite articles 'a', 'an', 'some' or 'a few' are *un/una/unos/unas*.

- There are some instances where in Spanish you must use the definite article where in English you don't. Consult the grammar section to revise these.

1 Definite or indefinite? Copy and complete with the correct article.

a ... comida en la cantina siempre está fría.

b Ayer compré ... libro de inglés que nos recomendó la Sra. Suarez.

c No me gusta ... profesor de ciencias.

d Encontré ... jersey en el pasillo.

e Me interesan ... matemáticas.

f Hay ... jóvenes jugando al fútbol.

g ... instalaciones de mi colegio son muy buenas.

h ... clase del profesor Vicente es fantástica.

ADJECTIVES

In this unit you have seen a lot of adjectives. Remember, sometimes the position of an adjective affects the meaning:

una pobre estudiante   an unfortunate student

un estudiante pobre   a poor (penniless) student

2 Translate these phrases.

a a good (quality) teacher

b a good (natured) teacher

c the first floor

d good luck

e the best day

f the worst subject

g the third class

h the poor (unlucky) teacher

QUANTIFIERS AND INTENSIFIERS

It's always a good idea to extend your speaking and writing with quantifiers and intensifiers. Make sure you get you get them right.

3 Chose the correct quantifier or intensifier for each sentence.

a Después del trabajo estoy muy/mucha cansada.

b Tener un trabajo a tiempo parcial y estudiar es poco/un poco duro.

c Mis padres me dan un poco/poco dinero.

d Estoy bastanta/bastante contenta con mis notas.

e Las clases extra-escolares en España se hacen mucho/muy tarde.

f Mis padres se quejan de que gasto mi paga demasiado/demasiada rápido.

g Los libros de texto en España son demasiado/demasiados caros.

h La profesora de inglés del año pasado era mucho/muy estricta.

4 Write the absolute superlative of these adjectives. Careful with spelling!

a simpático − simpatiquísimo

b grande

c pequeño

d moderno

e guapa

f triste

g buena

h malo

5 Write two possible translations of these sentences.

a The maths's classroom is very big.

b Miss Solano is very good.

c To work and study is very hard.

d It is very important to get good grades.

e Our playground is very small.

f I have really great friends.

g The science lab is very small.

h The English teacher is very handsome.

IMPERATIVE (REVISION)

Here is a reminder of the imperative endings:

	-AR	-ER/-IR	-AR	-ER/-IR
Tú	¡trabaja!	¡aprende!	¡no trabajes!	¡no aprendas!
Ud.	¡trabaje!	¡aprenda!	¡no trabaje!	¡no aprenda!
Vosotros	¡trabajad!	¡aprended!	¡no trabajéis!	¡no aprendáis!
Uds.	¡trabajen!	¡aprendan!	¡no trabajen!	¡no aprendan!

6 Now translate this advice using the *tú* form.

a Work hard!   d Save money!
b Don't fail your exams! e Spend less!
c Arrive on time!   f Don't buy so many CDs!

7 Now change your answers to the *Ud*. and *vosotros* forms.

PRETERITE

Here is a reminder of the preterite endings of regular verbs:

-AR verbs: –é, –aste, –ó, –amos, –asteis, –aron

-ER/-IR verbs: –í, –iste, –ió, –imos, –isteis, –ieron

8 Translate these preterites into Spanish.

a I studied
b He earned
c They preferred
d I learnt
e She bought
f We worked
g You (sing) walked
h You (plural) washed
i He ate
j We drank

9 These are some very common irregular preterites. What do they mean?

a	hice	e	hizo	i	hicimos	m	hicieron
b	tuve	f	tuvo	j	tuvimos	n	tuvieron
c	fui	g	fue	k	fuimos	o	fueron
d	estuve	h	estuvo	l	estuvimos	p	estuvieron

10 Complete the sentences using the preterite form of the verb in parentheses.

a Los niños ...... en un colegio muy bueno. (estudiar)
b Ayer (yo) ...... mis deberes de ciencias. (hacer)
c La profesora de matemáticas ...... enferma toda la semana. (estar)
d Yo ...... el alumno con mejores notas de inglés. (ser)
e Los profesores ...... una fiesta para celebrar el final de curso. (hacer)
f El año pasado mi hermana ...... en Zara. (trabajar)
g El martes pasado nosotros no ...... clase de ciencias. (tener)
h La conferencia ...... bien. (estar)
i El sábado ...... al cine con mis amigas. (ir)
j Mi madre ...... al instituto para hablar con mi tutor. (ir)

REFLEXIVE VERBS

Remember: When you conjugate a reflexive verb the *-se* at the end will be replaced by a pronoun (*me, te, se, nos, os, se*) normally placed immediately before the verb. The pronoun must agree with the person doing the action:

me acosté – I went to bed, *te* acost*aste* – *you* went to bed, etc

Remember the pronoun is attached to the end of an infinitive, a present participle (gerund) or an imperative.

Example: *Voy a acostarme temprano.*
Ya estoy acostándome.
¡Acuéstate!

Remember that amongst the reflexive verbs, particularly amongst those to do with daily routines, there are a lot of stem-changing verbs. Watch out for them. Check the grammar section at the end of the book to find out more.

11 Look these verbs up in the dictionary:

to put on make-up	to wash
to wake up	to have a bath
to look at oneself	to put on
to take off	to get closer
to refuse	to become

12 What do these mean?

a Estoy maquillándome.
b ¿Te lavaste las manos?
c ¡Despiértate!
d Van a bañarse por la noche.
e Se miró en la ventana.
f Me pongo mi uniforme.
g Nos quitamos los zapatos.
h ¡No se acerque!
i Se negó a trabajar.
j Está volviéndose muy responsable.

STEM-CHANGING VERBS

Remember these have a vowel change in the stem except for the 'we' and 'you (plural)' forms. *Example: jugar but juego and preferir but prefiero!*

13 Compare the infinitives you found in activity 11 with their conjugated forms in activity 12 and identify the two stem-changing verbs.

14 Now write ten sentences about yourself, using the ten reflexive verbs of activity 11.

In this unit you've learnt how to ...

Hablar

1 **Sound Spanish even when pronouncing words that look English.**

Pay particular attention to words that have more than one vowel together, and make sure you pronounce every letter with its **Spanish** sound!

❏ Practice pronouncing these words aloud:

> divertido   diversión   aeropuerto   aeronave
> historia   autobús   autocar
> veintiocho   huyendo   ausente   Eurovisión

2 **Develop strategies for timed conversations.**

To avoid being bombarded with questions you might not be able to answer:

- recycle the questions in your answers
- extend your sentences, and
- ask questions.

❏ Look at these three answers to the question *¿Piensas que tener un trabajo a tiempo parcial es importante?* Which strategy is used in each case?

a Sí, porque te proporciona experiencia en el mundo laboral aunque para muchos estudiantes es un poco duro porque también tenemos que hacer muchos deberes por las tardes y los fines de semana.

b Sí, porque dependes menos de los padres económicamente, ¿no estás de acuerdo?

c Pienso que tener un trabajo a tiempo parcial es importante porque aprendes a ser responsable.

Now put the three strategies together to make one very extended answer.

3 **Build your answer by a series of steps.**

Let's look at the question *¿Cómo gastas tu dinero?* You could start by recycling the question – something like: *Bueno, gasto mi dinero ...*

❏ Now try building a full answer like this:

- Add something about where you spend your money.
- Say who you spend it with.
- Say when you normally spend it.
- Add an opinion, and justify it.

4 **Use different tenses.**

❏ Repeat your answer to the question *¿Cómo gastas tu dinero?* – but this time, create an opportunity to use a different tense. For example, you could talk about something you bought recently with your money.

5 **Ask questions yourself.**

❏ Repeat your last answer, but this time think of a related question to ask the interlocutor. For example, if you mentioned a particular shop you could ask if he/she has been there.

6 **Practise your answering skills**

❏ Practice giving A* answers to these questions:

a ¿Cómo se llama tu instituto?
b ¿Cuál es tu asignatura favorita?
c ¿Haces actividades extracurriculares?

Escuchar

7 **Make accurate guesses for multiple choice questions.**

Use your grammar knowledge and evaluate your guesses. The endings of the words are your key to success because they tell you about:

- when things happened – tenses via verb endings, and
- who did them or whom they apply to – verb and adjective endings

❏ Listen to this example. It's deliberately quite difficult – someone speaking very quickly!

You probably didn't get much of that? Don't worry, you're unlikely to get something that fast in your exams.

Look at these adjectives and work out which ones can apply to María, and which to her brother:

> aburrido   perezosa   simpática   alegre
> antipático   soso   responsable

❏ Now listen again. This time, check your answers and focus on the two ambivalent adjectives. If you have to guess, look at your list for each character and then make an educated guess.

Had you ever seen the word *soso* before? It means 'dull', but did you need to know that in order to do the activity? Why?

5A Escenario

Oral

1 Work in groups of four. Discuss types of paid part-time jobs the new school could offer older students: tasks, hours of work and pay. Make some notes. Decide what the tasks would be, the hours of work and the pay. Brainstorm your ideas and write them down.

2 Divide the group into 2 teams to represent the students (in favour) and the school's leadership team (against) respectively.
Both teams should:
  • prepare a presentation of 2–3 minutes in which you give your views.
  • anticipate the other team's arguments and prepare some questions for them.
  • anticipate their questions and/or counterarguments and prepare some answers.

3 Present your case to the governors (the rest of the class including the teacher).

4 After each presentation there will be up to three minutes to debate and answer questions from the other team and the school governors.

5 The governors will decide which team was more convincing and why.

Escrito

1 Design a game screen providing a snapshot of the key information about the new virtual school. It must include one sentence about each of these points:
  • Type of school
  • School clothes policy
  • School timetable
  • School curriculum
  • Teaching staff
  • Facilities
  • Extra-curricular activities
  • Holidays

A Spanish games designer is planning a virtual school for their new video game. They have asked you to collaborate!

2 Imagine you are a virtual student who attends the virtual school. The headteacher wants to send 10,000 emails to prospective students and parents promoting the school and canvassing for new pupils. He/she has entrusted you with the task of writing the email.
Here are some ideas to get you started on the email. Be as creative and imaginative as possible but try to be consistent – it must make sense.
  • Queridos padres/estudiantes
  • Me llamo … y estudio en el instituto … del que quiero hablaros.
  • Se construyó en … porque …
  • Es un colegio excepcional ya que … (no) tiene/hay/es …
  • Los profesores/las instalaciones/las clases/las asignaturas son …
  • El horario/ambiente/director es …
  • En un día típico … sin embargo mañana …
  • No dudaría en recomendaros … pues …

Cómo cotillear sobre asignaturas y profesores (p. 140 y 141)

las asignaturas	school subjects
el comportamiento	behaviour
el horario	timetable
estupendo/a	great
insoportable	unbearable
aburrirse	to be/get bored
aprobar	to pass (exams)
comportarse mal	to behave badly
divertirse	to have fun
suspender	to fail (exams)
me agobia ...	I am annoyed by ...
(no) me agrada ...	I am (not) pleased by ...
(no) me desagrada ...	I (don't) dislike ...
no aguanto/no soporto ...	I can't stand ...
(no) se me dan bien ...	I am (not) good at ...
voy bien en ...	I am doing well in ...

Cómo conversar sobre tu instituto (p. 142 y 143)

el ambiente	atmosphere
el aula	classroom
el edificio	building
las instalaciones	facilities
el patio cubierto	indoor playground
la sala de actos	assembly hall
acogedor(a)	welcoming
bien equipado/a	well equipped
débil	weak
minusválido/a	disabled
construir	to build
romper	to be break
abajo	below/underneath
al aire libre	outside/in the fresh air

Cómo describir tu vida escolar (p. 144 y 145)

la carpeta	folder
el descanso	break
el equipo	team
el inconveniente	disadvantage
la Navidad	Christmas
(tu propia) ropa	(your own) clothes
la Semana Santa	Easter
el trimestre	term
cansado/a	tired/tiring
igual	identical
incómodo/a	uncomfortable
acabar de ...	to have just ...

pertenecer a ...	to belong to ...
quejarse	to complain
aún no	not yet
cada día	each day

Cómo hablar sobre tu paga (p. 146 y 147)

el aumento	pay rise
la colada	laundry
(algo de) dinero	(some) money
la paga	pocket money
las tareas	chores
conseguir	to get/to achieve
estar de acuerdo	to agree
estar harto/a	to be fed up
pasar el polvo	to dust
portarse bien	to behave well
sacar buenas notas	to get good grades
ser justo/a	to be fair
al mismo tiempo	at the same time
mientras	while
me dejan	they allow me
se lo da	he/she gives it to him/her
(no) se pueden permitir	they can (not) afford

Cómo hablar sobre los trabajos a tiempo parcial (p. 148 y 149)

el/la aprendiz(a) de peluquería	trainee hairdresser
el camarero	waiter
el canguro	babysitter
las chucherías	knick-knacks (sweets)
la cita	appointment
el folleto	leaflet
el/la dependiente	shop assistant
el/la jefe/a	boss
la obra	building site
el/la repartidor(a)	delivery person
el/la vecino/a	neighbour
ahorrar	to save
arreglarse	to dress up
cuidar	to look after
intentar	to try
maquillarse	to put make-up on
repartir	to deliver
sudar	to sweat
en cuanto llego	as soon as I arrive
le hace falta	he/she needs
está bien pagado	it pays well
me sienta bien	it suits me

5B Mi futuro

- ❏ empezar a pensar en tu futuro?
- ❏ aprovechar las prácticas laborales?
- ❏ investigar todas las oportunidades?
- ❏ solicitar un trabajo?
- ❏ trabajar en el extranjero?

Escenario

- Investiga y escribe un reportaje sobre tu profesión ideal.
- Defiende tu profesión hasta el final en un debate 'globo'.

¡Soy mucho más importante que tú!

Sin mis talentos, el mundo sería un desastre.

Yo he contribuído al progreso de la humanidad.

El mundo es un lugar mejor por lo que hice yo.

¿A quién van a echar?

Habilidades

Leer

When reading Spanish, how do you ...
- read for gist?
- decipher Spanish words using clues from the English?
- recognise a 'false friend'?

Escribir

When writing in Spanish, how do you ...
- write in a formal and informal way?
- use capital letters and accents correctly?
- translate in a proper and natural fashion?

Gramática

As part of your Spanish 'toolkit', can you ...
- use all the tenses confidently?
- use the present participles –*ando* and –*iendo*?
- use the infinitive and verbs which take prepositions correctly?
- use the phrase *lo que* correctly?
- recognise a simple subjunctive?

G eso/esto **V** trabajo **H** acentos

Ana

Pablo

Juan

Beatriz

Alberto

María

Mario

Verónica

a
'Soy una persona inquisitiva. Me chifla saber cómo funcionan las máquinas. Mi trabajo ideal sería trabajar en un taller de coches, utilizando las manos.'

b
'Tengo la intención de trabajar con los números porque me encantan las matemáticas. Estaría muy contento en una oficina. Cuando sea mayor, podría ser contable quizás.'

c
'La aventura es lo más emocionante para mí. No aguantaría tener un trabajo aburrido. Quiero acción y peligro.'

d
'Cuando estoy jugando, me siento maravilloso. Cuando termine el colegio, mi sueño es jugar para uno de los mejores equipos del mundo.'

e
'Yo quiero motivar y ayudar a la gente. Será difícil pero gratificante. La educación es un campo en el cual me interesaría muchísimo trabajar.'

f
'Siempre he querido ser famosa. No podría vivir sin cantar mis canciones favoritas. Y claro, me gustaría ganar mucho dinero haciendo lo que me gusta.'

g
'Lo que más me gusta hacer es hablar y discutir temas interesantes. Si quisiera trabajar en el parlamento tendría que estudiar muy duro para conseguir los títulos necesarios. Eso es lo que pienso hacer.'

h
'De pequeño quería ser piloto pero lo que más me satiface ahora es esto. Experimentar e inventar recetas me llena completamente. Si pudiera hacer esto toda la vida sentiría una satisfacción enorme.'

1a 📖 Empareja las caricaturas con las opiniones en la página 156.

1b ✍ Completa las frases con una posible profesión de las personas de la actividad 1a.

Ejemplo: Ana debería ser ... cantante.

a Alberto sería un buen ...
b A Pablo le gustaría ser ...
c María sería una buena ...
d Juan podría hacerse ...
e Mario trabajaría bien como ...
f Beatriz podría ser ...
g Verónica trabajaría bien como ...

> banquero   cantante   soldado   mecánica
> política   futbolista   cocinero   profesora

2 🎧 Escucha y decide quién habla.

Ejemplo: a – Mario

3 🗣 ¿A ti qué tipo de trabajo te gustaría tener? Practica con tu compañero/a usando los adjetivos de abajo.

Ejemplo: Busco un trabajo divertido, variado y peligroso.

> divertido   aburrido   fácil   difícil/duro   complicado
> exhaustivo   exigente   pesado   emocionante
> estimulante   gratificante   bien pagado   mal pagado
> seguro   peligroso   interesante   variado
> enriquecedor   repetitivo   monótono   bien visto   mal visto

HABILIDADES

Accents

Accents are often used to show where to stress the word:

ratón/ratones francés/francesa ambición/ambiciones

Accents can change the meaning of a word:

mi my   *solo* alone   *si* if
mí me   *sólo* only   *sí* yes

Accents are widely used in tenses, where they change the meaning and pronunciation of the verb:

Trabajo en España.   I work in Spain.
Trabajó en España.   He worked in Spain.

4 ✍ Escribe estas palabras en singular o en masculino:

> intenciones   profesiones   marrones
> jamones   inglesa   alemana

5 ✍ Completa las frases:

a para ...   (for me)
b ... sueño (my dream)
c estoy ...   (I am alone)
d ... hoy (only today)
e ... estudio (if I study)
f ...., por favor (yes, please)

GRAMÁTICA

Eso, esto

Remember demonstrative adjectives such as *este hombre* this man, *esa mujer* that woman? By contrast, *eso* and *esto* do not refer to specific nouns – they are 'neutral':

¡Eso es ridículo!   That's ridiculous!

¡Esto es insoportable!   This is unbearable!

6 ✍ Completa las frases.

a Mi padre trabaja en ... (this) hospital.
b ¡ ... (This) es divertido!
c Mi prima trabaja en un barco crucero. ¡Cuánto me encantaría hacer ... (that)!
d Voy a comprar ... (that) chaqueta que vimos ayer.

Remate

7 📖 Choose any page of your text book, and look at the accents on the words. Read a paragraph out loud and ask yourself why the accents are where they are.

8 ✍ Translate these sentences into English.

a No querría un trabajo muy difícil porque me gustaría tener tiempo para otras cosas.
b Cuando tenía cinco años quería ser actor pero eso ya no me interesa.
c Siempre he querido trabajar con animales aunque sé que será difícil.
d Como soy bastante paciente y simpático, hay muchos trabajos que puedo hacer.

9 ✍ Write ten sentences about your possible plans using different tenses. Look at the sentences above and try to use the same tenses.

Example: No querría un trabajo muy fácil porque sería muy aburrido.

(G) sin, para, al + infinitivo (V) experiencias y calidades (H) escribir cartas informales, mayúsculas

Carta 1

29 de octubre
24 St John's Road,
Clapford.

Hola Sonia,

¿Qué tal, guapa? Cuánto tiempo, ¿eh? Siento no haberte escrito antes pero acabo de terminar mis prácticas laborales. En Inglaterra es prácticamente obligatorio en todos los institutos. Pasé dos semanas trabajando en una fábrica de coches **para** ver cómo funciona el negocio. ¡Qué guay! De lunes a viernes **sin** asistir a clase. Ya sabes cuánto me gustan los coches. La primera semana fue un poco pesada porque no hice nada más que preparar café y fotocopiar papeles pero la segunda fue otra cosa. Trabajé en el taller. ¡Qué motores! Fue impresionante. No me aburrí nada y pude practicar el español con un ingeniero de España que estaba pasando una temporada en la fábrica. (Me ayudó a escribir esta carta. ¿Lo notas?) Conocí a muchísima gente – la mayoría era simpática – y **al** terminar la semana me sentía muy maduro. Me han prometido que puedo repetir la experiencia durante las vacaciones del año que viene. ¡Qué emoción!

Ahora estoy de vuelta en el cole. ¡Qué rollo!

Bueno. ¿Cómo te va la vida? ¿Has tenido la oportunidad de hacer prácticas laborales o en España no se hacen? Yo que tú, lo intentaría organizar. Te gustaría un montón.

Un beso grande,

Mike

Carta 2

19 de noviembre

Calle Cervantes, 16, 2ª,
Gijón
33080

Querido Mike,

¡Vaya suerte que has tenido! Dos semanas **sin** ir a clase. Eso sí que me gustaría. Aquí no se suelen hacer prácticas laborales pero me parece una idea estupenda. De hecho, voy a escribir a un par de compañías para ver qué les parece la idea. Nunca se sabe. Si me aceptan, sería increíble. Siempre he querido saber cómo es trabajar en una oficina y podría aprender muchas cosas, aunque me sentiría un poquito nerviosa, evidentemente. Y también, como hablo inglés y ya he pasado dos meses en Inglaterra, quizás eso les interesaría y les podría impresionar más. Creo que este tipo de experiencia tiene muchas ventajas. Aprendes a relacionarte mejor con la gente y experimentas lo que significa trabajar dentro de un ambiente formal. Y **al** terminarlo, podré incluirlo en mi curriculum vitae.

Gracias por la idea. Ya te escribiré.

Un abrazo fuerte,

Sonia

1 📖 Carta 1 – ¿verdadero o falso?

  a Mike no ha terminado las prácticas laborales.
  b La primera semana fue la más interesante.
  c A Mike le gustan los trabajos prácticos.
  d No tuvo que fotocopiar papeles durante los quince días.
  e Mike escribió la carta en español solo.
  f Mike se siente mucho más adulto ahora.
  g No había gente extranjera trabajando en la fábrica.
  h Mike no está contento de estar en el instituto otra vez.
  i Quiere saber cuándo hizo Sonia sus prácticas.
  j Mike no volverá a la fábrica al final de este año.

2 📄 🖊 Busca estas palabras (subrayadas abajo) en la carta 2, y escribe estas frases en español.

  a <u>In fact</u>, I could write a letter.
  b I have <u>a couple of</u> good ideas.
  c <u>You never know</u> if the experience is going to be positive.
  c ¿Have you <u>always</u> wanted to be a solicitor?
  d <u>Perhaps</u> they will give me a job.
  e There are some <u>advantages</u>.
  f I would like the <u>atmosphere</u> in an office.
  g <u>Thanks for</u> your help.

HABILIDADES

Capital letters

Note the use of bold with some of the capital letters in the texts.

Proper nouns have capital letters.
Pepe, Francia, Teatro Reyes

Days, months, languages and nationalities do not.
lunes, octubre, francés, españoles

Look at the bold words in the letters on page 158.

Sin + infinitivo – **Without doing** something

Two weeks without going to lessons
Dos semanas sin ir a clase

Al + infinitivo – **On doing** something

On finishing the week I felt very tired
Al terminar la semana me sentía muy cansado

Para + infinitivo – **In order to do** something

In order to see how the business works ...
Para ver cómo funciona el negocio ...

3 Rellena los huecos con 'sin', 'al' o 'para'.

a No podría pasar una semana ... ver a mis amigos.

b Las prácticas son útiles ... introducirte al mundo laboral.

c Me sentía tranquilo ... empezar la semana.

d Quiero tener esta oportunidad ... saber cómo es ese trabajo.

e No lo pasarás bien ... tener entusiasmo.

4 Mira las ventajas y desventajas de la experiencia laboral. Escríbelas en dos listas. ¿Puedes pensar en más?

cometer errores   usar la imaginación
sentirse maduro/a
trabajar en equipo   aburrirse
no ver a los amigos
divertirse   ser estimulante   aprender cosas nuevas
sentirse nervioso/a   no comprender
tener/pasar miedo
crecer personalmente   trabajar más horas
no tener deberes

5 ¿Las prácticas laborales te parecen una experiencia positiva o una pérdida del tiempo? Usa las listas para discutir el tema con tu pareja. Intenta usar diferentes tiempos.

Ejemplo: Yo **pienso** que es una buena idea porque **puedes** conocer a mucha gente diferente.

Pues, yo no. Para mí **sería** una pérdida del tiempo. No **podría** sobrevivir sin mis amigos.

6 Escucha. ¿A qué trabajo se refiere?

Listening for tenses

- verb endings – *terminé/terminaré, me gusta/me gustó*
- specific tenses such as the perfect – *he hecho/no he hecho*
- irregular verbs which give clues to the tense – *fue/había/haré/era*
- time references – *normalmente/el año pasado/hace dos meses*

7 Escucha. ¿Han hecho sus prácticas laborales ya? Escribe sí o no. ¿Qué tiempo usan?

Ejemplo: a – sí, preterite

Remate

8a Choose one of these places where you would like to work. Write a short account of what a typical day would be like.

Example: Trotamundos – Tendría que hablar con el público y eso sería divertido.

- Agencia de viajes – 'Trotamundos'
- Peluquería – 'Tijeritas'
- Periódico – 'La Nación'
- Tienda de Música – 'Notable'

8b Imagine that you have just finished working in one of the above places. Write a paragraph about the experience.

Example: Pasé una semana trabajando en Tijeritas y lo pasé muy bien. Tuve que ...

Cómo investigar todas las oportunidades

G infinitivos, gerundios **V** profesiones y intenciones **H** traducir bien

carpintero ingeniero carnicero camarero
peluquero enfermera granjero fontanero
cocinero modista artista dentista recepcionista
deportista niñera piloto policía músico
vendedora comerciante contable actor fotógrafo
secretario mecánico azafata soldado diseñador
traductor electricista abogado cirujano arquitecto

1 Elige una profesión de arriba. Con un(a) compañero/a haz una conversación usando las preguntas y las respuestas de abajo.

1 ¿Cuántas horas trabaja usted a la semana?

2 ¿Es un trabajo bien pagado?

3 ¿Hay posibilidades de viajar al extranjero?

4 ¿Es esencial conseguir buenas calificaciones/ buenos títulos?

5 ¿Hay que estudiar una carrera universitaria?

6 ¿Hay oportunidades de conocer a mucha gente?

7 ¿Qué cualididades personales hacen falta?

8 ¿Cuántas semanas de vacaciones hay al año?

9 ¿En qué consiste un día típico para usted?

a Trabajo los lunes de nueve a seis.

b Sí, gano un buen salario/No, el sueldo no es muy generoso.

c Sí, viajo mucho/No, no suelo pasar tiempo en el extranjero.

d Necesitas buenas calificaciones pero la personalidad es más importante.

e No es esencial ir a la universidad./Una carrera universitaria es importante.

f Sí, conozco a mucha gente/No, paso el día solo/a en una oficina.

g Debes/Tienes que/Hay que ser competente/ extrovertido etc.

h Tengo cuatro semanas de vacaciones al año.

i Trabajo con el ordenador/Visito clientes/Escribo documentos.

2a Escucha. Empareja los dibujos con las personas que hablan.

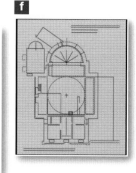

2b Vuelve a escuchar. Escribe en inglés las cualidades y responsabilidades.

3 ¿Qué profesión es?

Ejemplo: éicmdo   médico

a diopresita
b riñane
c batelonc
d quepalure

e nocireco
f rocat
g forpreso

GRAMÁTICA

The infinitive and gerund

Look at these examples and make a note of the structures which take the **infinitive**. They sound like gerunds in English:

Going to university is a good idea. *Ir a la universidad es una buena idea.*

I love **studying** Spanish. *Me encanta estudiar español.*

Instead of **working** ... *En lugar de/en vez de trabajar* ...

Despite **having** lots of money ... *A pesar de tener mucho dinero* ...

sin, para, al, antes de and *después de* require an infinitive also.

without thinking ... *sin pensar* ...

on finishing ... *al terminar* ...

in order to buy ... *para comprar* ...

before finding a job ... *antes de encontrar un trabajo* ...

after finishing my studies ... *después de terminar mis estudios* ...

The **gerund** is used to describe an on-going action:

She is working in a shop. *Está trabajando en una tienda.*

I spend my days reading. *Paso mis días leyendo.*

It is used after the verb 'seguir', to carry on doing/ to be still doing:

She is still working at the bank. *Sigue trabajando en el banco.*

I want to carry on studying. *Quiero seguir estudiando.*

4 🖉 **Rellena los huecos con un infinitivo de abajo.**

a Voy a aprender a ... antes de ... a la universidad.

b Si sigues estudiando, vas a ... buenas calificaciones cuando termines el colegio.

c No podrás ... abogada sin ... mucho.

d Mi amiga quiere ... de camarera para ... dinero.

e En lugar de ... todo el tiempo, debes ... un trabajo.

> trabajar   conseguir   ganar   conducir   ser   ir
> estudiar   buscar   salir

5 🖉 **Rellena los huecos con un gerundio de arriba.**

a Mi hermano está ... un curso de cocina.

b No me interesa pasar el día ... en una oficina.

c Le están ... para el trabajo en este momento. Está muy nervioso.

d Estoy ... un puesto interesante y bien pagado.

e Pretendo pasar dos años en España, ... el idioma.

> buscando   practicando   fotocopiando
> haciendo   entrevistando

6 🖉 **Traduce al inglés.**

a Pienso seguir con mis estudios para poder acceder a un curso universitario.

b Espero hacer una carrera universitaria a pesar de lo que pueda costar.

c Tengo ganas de marcharme de casa porque me hace ilusión independizarme.

d Pretendo dejar de estudiar y empezar a ganarme la vida tan pronto como sea posible.

e Dejar el colegio significa empezar de cero. Eso me emociona mucho.

7 🖉 **Traduce al español.**

1 I intend to carry on studying instead of leaving school.

2 I try to spend time learning my vocabulary.

3 I dream of living abroad after finishing school.

4 I'm thinking of going to university in order to study medicine.

5 You can't learn to speak a language without spending time studying.

Remate

ser (character)	tener	estar (feeling)
fiable	paciencia	nervioso/a
estudioso/a	experiencia	contento/a
trabajador/a	la oportunidad	triste
puntual	la intención de	cómodo/a
formal	confianza	incómodo/a
educado/a	miedo a responsabilidad	frustrado/a etresado/a

8 🖉 **Use this vocabulary to write a paragraph about your personality.**

Example: Me considero una persona responsable pero puedo ser un poco tímido a veces.

9 🖉 **Write a paragraph about a profession which interests you. Use a variety of tenses, vocabulary and structures.**

Example: Si quiero ser médico, sé que **tendré** que ser muy responsable y trabajador.

(G) lo que (V) información personal (H) escribir cartas formales, sinónimos

Nombre y apellido(s):	Mary Jackson
Fecha de nacimiento:	7 de octubre 1986
Lugar de nacimiento:	Lancashire
Dirección:	43, Laurel Road, Fulwell, Surrey
Estado civil:	soltera
Nacionalidad:	inglesa
Instituto: 2001–2007	Redcoat High School, Surrey

Cualificaciones:

GCSE

inglés B, matemáticas B, español A*, francés B, música A, química C, biología E, historia A, arte A*

A levels

español A, historia C, arte B

Experiencia laboral:

2005 junio y julio	dos meses camarera, Café Aroma, Fulwell
2006 agosto	un mes recepcionista, Hotel Pegaojo
2007 fines de semana	Boutique Minimodas

Responsabilidades:

capitana del equipo de baloncesto

Idiomas:

inglés: lengua materna; español: competente; francés: conocimientos básicos

Cualidades personales:

paciente, inteligente, optimista, fiable

1 📖 **¿Verdadero o falso?**

a Mary nació en el verano.

b No está casada.

c Sacó su mejor nota de GCSE en química.

d Las ciencias no se le dan tan bien.

e Trabajó más tiempo en el hotel que en la cafetería.

f Es muy deportista.

g Habla el francés con fluidez.

h Se enfrenta a la vida con optimismo.

HABILIDADES

Synonyms

Use what you know about spelling and word classification to help you look for a synonym.

- Are you looking for a verb? An infinitive? What tense? What person?

- Is the word you need an adjective? Think about possible endings – masc/fem/sing/plur.

- Or is it a noun you need to find? Look at the spelling. Look out for un/el etc.

43, Laurel Road,
Fulwell
Surrey

Hotel Dormidito
Avenida de Galicia 23, 4D
Gijón

Muy señor mío,

Soy inglesa y tengo dieciocho años. En este momento estoy viviendo en Londres donde acabo de *terminar* mis estudios del instituto. **Lo que** me encantaría hacer antes de *empezar* mi curso universitario sería pasar una *temporada* en el extranjero, trabajando en una *compañía*. Esto no sólo sería una experiencia enriquecedora sino que también me daría la oportunidad de practicar el español, **lo que** me *serviría* de experiencia para mi futuro *trabajo*. Llevo cinco años estudiando este idioma pero no hay nada mejor que estar en el país para *realmente* dominarlo.

Me *considero* una persona fiable y paciente. Me *llevo* muy bien con la gente dado que soy segura de mí misma y *bastante* extrovertida. Como puede *ver* en mi CV he trabajado en muchos *sitios diferentes* **lo que** me ha ayudado a comprender la importancia de trabajar en *equipo*. No tengo miedo a la responsabilidad. Estoy libre para trabajar los meses de julio y agosto.

Quedo a la espera de recibir respuesta suya.

Atentamente,

Mary Jackson

2 📇 🧭 **Reemplaza las palabras en cursiva en la carta con uno de los sinónimos de abajo.**

Ejemplo: terminar = completar

> comenzar   creo   estancia   algo   observar   empresa
> completar   valdría   grupo   entiendo
> verdaderamente   lugares   distintos   puesto

3 🧭 **Mira la carta de Mary otra vez. ¿Qué significan estas frases en inglés?**

a En este momento

b acabo de terminar

c antes de empezar

d en el extranjero

e una experiencia enriquecedora

f Llevo cinco años estudiando

g no hay nada mejor

h dado que

i Como puede ver

j me ha ayudado

GRAMÁTICA

Lo que

Lo que means 'what'. It is never used to ask a question – it is used as follows.

- It can start a sentence:
  Lo que quiero es estudiar en el extranjero.
  What I want is to work abroad.

- It joins sentences together:
  Es difícil decidir lo que quieres hacer.
  It's hard to know **what** you want to do.

- It also means 'which' when it joins two ideas together:
  Hablo español lo que me ayudará en el futuro.
  I speak Spanish, **which** will help me in the future.

4 Imagina que te están entrevistando para un trabajo. Haz un diálogo formal con tu compañero/a, usando las preguntas de abajo.

1 ¿Cómo se llama usted?
2 ¿Qué edad tiene?
3 ¿Dónde vive en este momento?
4 ¿Cuál es su nacionalidad?
5 ¿Qué cualificaciones tiene o tendrá pronto?
6 ¿Qué experiencia laboral tiene?
7 ¿Qué responsabilidades ha tenido en el colegio?
8 ¿Habla idiomas?
9 ¿Cuáles son sus mejores cualidades personales?
10 ¿Por qué quiere trabajar para nuestra compañía?

5 Escucha ¿Por qué no han conseguido trabajo? Contesta en inglés.

Ejemplo: **1** He couldn't find the office where the interview was being held.

Remate

6 Look at the pictures on the right. Which job should they apply for?

Example: Se busco chica joven y moderno = Marta

A Se busca persona formal para ayudar en la sección de lencería feminina de nuestro boutique especializada en ropa interior de calidad. Educado con el público.

B Buscamos gente para representar nuestra empresa vendiendo aparatos electrónicos a domicilio. Carnet de conducir imprescindible. Presencia moderna esencial.

C ¿Le interesa formar parte de un equipo dinámico? Queremos gente recién licenciada para unirse a nosotros vendiendo espacio publicitario por teléfono a revistas juveniles.

D Oferta
Vacante para persona madura con ganas de usar su experiencia previa en nuestra fábrica de cartones. Tareas físicas y horas a elegir. Puesto ideal para varón mayor.

Marta

Estéban

Felipe

Manolita

7 Write sentences explaining why they should or should not choose these jobs.

Example: Felipe no debería solicitar el primer trabajo porque ...

8 Write a letter of application to one of the following businesses. Look at the structure of Mary Jackson's letter on page 162.

Teatro 'Reina Isabel'   Boutique de moda 'Tu Tipo'
Granja 'Casa Tito'   Restaurante 'Platástrofe'
Almacenes 'Tikitaki'   Circo 'Rimbombante'
Parque 'San Francisco'   Bufete de abogados 'Todo Derecho'

G repaso del subjuntivo **V** el mundo **H** falsos amigos

David: 'Es muy importante hacer un esfuerzo por hablar el idioma. Hay que demostrar respeto. También mis compañeros me respetan más si les hablo en su lengua. Y las chicas también. Es un poco arrogante esperar que ellos me hablen en inglés.'

Sally: 'Tengo la sensación de estar en control. Me siento importante y competente. Los turistas que no tratan de hablar el idioma se están perdiendo una gran parte del país, la gente, la cultura, la comida. Y claro, al volver a mi país, lo que he aprendido me va a valer mucho.'

Max: 'No ha sido fácil en absoluto porque muchas veces no he podido expresarme bien pero con un poco de paciencia y determinación puedes dominar el idioma muy bien. Al llegar a España, sólo sabía lo que había aprendido en el colegio. Ahora sé expresarme con mucha más fluidez.'

Anna: 'Hablo mucho inglés con mis alumnos, claro, pero cuando termino de trabajar por la tarde salgo con mis compañeros y hablo en español todo el tiempo. Es maravilloso. He aprendido a comunicarme con confianza y el miedo que tenía ha desaparecido.'

1 Contesta a las preguntas en inglés.

a What does David say about speaking the language?

b How does this improve his relationships with people?

c What does Sally say about tourists?

d What does Sally say about when she returns home?

e How does Max say you can improve your language skills?

f How is his Spanish now?

g When does Anna get to practise her Spanish?

h How would you describe her attitude towards speaking Spanish now?

2 Escucha. ¿Qué aspecto de vivir y trabajar en el extranjero les resultó problemático?

a accommodation
b new foods
c salary
d meeting people
e cost of living
f climate
g mealtimes
h the language

GRAMÁTICA

Subjunctive

Revise the subjunctive from Unit 4B. It is also used when one person wants, expects, tells another person to do something. See the grammar section for further explanations.

3 Traduce las frases al inglés.

a Cuando *sea* mayor, quiero vivir en otro país.

b Mis padres no quieren que *viva* en el extranjero.

c Muchas compañías esperan que sus empleados *viajen* al extranjero.

d Cuando *llegue*, os escribiré a todos.

e Espero que no me *echéis* de menos.

f Quiero que *vengáis* a visitarme.

4 Prepara una lista de las ventajas y desventajas de vivir y trabajar en el extranjero.

Ejemplo: conocer a gente nueva − ventaja
echar de menos a la familia − desventaja

5 Debate con tu compañero/a sobre los aspectos positivos y negativos de pasar tiempo viviendo y trabajando en el extranjero. Una persona está a favor, la otra en contra.

GRAMÁTICA

Verbs with prepositions

aclimatarse **a**	to get used to
acostumbrarse **a**	to get used to
habituarse **a**	to get used to
tardar tiempo **en**	to take time to
hartarse **de**	to get bored of/fed up with

6 Traduce las frases al inglés.

a No es fácil aclimatarse al modo de vida en otro país.

b Alguna gente no puede acostumbrarse al clima.

c Es difícil pero me estoy habituando a los horarios diferentes de comer.

d No vas a tardar mucho tiempo en entender bien el idioma.

e La primera semana que pasé en España, me harté de no entender nada.

7 Empareja las frases 1–10 y a–j. Recuerda mirar bien cómo termina la primera frase.

Ejemplo: 1f

1 Puede ser difícil hacer amigos si

2 Lo que tienes que hacer al llegar es

3 Es una experiencia maravillosa que

4 Será difícil los primeros días para ti

5 Yo no podría trabajar en el extranjero

6 Puede ser una experiencia solitaria

7 Es una forma de abrirte los ojos

8 Conocerás a personas que

9 No tardarás mucho tiempo

10 Me harté de vivir en España

---

a pero es una oportunidad muy especial.

b en aclimatarte a la nueva cultura.

c porque echaría de menos a mi familia.

d al resto del mundo.

e te ayudará en el futuro.

f eres una persona muy tímida.

g pero después de unas semanas no tendrás problemas.

h porque echaba de menos la lluvia.

i acostumbrarte a las diferencias culturales.

j te ayudarán a ver el mundo de otra forma.

8 Lee el texto y apunta los falsos amigos (las palabras en negrita). Escribe lo que significan en inglés.

"Trabajar en el extranjero es, sin duda, una experiencia **emocionante** y **sana** que **recordarás** durante toda tu **larga** vida. Claro, algunas cosas te **molestarán** especialmente si eres una persona muy **sensible**. **Actualmente** hay mucha gente trabajando en otro país. No es difícil **en absoluto**. Es cuestión de considerar este **suceso** otra oportunidad de muchas donde puedes **realizar** tus sueños. Cuando yo pasé un año en Asturias, tuve que **asistir** a muchas reuniones y **atender** las necesidades de mi familia al mismo tiempo. No fue fácil porque estaba **embarazada**. Un día pedí **sopa** en lugar de jabón en una **droguería**. Fue una experiencia increíble y **pretendo** repetirlo en el futuro."

9 Traduce las frases al inglés.

a Un día emocionante

b No me gusta en absoluto.

c Mi hermana es muy sensible.

d Tengo el pelo largo.

e Mi jefe actual se llama Pedro.

f Odio la sopa de pollo.

g Mi colega me molesta mucho.

h Tienes que asistir a la reunión.

10 Traduce las frases al español.

a An exciting job

b She doesn't like them at all.

c I used to be very sensitive when I was little.

d This article is too long.

e I don't have a job at the moment.

f They don't have soup on the menu.

g My brother doesn't bother me much.

h I attended the meeting on Tuesday.

Remate

11 Write ten questions you would ask a person who is living and working abroad.

Example: ¿A qué hora empiezas a trabajar por la mañana?

12 Imagine that you are living and working abroad. Write an article for a magazine, describing your experiences.

Example: Lo más difícil es acostumbrarme al clima.

5B Gramática en acción

Gerunds

Look back to page 161 to revise the gerund.

1 Look up the correct form of the gerund for these verbs.

> pedir   leer   construir   repetir   dormir
> seguir   morir   caer   sentir   reír   oír   traer

2 Fill in the blanks with the gerund of one of the verbs from the box below.

   a Seguiré ...... el año que viene.
   b Está ...... con jornada reducida en una tienda.
   c Pasa todo el día ...... en la biblioteca.
   d Están ...... una nueva universidad en las afueras de la ciudad.
   e La profe está ...... la pregunta porque la alumna no oyó bien lo que dijo.

> construir   trabajar   repetir   estudiar   leer

Verbs followed by a preposition

Look back to page 165 to revise some of the verbs which take a preposition.

3 Fill in the blanks with a preposition from the box.

   a Tengo la intención ... trabajar en el extranjero.
   b No puedes encontrar un buen trabajo ... estudiar mucho.
   c Pretendo ir a España ... perfeccionar el español.
   d Si haces prácticas laborales, aprenderás ... relacionarte mejor con la gente.
   e Muchos jóvenes dejan ... estudiar demasiado pronto.
   f Sueño ...... ser futbolista profesional.
   g Me gustaría hacerme médica y ayudar ... salvar vidas.
   h Voy a tratar ... encontrar un trabajo en otro país.
   i Mi padre empezó ... trabajar cuando tenía quince años.

> con   a   de   para   a   sin   de   de   a

REVISION OF TENSES

- To help revise tenses you could write out the 1st person singular of the verbs *trabajar*, *aprender* and *vivir* in the following tenses: present, present continuous, preterite, imperfect, imperfect continuous, perfect, pluperfect, future, conditional.

- You could also prepare revision cards for the following irregular verbs: *poner, poder, venir, tener, querer, ser, estar, traer, decir, dar, ver, saber.*

4 Write the correct form of the verb. Remember to use clues such as tenses of the other verbs in the sentence/time references etc.

   a Cuando era más pequeña, (**querer**) ser enfermera como mi madre.
   b Ayer (**ir**) a una conferencia sobre diferentes profesiones y (**hablar**) con mucha gente.
   c Cuando llegué a la oficina, las entrevistas (**terminar**).
   d Si tuviera los títulos necesarios, (**poder**) solicitar ese trabajo tan estupendo.
   e Después de terminar este curso, (**seguir**) estudiando.
   f Mis padres me (**prometer**) que si apruebo mis exámenes, me darán un regalo.

Ser or estar

5 Fill in the blanks with a part of *ser* or *estar* from the box below. Look carefully at the tense required.

En este momento (1) ... estudiando el bachillerato en el instituto. Mis profesores (2) ... contentos conmigo. (3) ... simpáticos y me hacen trabajar mucho. Cuando (4)... mayor, (5) ... artista porque (6) ... una profesión que siempre me ha parecido interesante. (7) ... una vida un poco difícil, me imagino, porque no se gana mucho y siempre hay que (8) ... trabajando, produciendo nuevos cuadros para vender. Si (9) ... artista, (10) ... la persona más feliz del mundo porque habría realizado mi sueño de toda la vida. Los sueños (11) ... importantes.

> sea   fuera   estoy   son   están
> Será   sería   Son   seré   es   estar

THE SUBJUNCTIVE

Revise how to form the subjunctive on page 134. Make up a learning card to help you remember the endings.

Remember to use the subjunctive after 'when' or a similar expression when referring to a future event. (*Cuando tenga cincuenta años ...*)

Remember to use the subjunctive in the second part of the sentence **when one person wants another person** to do something. (*Quiero que Juan me haga un favor*)

Watch out for these irregular subjunctives.

ser – sea, ir – vaya, saber – sepa, haber – haya, dar – dé, estar – esté

Example: *Espero que mi primer trabajo **sea** estimulante.*

Be careful when translating.

Mis padres quieren que **estudie** mucho.

Literal meaning: My parents want that I study a lot.
Proper translation: My parents want me to study a lot.

6 Now translate these sentences.

a Muchas compañías esperan que **tengas** muchas cualificaciones.
b No quiero que mis padres **decidan** mi futuro.
c Cuando **tenga** veinte años, iré a vivir a otro país.

7 Now form the subjunctive in these sentences and then translate them.

a Muchos jóvenes esperan que sus padres les (**ayudar**) con los estudios.
b El banco quiere que sus empleados (**trabajar**) mucho.
c Cuando (**vivir**) en España en el futuro, será maravilloso para mí.

8 Match the question with the answer. Look carefully at the tense.

1 ¿Cuántas veces has visitado España?
2 ¿Hace mucho tiempo que estudias el español?
3 ¿Saliste con tus amigos anoche?
4 ¿Cuándo eras pequeño/a qué hacías los fines de semana?
5 ¿Qué tipo de trabajo harás cuando seas mayor?
6 ¿Trabajas los sábados?
7 ¿Qué sueles hacer los domingos?
8 Cuando termines de estudiar, ¿qué piensas hacer?

a Generalmente, salgo con mis amigos al cine.
b Sí, empecé a estudiarlo cuando tenía once años.

c Creo que trabajaré para una compañía internacional.
d Desafortunadamente nunca he ido.
e No, porque tuve que terminar mis deberes.
f Sí, pero sólo trabajo por la mañana porque tengo que estudiar.
g Pasaré un año viajando por el mundo.
h Iba a visitar a mis abuelos y jugaba al fútbol.

9 Find the errors in these passages. There are five mistakes in each passage.

a Si yo fuera rico, irías a vivir a una país muy exótico cerca de el mar. Pasaría la día tomando el sol y por la noche saliría con mis amigos.
b No se qué quiero hacer en el futuro. Es muy dificil decidir el trabajo que me gustaría hacer por qué hay muchas profesiónes que me gusta.
c Cuando sea mayor, haceré un trabajo muy divertida y ganaré mucha dinero. Las horas no será demasiadas y no tendré que trabajo mucho.

MORE VERBS WHICH TAKE A PREPOSITION

acordarse **de**	to remember
acostumbrarse **a**	to get used to
cuidar **de**	to take care of
negarse **a**	to refuse to
tender **a**	to tend to
haber **de**	to have to
equivocarse **de**	to make a mistake/get the wrong ...

Example:
No me acuerdo de su nombre. I don't remember his name.
Me equivoqué de día. I got the wrong day.

Note: *pensar*
Estoy pensando seguir con mis estudios. I'm thinking of carrying on studying. (**considering**)
Pienso mucho en mi familia. I think a lot about my family. (**daydreaming**)
Sabes lo que pienso de eso. You know what I think about that. (**opinion**)

10 Translate the following sentences.

a I got used to living abroad.
b They refused to give me the job.
c I didn't remember to write the letter.
d The salary tends to be good.
e You have to study hard if you want to succeed.
f She used to take care of all the problems.

In this unit you've learnt how to ...

Leer

1 Recognise how accents can change the meaning.

❑ Explain the different meanings of the words in italics:

Tú no puedes ir sin *tu* padre.
El profesor está con *él*.
Esta frase me *está* causando muchos problemas.
Este chico vive en el *este*.
Cuando *éste esté* aquí, te lo presento.

What do the following words mean?
practica/práctica   hacia/hacía

Hablar

2 Put the stress in the right place.

❑ Try saying these words:

ridículo   fábrica   larguísimo   música
gramática   público   muchísimo
periódico

Accents are sometimes used in plurals.
Try these:
fácil/fáciles   difícil/difíciles   árbol/árboles
lápiz/lápices   joven/jóvenes

Now try saying these sentences:
María y Mario van a la farmacia y después a la panadería.
¿Es fácil o difícil?

> People often mispronounce Hispanic place names where the accent is important. Try saying these names:
>
> Málaga   Gijón   Ávila   Jaén   Los Ángeles
> Córdoba   Panamá   Méjico   Cádiz
> San Sebastián   La Península Ibérica

Escribir

3 Know when to use capital letters.

❑ Write out the days of the week, the months of the year and as many nationalities and countries as you can remember.

Now write out the following in Spanish:
The French live in France and speak French but the Spanish live in Spain and speak Spanish.

4 Avoid some common mistranslations.

❑ How would you write these in Spanish? They are often mistranslated:

I am at home.   I'm going home.
I am at school.   I'm going to school.
I am at university.   I'm going to university.

5 Open and close a letter.

❑ For an informal letter, use *querido*:

Querido Pepe   Querida Ana   Queridos padres
Mi querido/a − or just a simple *¡Hola!*

Your sign-off depends how much you like this person!
Un beso   Besos   Muchos besos   Muchísimos besos
Un abrazo   Abrazos   Muchos abrazos Muchísimos abrazos

❑ For a formal letter, use one of these forms:

Estimado señor   Muy señor mío
Estimada señora   Muy señora mía
Estimado señor López

Sign off briefly: *Atentamente* or *Le saluda atentamente*

6 Use *lo que* correctly.

Remember that *lo que* can mean 'what' or 'which'.

❑ Write five sentences beginning with *lo que* meaning 'what'.

Example: Lo que odio de la clase de español es tener que escribir frases tontas.

Now write five sentences which have *lo que* in the middle, still meaning 'what'.
Example: No sé lo que quiero hacer en el futuro.

Now write five sentences with *lo que* joining two ideas together, meaning 'which'.
Example: Mi padre estudia el español también, lo que me parece una idea muy buena.

7 Know which double letters are used in Spanish.

❑ Learn this simple memory aid: **CaRoLiNa**.

C, R, L and N are the only possible double letters in Spanish.

Find two words to show each of those double letters.

Examples: reacción, perro, llave, innecesario

Oral

¡Soy mucho más importante que tú!

You are going to take part in a hot air balloon debate. You are in a balloon with a group of other people (see main cartoon on page 155). The balloon is sinking. One of you must be thrown out to save the lives of the others.

1 Working in groups, decide who will be the one to go. You can each choose to be a famous person, past or present. Or choose a profession which you feel makes a major contribution to society.

2 Present your case to the rest of your group:
   • What kind of person are you or were you?
   • Why are you so important that you should be saved?
   • What have you brought to the world?
   • What would the world be like if you hadn't existed or did not exist?
   • How is your influence seen in the world today?

Remember to prepare appropriate vocabulary to describe your personal qualities and achievements.

Use a variety of tenses to talk about what you have done and will do, or what the world will be like without you.

Revise pronunciation rules. Make it sound as authentic as possible.

Escrito

1 Research a chosen career or describe the life and career of a famous person/celebrity. Write about childhood/family background/studies/experiences/personality/qualities etc.

2 Remember:
   • Use a variety of vocabulary. Don't be scared to look up new words.
   • Use a variety of tenses. This is what you do in English all the time.
   • How about trying out a subjunctive!
   • Use a variety of structures: *al* +inf, *para* + inf, *lo que*, *soler* + inf, expressions with *desde hace* etc. Look through the grammar sections to revise these and find a place for them in your work.
   • Make a revision list of useful expressions and use them.
   • Give your opinion and justify it. Don't be simple when you can be sensational!

Here's an example of how to prepare to write about, for example, the career of an acrobat.
   • Begin with relevant vocabulary. You can fit any new word into what you already know.

Structures: Me gusta … Me gusta el culturismo (weightlifting!)

Adjectives: flexible, fuerte, obstinado, centrado, serio

Nouns: energía, fuerza, ejercicio, músculos, cuerpo, mente, agilidad

Verbs: practicar, hacer, balanzear, calcular, centrarse, estar en forma
   • Now think of a variety of ways of fitting your vocabulary into sentences.

Necesitas ser muy flexible y determinado.

Un acróbata requiere energía, muchísima fuerza física y mental, y agilidad.

Debe practicar todos los días y concentrarse en lo que está haciendo constantemente.

Cómo empezar a pensar en tu futuro (p. 156 y 157)

aprovechar	to make the most of
conseguir	to obtain/manage
correr riesgos	to take risks
discutir	to argue/debate
experimentar	to experience
hacerse	to become
solicitar	to apply for
satisfacer	to satisfy

el contable	accountant
la receta	recipe
el reportaje	report
el tema	topic/theme

emocionante	exciting
enriquecedor(a)	enriching
inquisitivo/a	curious
maravilloso/a	marvellous
satisfecho/a	satisfied

me chifla	I'm mad about
jornada completa	full time
media jornada	part time

Cómo aprovechar las prácticas laborales (p. 158 y 159)

apreciar	to appreciate
cometer errores	to make mistakes
ganarse la vida	to earn a living
merecer la pena	to be worth it

el beneficio	benefit
la fábrica	factory
un montón	lots
el negocio	business
las prácticas laborales	work experience

desastroso/a	disastrous
inolvidable	unforgettable
maduro/a	mature

de hecho	in fact
dentro de	within
sin embargo	however

Cómo investigar todas las oportunidades (p. 160 y 161)

asegurarse de	to make sure
consistir en	to consist of
diseñar	to design
esforzarse	to make an effort
hacer falta	to need
independizarse	to become independent
marcharse de casa	to leave home
meter la pata	to put your foot in it
tener confianza	to be confident

el albañil	builder/bricklayer
el aprendizaje	apprenticeship
la carrera universitaria	university degree
el cirujano	surgeon
el diseñador	designer
la empresa	company
el fontanero	plumber
la niñera	child minder/nanny
el periodismo	journalism
los títulos	qualifications

Cómo solicitar un trabajo (p. 162 y 163)

caerse	to fall over
contar mentiras	to tell lies
enfrentarse con	to face up to
entrevistar	to interview
juntarse con	to meet up with
volverse loco	to go mad

la ansiedad	anxiety
el aparato	equipment
la carta de solicitud	letter of application
el empleado	employee
el empleo	job/employment
la entrevista	interview
la fluidez	fluency
la tarea	task
la temporada	period of time
los turnos nocturnos	night shifts
el varón	male

fiable	reliable
imprescindible	essential

Cómo trabajar en el extranjero (p. 164 y 165)

acostumbrarse a	to get used to
aguantar	to put up with
darse cuenta de	to realise
desaparecer	to disappear
echar de menos	to miss
hacer un esfuerzo	to make an effort
mejorar	to improve
perder	to miss out on
valer	to be of use

la mayoría de	the majority of
el pulpo	octopus
el reto	challenge

insoportable	unbearable
valiente	brave

al principio	at first
me costó mucho	I found it hard

Mi pareja ideal

Mi pareja ideal tiene una cara ovalada con ojos bien oscuros y la nariz pequeña. Además tiene el pelo largo y muy rizado. Mide un metro sesenta y seis y le gusta el deporte, sobre todo la natación.

Sus mejores cualidades son que es inteligente y muy buen estudiante. No busco la perfección en una persona pero no me gustan los defectos graves tampoco. Tiene que llevarse bien con mi familia porque les quiero mucho. Mis hermanos son alegres, de modo que si se parece a ellos ¡vamos a pasarlo bien!

Nos encanta salir a divertirnos y vamos a menudo al cine porque somos unos fanáticos de las películas de terror.

1 Lee el artículo y busca cómo se dice ...
- **a** most of all
- **b** best qualities
- **c** I'm not looking for perfection
- **d** serious flaws
- **e** gets on well with
- **f** to enjoy ourselves

2 Escribe un texto parecido sobre tu pareja ideal.

3 ¿A ver cuánto recuerdas de lo que has escrito? Cambia tu papel con el de tu compañero/a y por turnos haced las siguientes preguntas.
- **a** ¿Cómo tiene el pelo?
- **b** ¿Qué deporte practica?
- **c** ¿Cuál es su mejor cualidad?
- **d** ¿Qué defectos tiene?
- **e** ¿Qué tipo de película le gusta?

4 Ahora piensa de otras cinco preguntas.

5 ¿Cuál de los/las dos tiene mejor memoria?

Diario de un voluntario en un refugio de animales

Refugio Nacional

1 Hoy me toca levantarme bastante temprano para llegar al Refugio a tiempo. Al llegar allí la primera cosa que tengo que hacer es cambiar el agua de todos los animales y claro me encanta saludarlos y saber que todo está bien. Trato de no tener **favoritos** pero es difícil porque siempre hay unos animales más **obedientes** que otros y todos están en el Refugio porque los han **abandonado** o maltratado o ya no los quieren tener en casa.

2 A veces hay que **lavar y secar** a los perros porque llegan muy sucios y después es importante darles algo de comer porque tienen hambre y sed. Esta mañana hay dos gatitos muy tristes porque su madre no se encuentra por ningún lado. Voy a **llevarlos a mi casa** esta noche porque son demasiado pequeñitos y no quiero dejarlos solos toda la noche aquí en el Refugio.

3 Después de limpiar las casas de los animales tengo que sacar la basura y recoger el patio **donde juegan**. Normalmente saco a los perros de cuatro en cuatro a pasear por el parque cercano. Es **importante educarlos** a estar entre gente desconocida porque luego cuando encontramos a una persona que los quiere **adoptar** tienen que respetar y **llevarse bien con la familia** o los amigos de esa persona.

4 Lo que menos me gusta de mi trabajo es la hora de **decir adiós** a los animales y cuando tengo que encerrarlos a todos en sus casas y jaulas por la noche. Hay **un guardián** que cuida el santuario **de noche**. Lo que me encanta al salir es el grito del loro que siempre se despide de mí con un "hasta mañana fea – hasta mañana linda".

1 Lee el diario y empareja un titular con cada párrafo.

  a faenas del refugio
  b buenas noches
  c comenzar el día
  d baño y comida

2 ¿Qué significan las palabras resaltadas en negrita?

3 Busca las frases y palabras en el texto que signifiquen:

  a on time
  b change the water
  c sometimes
  d they are hungry and thirsty
  e too tiny
  f take out the rubbish
  g four at a time
  h what I least like
  i what I love
  j see you tomorrow

4 Lee el diario y contesta a las preguntas en inglés.

  a What is the first thing the volunteer does and why?
  b How do we know that the volunteer is a caring person?
  c What do we learn about the animals in the Refuge?
  d What happened this morning in particular?
  e Why is it important to take the dogs out?
  f What is the least favourite moment in the day?
  g What makes this better?

5 Imagina que tú trabajas en el refugio. Escribe una entrada describiendo dos días más de la semana. Explica lo que tienes que hacer, cómo son los animales y por qué te gusta trabajar allí.

Ahora las noticias de la circulación del tráfico y del transporte para hoy, domingo 5 de noviembre.

Podemos informar que la circulación de tráfico es completamente normal y sin grandes problemas. Había un autobús averiado a eso de las siete de la mañana, que causó algunos problemas de atascos, pero la policía ya tiene todo bajo control.

En los aeropuertos todo va bien, y los rumores de un ataque terrorista no son verdaderos.

Y con los trenes y el metro, todo funciona como normal. No entiendo por qué mi colega no está aquí.

1a Lee la caricatura y busca estas palabras en español:
- **a** traffic
- **b** today
- **c** broken down
- **d** traffic jam
- **e** is working

1b Lee y deduce el significado de:
- **a** noticias
- **b** sin
- **c** bajo control
- **d** todo va bien
- **e** no entiendo

1c Explica la situación en inglés y por qué ha ocurrido la confusión.

La Carretera Nacional 6 **está cerrada**. Los coches normales **no pueden pasar** – sólo los vehículos todoterreno. Después de las tormentas y las lluvias intensas, el río Nazas **se ha desbordado**. Las aguas **han destruido** parte de la carretera entre Mogador y Tehuachinango, a 24 kilómetros de Mogador. Aparte de los vehículos todoterreno, los demás coches tendrán que hacer un desvío de 50 kilómetros. Hay que **cruzar el río por el puente** de Rancho Seco.

2 Lee el texto sobre la Carretera Nacional rápidamente varias veces, buscando palabras asociadas con:
- **a** transport
- **b** weather
- **c** numbers
- **d** places

3 Lee el texto en voz alta, poniendo atención en la pronunciación.

4 Busca en español:
- **a** National Road
- **b** all-terrain vehicles
- **c** intense rain
- **d** river
- **e** diversion

5 Decide si es:
- **a** a weather report
- **b** a warning about a closed road
- **c** directions to get to Mogador

6 Haz corresponder con las palabras en negrita:
- **a** can't get past
- **b** has burst its banks
- **c** is closed
- **d** cross by the bridge
- **e** have destroyed

7 Contesta en inglés:
- **a** What is the problem?
- **b** What has caused it?
- **c** Where exactly is the problem?
- **d** What do you have to do to get round it?

Donde vivo no hay jardín porque vivo en un apartamento. Cuando quiero ver a mis amigos para hablar o para jugar al fútbol, tenemos que ir a la calle. Hay algunas tiendas, pero si quiero ir al cine tengo que ir al centro en autobús. A veces vamos a tomar un refresco en el café que está en la esquina. Me gustaría tener un parque en mi barrio porque me parece que los jóvenes necesitamos tener lugares de recreo fuera de casa. Si no, hay jóvenes que van a empezar a causar problemas porque se aburren. No se puede estar todo el día en casa viendo la televisión. Me gustaría vivir más cerca del centro de la ciudad para ir a pie a las grandes tiendas o a pasearme por el río. Mi ciudad es preciosa, pero no donde yo vivo.

Querido Juan José,

En mi barrio todo está muy bien – hay tiendas, un parque, autobuses para ir al centro cuando quiero ir al cine – pero hay un problema: no me gusta la basura. Cada día veo a gente que tira papeles al suelo sin pensar en ello. Todo está muy sucio, y me pone triste porque quiero estar orgullosa de donde vivo.

Tengo una idea. Voy a sacar fotos a la gente que tira basura y voy a poner sus imágenes en mi sitio web y enviarlas al periódico local para hacer una campaña contra la basura. ¿Qué piensas de mi plan?

Delia Arruga

Querida Delia,

Estás muy contenta en tu barrio, pero tienes una frustración: la gente que tira basura y ensucia la calle. A mí tampoco me gusta ver eso. Quieres hacer una campaña y confrontar a la gente que tira papeles. Muchas veces esa no es la mejor manera. ¿Por qué no organizar una campaña con otros vecinos? Puedes preguntar en las tiendas si pueden poner un cubo para la basura afuera de la tienda, o colocar un póster para concienciar a la gente. Si te pones de acuerdo con los vecinos, se puede hacer un esfuerzo por limpiar el barrio o poner macetas con flores. La gente ensucia menos si el entorno es agradable. Mucha suerte. Recuerda que es mejor ser positiva y colaborar con los demás. Es más fácil hacer frente a un problema si no estás sola.

Juan José

1 Escoge tres de estas estrategias para ayudarte a leer el texto:

a read it through, sounding the words in your head
b look for places, numbers and people
c look for opinions, connectives, timewords
d look for words you know
e look at the questions and try to hunt for the answers
f look up words in a dictionary
g look at the endings of verbs for tense/person

2 Contesta en inglés:

a Why doesn't he have a garden?
b Is there a cinema near where he lives?
c Where does he sometimes go with his friends?
d What would he like to have near his house?
e What happens when young people have nothing to do?
f Where would he like to live, and why?

3 Lee en silencio las cartas de arriba. ¿Cuánto entiendes?

4 Escoge tres estrategias de actividad 1 para entender mejor las cartas.

5 Escribe un resumen en inglés. Incluye:
- what is positive about where she lives
- what the problem is
- how she feels
- what her plan is
- how JJ feels about the situation
- what he thinks of her plan
- what she could do instead
- what his advice is at the end

Deporte

El deporte de BMX comienza hoy en las Olimpiadas de Bejing.
Como nunca ha participado antes, todos nos preguntamos
¿Cómo es este deporte? ¡Aquí un experto nos lo explica!

La carrera

Las carreras van por circuitos llenos de saltos y esquinas difíciles. Los corredores salen en grupos de ocho de una colina alta hacia los saltos.

La técnica básica

Es uno de los deportes más técnicos que hay – se necesita mucha precisión al colocar la bici sobre el salto. Hay unos tres o cuatro centímetros donde es preciso aterrizar. Si te equivocas, te caes – y es el final de la carrera.

La bici

La bicicleta es de aluminio con un solo freno atrás y un solo cambio de velocidad. También la silla es más baja de lo normal porque es importante no golpearse al saltar.

El comienzo

Como en todas las carreras rápidas, esto es lo más importante. Hay que salir el primero y con fuerza para no quedarse atrapado entre los demás ciclistas.

1 Lee el texto y busca las palabras que significan:

a races
b jumps
c brake
d gear
e saddle

2 Busca cinco palabras técnicas más.

3 Contesta a las preguntas en inglés.

a What is special about this sport?
b Explain the basic technique in your own words.
c What is the most important part about the start?

4 Escribe un texto parecido sobre un deporte que te interesa a ti.

1 Lee el texto y decide cuál de los párrafos lleva los siguientes títulos:

a comienzo infantil   **c** a tope
b triunfos   **d** la familia

2 Inventa otro título para el párrafo que sobra.

3 ¿En cuál de los párrafos se encuentra la respuesta a estas preguntas?

a ¿Cuál fue el partido más divertido?
b ¿Qué herida ha sufrido?
c ¿Quiénes son los otros españoles número uno mencionados?
d ¿Quién le hizo decidir su carrera como deportista?
e ¿Cuántos años tenía al ganar su primer torneo profesional?

4 ¿Cuál de estas frases es verdadera o falsa o no se menciona?

a His career took off after the Davis Cup win.
b Rafa fractured his left shoulder.
c His uncle Toni was a tennis player.
d Rafa left school at fifteen.
e Carlos Moyá was Rafa's idol.

1 Después de cerrar una brillante temporada, Rafa se convierte oficialmente en el número uno del tenis mundial, al concluir 237 semanas consecutivas de liderazgo del suizo Federer. Rafa es el tercer español que logra este privilegio tras conseguirlo Carlos Moyá (1999) y Juan Carlos Ferrero (2003).

2 Nació en Manacor Mallorca el tres de junio de 1986 y practica el tenis desde los cuatro años. Juega igualmente bien al fútbol pero a los doce años su padre insiste en que decida cuál de los deportes prefiere seguir porque no quiere que deje de estudiar en el colegio.

3 Es sobrino del futbolista Miguel Angel Nadal, ex jugador del Barça y del Real Mallorca y que jugó en el equipo nacional de España. Pero es su tío Toni, también tenista profesional, quien le entrena y cuida de sus intereses y en 2002 debutó en el circuito profesional a los 15 años. Su despegue se produce en 2004 en la Copa Davis.

4 Ya a los veintidós años pesa 85 kilos y mide 185 cm y con razón ha ganado el apodo del torito español. Al jugar es zurdo aunque normalmente hace todo con la mano derecha. La única lesión grave que ha sufrido fue en 2004 cuando fracturó el tobillo izquierdo.

5 Sus palmarés incluyen cuatro veces consecutivas ganador del Abierto Francés de Roland Garros, su primer triunfo en Wimbledon y ahora su medalla de oro olímpico. Uno de los partidos más divertidos fue en Julio de 2007 cuando hubo la Batalla de los Superficies en Mallorca contra su rival Federer − la mitad en césped y la otra mitad en tierra dura. Ganó nuestro campeón.

Haz este test sobre las comidas y bebidas españolas y latinoamericanas. ¿Cuánto sabes?

① Los tomates vienen de ... México/Nicaragua/Perú.

② Las tortillas mexicanas tienen un ingrediente principal que es ... el queso/el pollo/el maíz.

③ La tortilla española consiste en patatas fritas con ... lechuga/huevos/jamón.

④ El pulpo con aceite, sal y pimentón es típico del ... norte/sur de España.

⑤ Las croquetas, la ensaladilla y las aceitunas son ... platos principales/tapas/postres.

⑥ El guacamole tiene ... sardinas/zanahorias/aguacates.

⑦ En Perú es posible comer 'cuí' frito. ¿Qué es? Es ... marisco/cobaya/un insecto.

⑧ En el sur de México puedes probar la ensalada con 'chapulines'. Los chapulines son ... una verdura exótica/saltamontes/huevos pequeños.

⑨ El 'calimocho' es una bebida que toman los jóvenes en España y es una mezcla de vino barato y ... naranjada/Coca-Cola/sangría.

⑩ El turrón, el postre típico de Navidad, tiene su origen en la cultura ... árabe/francesa/española.

⑪ El día 31 de diciembre, a las doce de la noche, todos los españoles toman las doce ... aceitunas/naranjas/uvas.

⑫ En las calles de México se puede comprar fruta con ... chocolate caliente/chile/queso.

1 Lee el test y escribe lo siguiente:

   a dos verduras
   b dos frutas
   c dos especias
   d dos bebidas
   e un insecto
   f dos animales (cocinados)

2 Habla con tu compañero/a. Usa las palabras de la caja para ayudarte.

¿Has comido alguna vez ...

- turrón?
- tortillas?

¿Te gustaría probar ...
¿Te gustan?¿Por qué/por qué no?

- el cuí?
- los chapulines?
- el calimocho?

¿Por qué/por qué no?

| rico | asqueroso | picante | diferente |
| soso | salado | refrescante | crujiente |

3 Con tu compañero/a, escribe un test similar sobre la comida de tu país. Utiliza algunas de las frases de la primera lectura para ayudarte.

De: mike1203@hotmail.co.uk

Para: julian@correo.com

Asunto: Un inglés en Espana

¡Hola Julián!

Este año fui a España por primera vez solo, sin mi familia. Esta vez no fui a Marbella a verte porque allí toda la gente habla inglés, así que fui a Cádiz de intercambio para vivir con una familia y asistir a clases por la mañana para aprender español.

Mi familia española era muy simpática y enseguida nos llevamos bien; en la casa vivían los padres, Mario y Ángela, y los hijos, Julia y Fran. Julia tenía solamente siete años, así que pasé prácticamente todo el tiempo con Fran, que es dos años más mayor que yo.

Lo que más me llamó la atención de la vida familiar española es la importancia que dan a las comidas: todos se sientan a la mesa para desayunar, comer y cenar todos los días. El desayuno en España no es muy fuerte y por eso siempre tenía que comprar algo a las once de la mañana para no tener demasiada hambre antes de comer a la una y media o dos de la tarde.

En la comida siempre había pan, y Ángela cocinaba muy bien y siempre había por lo menos dos platos y el postre. Yo siempre estaba lleno después de la sopa, no estoy acostumbrado a comer tanto al mediodía. Fran y yo tomábamos algo a las cinco de la tarde, un bocadillo o algo ligero, porque luego la cena no era hasta las diez de la noche. Creo que engordé mucho en España – ¡no paraba de comer!

Pero lo que más me llamó la atención fue 'el botellón'. Los jóvenes llaman así a acto de reunirse por la noche en las plazas de la ciudad para beber alcohol con sus amigos. Como es muy caro comprar el alcohol en los bares, la mayoría de los chicos lo compran en los supermercados y más tarde se reúnen en la plaza y beben y hablan en grupos. Al final de la noche, las plazas están sucias y llenas de cristales y de botellas vacías, y hay siempre mucho ruido. Tiene que ser horrible para los vecinos. ¡En Inglaterra habría muchas quejas!

¡Pero Fran consideraba el botellón algo normal!

Un saludo

Mike

---

1 Busca en el correo de Mike las frases equivalentes:

a La familia y yo teníamos una buena relación.
b La familia hacía todas las comidas juntos.
c En España se come poco por las mañanas.
d No suelo comer tanto a la hora de comer.
e Fran y yo merendábamos.
f El alcohol cuesta mucho dinero en los bares.
g Fran estaba acostumbrado al botellón.

2 Habla con tu compañero/a:

- ¿Te gusta la rutina española para las comidas? ¿Prefieres la rutina de tu país? ¿Por qué/por qué no?
- Para tu familia ¿es importante comer juntos?
- ¿Sueles merendar? ¿Qué meriendas?
- ¿Qué opinas del 'botellón'? ¿Te gustaría ir? ¿Por qué (no)?

3 Eres un(a) chico/a español(a) que va a Inglaterra de intercambio. Escribe un correo hablando de las diferencias entre las comidas y las bebidas españolas, y los hábitos de los chicos. Utiliza el correo de Mike como referencia.

¿Te gustan las fiestas?

1 Vas a una fiesta:

a cada semana

b de vez en cuando

c nunca

2 Normalmente, las fiestas se hacen:

a en casa de un amigo

b en una disco

c en tu casa

3 La última vez que fuiste a una fiesta fue:

a el fin de semana pasado

b el mes pasado

c el año pasado

4 En una fiesta te gusta:

a bailar

b comer y beber

c hablar

5 Si vas disfrazado, vas como:

a Darth Vader

b La Princesa Leia

c Chewbaca

6 El fin de semana próximo vas a:

a quedarte en casa

b ir a una fiesta

c hacer una fiesta

1 Utiliza estas estrategias para leer el texto:

- Scan the questions for key words to work out what the quiz is about.
- Look for words you know.
- Look carefully for questions about: opinions, timewords, the past, the future.
- If there are any questions you don't understand, look at the answers/options and see if they give it away.

2 Con un(a) compañero/a, lee las preguntas en voz alta, poniendo atención a la pronunciación. A ver si podéis contestar a las preguntas.

3 Escribe tus respuestas. Cambia de la segunda persona (tú) a la primera (yo).

4 ¿Puedes inventar más respuestas/opciones en español?

5 Lee lo que dice Javier, y contesta a las preguntas del test para él.

¿Fiestas? Pues, me gusta reunirme con algunos amigos en un café o en una discoteca. Voy los viernes porque no hay clases el sábado. Lo pasamos muy bien – hablamos y bebemos algo, pero no bailo mucho. El próximo sábado es mi cumpleaños y voy a festejar con mi familia, ¡pero no voy a disfrazarme!

Las fiestas en Inglaterra

a En lugar de disfrazarse, e ir casi desnudos bailando por la calle al sonido de tambores y música de salsa … ¿Qué es lo que hacen los ingleses? Comen crepas con azúcar y limón en la casa. Compran las crepas en el supermercado y las calientan en el microondas.

b No sé exactamente en qué consiste su religión. Creen que hay un conejo mágico que vive en el cielo. Ese conejo va por todos los jardines y pone huevos. Pero no son huevos de gallina. Son huevos de chocolate.

c Es un día muy especial en el que haces llorar a tus amigos feos. Les mandas tarjetas para decirles que tienen una admiradora. Luego les dices que es una broma y que fuiste tú. También hay que mentir y decir que recibiste dieciséis tarjetas anónimas.

d Los ingleses normalmente pasan la tarde en sus casas viendo la televisión. Pero esa noche salen, aunque hace mucho frío, está oscuro, y llueve. Hacen un fuego grande en el parque, lo que está bien, porque hace mucho frío, pero no se permite acercarse al fuego porque las personas pueden quemarse.

e Es una fiesta muy agradable en la que los padres permiten a sus niños amenazar a los ancianos. Si no les dan caramelos, les rompen las ventanas. Los ancianos apagan todas las luces y no contestan a la puerta.

Carnaval

---

1 ¿Puedes deducir lo que significan estas palabras? Son similares a palabras que ya conoces en inglés, español u otro idioma:

> desnudos   crepas   microondas
> mentir   oscuro   acercarse   amenazar

2 Lee e interpreta las frases que contienen estas palabras.

3 Con un(a) compañero/a, lee los textos en voz alta. A ver si podéis identificar las cinco fiestas.

4 Busca opiniones, reacciones o comentarios irónicos.

5 Contesta en inglés:
In which festival …

a do you make your friends cry?
b do old people pretend to be out?
c do you have a big fire you can't go near?
d do the English do something very boring compared to the rest of the world?
e does the Spanish person not understand what the English worship?

¿Eres un loco del cine? ¡Descúbrelo en este test!

1 Es el fin de semana y tienes que elegir entre salir a cenar con tus amigos e ir al cine. ¿Qué haces?

  a Vas al cine, claro. Es lo mejor que puedes hacer con tu dinero.

  b Vas a cenar con tus amigos. Lo importante es socializarse.

  c No estás seguro, depende de las circunstancias.

2 Cuando hablan de una película famosa …

  a Te sabes la historia y conoces a los protagonistas – eres un experto.

  b No tienes ni idea – ¿qué película es esa?

  c A veces la conoces, a veces no.

3 Hay una revista de cine cada mes en el quiosco.

  a La compras, por supuesto. Hay que estar informado.

  b Te da igual – son un poco aburridas.

  c Si te interesa el actor o actriz de la portada, la compras.

4 Si hay una película en versión original en el cine …

  a Vas a verla; te encanta ver cine diferente.

  b No vas; no puedes leer los subtítulos y mirar las imágenes a la vez.

  c Lees el argumento y vas si crees que el tema va a ser interesante.

5 Tienes la oportunidad de ir al cine a ver una película que te gusta, pero la entrada es cara. ¿Qué haces?

  a Ahorras dinero de tu paga y vas. Nada es comparable a la experiencia de ver una película en pantalla grande.

  b Esperas a que salga el DVD. Es mejor ver la película en tu sofá, relajado, con tus amigos y tus patatas fritas …

  c Intentas ir, y si no tienes suficiente dinero, esperas a que salga DVD.

6 Tienes una película favorita y …

  a Te la sabes de memoria y puedes recitar frases completas de la película.

  b La ves, pero solamente una vez. ¡Ya te sabes la historia!

  c Si puedes, la ves dos veces, pero no estás obsesionado con ella.

7 Cuando ves una película …

  a La vives. Durante ese tiempo, tú eres el protagonista.

  b Te gusta, pero no te la tomas en serio.

  c Te concentras si te gusta, y si no te gusta, te distraes.

Mayoría de respuestas A: eres un cinéfilo. Vives para el cine y eres fantasioso, creativo y soñador. ¡Cuidado! La vida es mucho más que una película …

Mayoría de respuestas B: está claro que el cine no es lo tuyo. Eres una persona activa, deportista y muy práctica a la que le gusta la realidad y no la fantasía. ¡Quieres acción real, no en la pantalla!

Mayoría de respuestas C: eres una persona equilibrada, realista y con los pies en la tierra, pero también eres creativo y abierto a la imaginación y la fantasía. ¡Sigue así!

1 Lee y busca el equivalente en español de las siguientes palabras:

  a to choose
  b you don't mind
  c the cover
  d the story
  e you save
  f you wait
  g to know by heart

2 🗣 ¿Es verdad tu resultado del test? Discute con tu compañero/a en inglés.

3 Escribe tu opinión en español sobre el cine y las películas.

> Me gustan/me encantan/me apasionan las películas de … porque son …
>
> Odio/no soporto/no me gustan las películas de … porque son …
>
> Mi película favorita es … Se trata de la historia de …
>
> Los protagonistas se llaman …

Alejandro Amenábar

– un director de cine

Alejandro Fernando Amenábar Cantos nació el 31 de marzo de 1971 en Santiago (Chile). Su madre era española y su padre chileno, pero la familia se mudó a España un año después de su nacimiento. Estudió cine en la Universidad Complutense de Madrid pero no terminó sus estudios. Más tarde, en su primera película, Alejandro utilizó esta Universidad como escenario para la historia de suspense de *Tesis*, donde Ángela, una alumna de audiovisuales, descubre un crimen que tuvo lugar en la facultad unos años antes.

Pero éste fue solamente el principio de muchos otros éxitos. Amenábar ganó otros premios internacionales en el festival de cine de Venecia por *Mar Adentro*, que trata del controvertido tema de la eutanasia, y, más tarde, esta misma película ganó el Oscar a la mejor película extranjera en febrero del 2005.

Amenábar es también director de la película *Los Otros* (The Others) rodada íntegramente en inglés, siendo los protagonistas Tom Cruise y Nicole Kidman.

Sin embargo, Amenábar es una persona de múltiples talentos y también ha escrito bandas sonoras para películas. ¡Es imparable!

1 Lee y busca el equivalente español de las siguientes palabras:

a the family moved
b she discovers
c successes
d awards
e controversial
f filmed
g main characters
h soundtracks

2 Con tu compañero/a, utiliza la información del texto para hacer una entrevista a Alejandro Amenábar.

3 Responde a las preguntas en inglés:

a When did Alejandro move to Spain?
b How was his university an inspiration for one of his films?
c What is the story of *Tesis*?
d Why is *Mar Adentro* a controversial film?
e What is special about *Los Otros*?
f What does Amenábar do as well as directing films?

4 Imagínate que eres un director de cine famoso en tu país. Escribe tu propia biografía haciéndola lo más interesante posible.

Un viaje al fin del mundo

1 Lee el artículo. ¿Verdadero o falso?

a Normalmente Juan Carlos pasa las vacaciones en Inglaterra.

b La Patagonia está al norte de Argentina.

c Juan Carlos viajó a Ushuaia la semana pasada.

d Le gustan los pingüinos.

e Van a viajar durante cinco días.

f El hotel donde se alojan en Ushuaia es caro.

g Le encantó la arquitectura de las casas de Ushuaia.

h Juan Carlos podría vivir sin su ordenador.

i Juan Carlos esquía todos los años.

j No le gusta mucho su país.

2 Corrige las frases incorrectas de la actividad anterior.

3 Termina estas frases según lo que pone en la carta de Juan Carlos.

a La Patagonia está ...

b Viajó a Ushuaia en ...

c Nunca había visto ...

d Se alojan en hoteles sencillos porque son ...

e Calafate es la ciudad que ...

f No le gustaría vivir en Calafate porque ...

g No puede ir a la playa porque ...

h Esquel está en ...

Ushuaia, 3 de julio

Querida Marisol,

¡Hola desde Argentina! ¿Qué tal estás? Como sabes, normalmente mis padres y yo vamos a Inglaterra en julio para visitar a mi familia pero este año no vamos porque vamos a hacer una gran 'aventura patagónica'. ¿Sabes dónde está la Patagonia? Está en Argentina cerca del Polo Sur.

Empezamos nuestra aventura la semana pasada cuando desde Buenos Aires volamos a Ushuaia hace cinco días. Ushuaia es la ciudad del mundo que está más al sur. Aquí hemos visto muchos pingüinos, pájaros y lobos de mar (son como focas, pero más grandes y simpáticos). En Buenos Aires – y me imagino que en Londres – no hay pingüinos y yo sólo los había visto en la televisión pero son muy divertidos y curiosos.

Nuestra aventura va a durar todo el mes de julio y vamos a alojarnos en hoteles sencillos porque un mes de hoteles sale muy caro. De momento, el hotel de aquí en Ushuaia es muy acogedor y no es muy caro. Todos los días hacemos excursiones a lugares diferentes. Nos levantamos muy temprano, desayunamos algo ligero y después vamos a visitar lagos y glaciares impresionantes.

Un día cruzamos el Estrecho de Magallanes y visitamos muchas ciudades muy pintorescas. La que más me gustó fue una ciudad que se llama El Calafate. Me encantó porque allí las casas son muy pequeñas, rústicas y están construidas de madera. Le dan mucho carácter al lugar pero creo que no me gustaría vivir allí porque no hay internet y echaría de menos chatear con los amigos.

Aquí ahora es invierno así que no puedo ir a la playa porque no hace mucho calor, pero mañana vamos a ir a las montañas a un pueblo que se llama Esquel, y si el tiempo lo permite, voy a ir a esquiar con mi padre. Hace tres años que no esquío, espero no haberme olvidado. ¡Se me hace raro esquiar en julio! ¿Sabes esquiar? ¿Dónde esquías? Porque en Inglaterra no tenéis montañas tan grandes como los Andes, ¿verdad?

¡Cada día me gusta más este gigantesco país! Creo que a ti también te gustaría y deberías venir pronto a visitarme porque hay muchos lugares que te quiero enseñar.

¡Te mandamos un fuerte abrazo desde el Fin del Mundo!

Juan Carlos

Cuzco (Perú), miércoles 17 de abril

Ayer fue un buen día, muy largo pero agradable. Volamos desde Lima a la ciudad de Cuzco. La preciosa ciudad de Cuzco está situada a 3.400 metros por encima del nivel del mar y la falta de oxígeno a causa de la altitud es evidente. En cuanto llegamos al hotel nos sirvieron té hecho con hojas de coca para aliviar el malestar.

La ciudad es muy bonita con magníficas plazas y una combinación de la impresionante arquitectura inca y la arquitectura colonial española.

Pasamos el día en la ciudad – paseamos por las calles, visitamos el mercado, compramos algunos recuerdos, y cenamos en un restaurante típico. Comimos cobaya, que es un plato tradicional peruano ... en España las cobayas son mascotas y no se comen pero el sabor se parecía al del conejo.

Rio Tambopata (Perú), viernes 19 de abril

El vuelo de Cuzco a Puerto Maldonado es muy corto y la vista desde el avión era increíble. La selva amazónica es todavía más impresionante de lo que había imaginado. Escribo desde el barco que nos lleva a la reserva en el corazón de la selva donde vamos a alojarnos cinco días: sin electricidad, ni agua corriente, ni ningún lujo; sólo la naturaleza. Vamos a dormir en hamacas al aire libre, vamos a pescar pirañas, vamos a hacer largas caminatas ... Ya hemos visto muchos animales – ¡parece que a los cocodrilos les gusta tomar el sol!

La Paz (Bolivia), sábado 25 de abril

La experiencia de la selva fue inolvidable pero el calor y la humedad eran casi insoportables. Pasé un poco de miedo porque hay arañas y bichos raros y enormes por todas partes.

Ahora estamos en La Paz, la capital de Bolivia y una de las ciudades más densamente pobladas del mundo. Aquí hay muchas tiendas y todo es muy barato. ¡Pasaría todo el día de compras! El problema es que mi mochila ya pesa mucho y creo que sólo puedo llevar 40 kilos cuando vuelva a Madrid. Además, no quiero tener problemas en la aduana.

Aquí encontramos un café internet así que tuvimos oportunidad de leer nuestros emails y escribir a casa.

Salar de Uyuni (Bolivia), jueves 30 de abril

El viaje en tren duró siete horas y después cogimos un autobús otras tres horas más. El Salar es una experiencia un poco extraña porque una extensión tan grande y tan blanca parece nieve, pero no, no es nieve – es sal. Nuestro hotel está completamente hecho de sal. Las paredes son de sal, la mesa donde desayunamos es de sal, las camas donde dormimos son de sal – ¡todo es de sal! Este lugar es uno de los mayores productores de sal de todo el mundo.

¡Estas son las mejores seis semanas de mi vida! No quiero volver a casa. Me encanta descubrir las diferencias culturales, me encanta la comida, y los Andes son majestuosos, nada que ver con los Pirineos – los Andes son diez veces más grandes.

1 Busca estas frases en el texto.

a above sea level
b another three hours
c the lack of oxygen
d not at all like
e in hammocks outdoors
f it's even more impressive
g was unbelievable
h long but pleasant
i it was similar to rabbit
j everything is very cheap
k they were almost unbearable
l six weeks of my life
m as soon as we arrived

2 Contesta a las preguntas en inglés.

a What caused the writer to feel unwell in Cuzco?
b What did she have for dinner in Cuzco?
c Where is she on the Friday when she writes?
d What things does she say they will do in the jungle?
e What was the weather like in the jungle?
f Why was she afraid?
g Why does she think that shopping too much in La Paz is a problem?
h What does she say about the Andes?
i What is special about her last hotel?
j Did she enjoy her holiday? How do you know?

3 Traduce al inglés las frases subrayadas en el texto.

¿Eres verde, amarillo o rojo?

	4 siempre	3 a veces	2 rara vez	1 nunca
1 Cuando sales de compras ¿reusas las bolsas plásticas?				
2 Después de comer ¿tiras las sobras a la basura orgánica?				
3 Si tu camiseta te queda demasiado pequeña ¿la usas para limpiar el coche?				
4 En el colegio ¿escribes sobre papel reciclado? ¿trituras el papel usado? ¿apagas las luces al salir de clase?				
5 Camino del cole ¿vas a pie?				
6 En casa ¿cierras el grifo al lavar los dientes? ¿usas productos ecos? ¿reciclas los periódicos y revistas?				

1 Busca y anota las palabras que significan:

a reuse **f** shred
b the leftovers **g** switch off
c too **h** on the way to
d to clean **i** the tap
e write **j** magazines

2a ¿Cuántos puntos tienes?

Entre 30–40: eres muy ecológico, ganas la medalla VERDE
Entre 20–30: eres un poco ecológico, ganas la medalla AMARILLA
Entre 10–20: no eres nada ecológico, ganas la medalla ROJA
Menos de 10: tienes que cambiar tu actitud y ¡rápido!

2b Compara tus respuestas con las de un(a) compañero/a ¿Quién es más verde?

3 Inventa un póster 'verde'. Para cada letra escribe una norma.

Ejemplo: R – respeta/recicla/reusa

R   P
E   R
C   O
I   T
C   E
L   G
A   E

1 Lee el texto y usa todas las estrategias que has aprendido para leer.

¡Hola, me llamo Rosa!

Aquí me ves en pleno lago Titicaca donde vivo en una isla que se llama Amantani.

Vivo con mi madre en una casita, cultivamos maíz y tenemos unas gallinas. Mi padre y algunos de sus hermanos se fueron a vivir a la ciudad de Puno a orillas del lago porque encontraron trabajo allí. Vienen a visitarnos los fines de semana si no tienen que trabajar.

Hay poca gente que vive en las islas hoy porque es una vida aislada y solamente existimos por los turistas que vienen en barcos para visitarnos y aprender algo sobre nuestra vida. Siempre traen regalos para nosotros – azúcar, arroz, sal y a veces caramelos. Me gusta hablar con los turistas y saber de sus vidas en países lejanos.

Antes no teníamos luz eléctrica, entonces no hacíamos mucho por la noche porque estaba muy oscuro, pero ahora el gobierno ha puesto unos panales solares en el jardín y tenemos luz por la noche. Es bueno porque todos los habitantes de la isla nos turnamos para alojar a unos de los turistas que quieren quedarse la noche. Cocinamos algo típico en el fuego y como hace mucho frío por la noche ponemos muchas mantas de lana en la cama. El único problema es que tenemos que traer agua en botellas porque no hay agua en las casas.

Claro que voy al colegio todos los días y me encanta porque encuentro a mis amigas y jugamos y charlamos. Paso las tardes con las mujeres tejiendo gorras típicas para venderlas a los turistas. Aquí hace fresco porque siempre corre un viento pero el aire es tan puro y el cielo azul; no hay contaminación industrial por aquí. Hay unos que dicen que los turistas van a causar daño a nuestro medio ambiente pero vienen pocos de modo que no creo que sea un problema grave y si nos dan dinero significa que podemos continuar viviendo aquí en nuestra isla.

2 Haz tres listas:
- **a** las palabras similares a palabras inglesas
- **b** palabras que comprendes del contexto
- **c** palabras que tienes que buscar en el diccionario

3 Contesta a las preguntas en inglés.
- **a** When does Rosa see her father and brothers? Why?
- **b** How do she and her mother live on the island?
- **c** Why does she like talking to the tourists?
- **d** What changes has she seen on the island?
- **e** Does she like these changes? Why?
- **f** What does she say about the climate on the island?

4 Imagina que vas a visitar la isla. Escribe unas preguntas que te gustaría poner a Rosa para saber más acerca de su vida. Cambia de papel con un(a) compañero/a.

5 Por turnos pregunta y contesta a las preguntas con mucha imaginación.

Taquile, 20 de marzo

¡Hola! ¿Qué tal?

Os escribo desde la clase de geografía donde estoy aprendiendo sobre Europa. Me llamo Gustavo y vivo en una de las Islas Flotantes en el lago Titicaca en Perú. En las Islas Uros hay pocos colegios y los profesores vienen en barco cada día desde la ciudad de Puno porque aquí **la gente** no tiene mucha educación ya que se vive del turismo y la pesca. Los profesores vienen en **barco a motor** pero los alumnos no tenemos dinero **para esos lujos** y vamos al cole en **barcas a remo**.

Yo me levanto **al amanecer** sobre las cinco, porque tengo que remar unos quince kilómetros hasta la isla donde está el colegio pero me siento afortunado porque recibo una buena educación.

En el colegio somos treinta y ocho chavales de cinco a doce años. Yo tengo doce y soy de los mayores así que a veces ayudo a los alumnos más pequeños. **Por desgracia**, muchos chiquillos de las islas no pueden venir al colegio porque sus padres no pueden pagar el material escolar, aunque a veces en el colegio hay materiales porque algunos turistas nos traen lápices de colores, bolígrafos y algunos libros.

El colegio aquí es muy distinto de los colegios en las ciudades porque no tenemos aulas y estamos todos, **de todas las edades**, en la misma sala con un solo profesor. Tenemos treinta pupitres pero ahora que somos treinta y ocho, los más pequeños se sientan en el suelo. También **hay una pizarra** bastante grande.

Me gustaría continuar estudiando pero es un problema porque tendré que ir a Puno y está demasiado lejos para ir y volver cada día por lo que en estos momentos, el futuro **es un poco incierto**.

En la carta aparece **la dirección** de la profesora en Puno porque el correo no llega a las islas. Me gustaría que me escribieseis y me contarais cosas sobre vuestro colegio.

Un abrazo,

Gustavo

1 Lee la carta y encuentra las palabras o expresiones equivalentes a las de abajo. Todas las palabras y expresiones necesarias están en el texto en negrita.

a unfortunately
b at sunrise
c there is a blackboard
d it's a little uncertain
e the people
f for these luxuries
g the address
h a motor boat
i a rowing boat
j of all ages

2 Contesta a las preguntas en inglés.

a Why do teachers have to travel from the mainland to the islands?
b How do they travel?
c How does Gustavo travel to school?
d How long do you think it takes him?
e How many students are there in the school?
f How many teachers?
g Why can't some children go to school?
h Describe the facilities of the school.
i What would Gustavo like to do next year?
j Why does he give the teacher's address?

3 Escribe diez frases comparando la experiencia escolar de Gustavo con tu experiencia escolar. Puedes considerar estos temas:

> rutina diaria   profesores   transporte   aulas
> material escolar   estudiantes   ubicación
> opinión   turismo   instalaciones

Ejemplo: En mi instituto hay ..., mientras que en el colegio de Gustavo no hay ...

4 ¿Te gustaría ir al colegio de Gustavo? ¿Por qué?

La voz del estudiante

Marta

Ya sé que los deberes son obligatorios pero son muchas horas que tengo que estudiar en casa y con mis partidos es muy difícil combinarlo todo, pero no puedo decepcionar al equipo. Bueno, y está claro, tampoco puedo decepcionar a mis padres.

Felipe

A veces me parece que no hay mucha igualdad y pienso que la actitud de los profesores hacia los chicos no es igual que hacia las chicas. Tradicionalmente los chicos causan más problemas y me parece que por esa razón automáticamente reciben menos respeto y menos oportunidades, y con todas las políticas de oportunidades iguales en el mundo laboral me sorprende que todavía sea así en los institutos.

Pablo

Hay muchos problemas de disciplina en los colegios y con la desaparición de la familia tradicional todavía más. Me parece que se respetan demasiado los derechos de los estudiantes y los profesores casi no tienen derechos. Apenas se permite castigar a los alumnos cuando no se comportan bien, además ellos saben que los profesores no pueden cumplir sus amenazas.

Abdullah

Algunas clases son verdaderamente aburridas pero me divierto mucho en las clases de ciencias porque al profesor le gusta probar cosas nuevas fuera de lo normal, así que las actividades y algunos de nuestros experimentos son muy interesantes. Espero que cuando haga mi carrera los profesores sean tan innovadores como mi profesor de ciencias.

Mireia

Creo que es necesario tener normas para conseguir un cierto nivel de harmonía. Las normas que tenemos aquí son útiles y no es nada difícil entenderlas y seguirlas aunque está claro que siempre habrá aquellos que son inconformistas y luchan por luchar, nada más.

1 Lee lo que dicen los jóvenes y contesta a las preguntas.
- **a** ¿Quién quiere ir a la universidad?
- **b** ¿Quién cree que los divorcios y las rupturas familiares causan problemas de comportamiento?
- **c** ¿Quién menciona la discriminación?
- **d** ¿Quién no parece muy rebelde?
- **e** ¿Quién es deportista?

2 ¿Cómo se describen en el texto estos aspectos de la educación? Escoge de las palabras en el recuadro.

	Aspecto	Descripción
Ejemplo:	deberes	numerosos
	las clases de ciencias	
	los profesores	
	los castigos	
	las reglas	

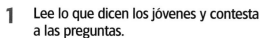

prácticos/as   antiguos/as   originales   *numerosos*/as
prohibidos/as   aburridos/as   injustos/as

3 Lee otra vez y contesta a las preguntas.
- **a** ¿Qué le preocupa a Marta?
- **b** ¿De qué se queja Felipe?
- **c** ¿Qué opina Abdullah sobre su profesor de ciencias?
- **d** Según Pablo, ¿por qué ha incrementado el mal comportamiento de los estudiantes?
- **e** ¿Crees que Mireia es una buena estudiante? ¿Por qué?

1 ¿Quién soy?

- Fui a la universidad donde estudié ciencias durante muchos años.
- Trabajo en un edificio muy grande.
- Llevo un uniforme blanco.
- Trabajo bien en momentos de crisis.
- Trabajo muchas horas.
- La gente depende mucho de mí.

2 ¿Quién soy?

- Estudié biología.
- Entiendo cómo funcionan los músculos.
- Trabajo con deportistas que tienen problemas físicos.
- Necesito tener las manos muy fuertes.
- Manipulo los músculos de otras personas.

3 ¿Quién soy?

- Trabajo en un edificio muy grande.
- No tengo muchas cualificaciones.
- Soy amable con el público.
- Pongo objetos en el sitio correcto.
- Soy bastante fuerte físicamente.
- El edificio donde trabajo vende comida.

4 ¿Quién soy?

5 ¿Quién soy?

Trabajo jornada intensiva. Mi trabajo es muy exigente. Todos los días tengo muchas responsabilidades. Tengo que dar consejos a la gente. Tengo que trabajar incluso cuando no me siento bien y preferiría quedarme en la cama. Escucho los problemas de la gente e intento resolverlos con ellos. La gente moriría de hambre sin mí. No hay un límite al número de trabajos que hago en un día. Necesito ser flexible y paciente y poco egoísta. No recibo un salario.

Llevo uniforme. Así la gente me respeta y me reconoce. Soy hombre y esto es un aspecto importante de mi puesto. No tengo títulos universitarios pero tengo muchas cualidades personales imprescindibles para mi trabajo. Trabajo de noche pero durante el día estoy bastante ocupado también. Leer es una de mis principales responsabilidades. Viajo por todo el mundo pero hay unos países que nunca he visitado. La gente me trata con mucho respeto y reverencia. Tengo asistentes y la verdad es que no podría hacer mi trabajo si no los tuviera. Tengo muchísima responsabilidad. Si yo no existiera, habría muchos problemas.

Mucha gente depende de mí. No gano un salario aunque necesito mucho dinero para poder cumplir con las responsabilidades de mi puesto.

1 Lee el artículo y rellena los huecos con las palabras de la caja.

Gloria Fuertes

(Madrid, 1917–1998)

Gloria Fuertes (1) ...... en Madrid en julio de 1917 en el seno de una familia humilde. Su madre (2) ...... costurera y sirviente y su padre, portero y conserje.

Gloria era la menor de nueve hermanos, seis de los cuales (3) ...... prematuramente. (4) ...... su infancia en las calles bulliciosas cercanas a la antigua Plaza del Progreso, donde (5) ...... el lenguaje coloquial que la caracterizaría. Era una niña alegre y extrovertida y desde pequeña (6) ...... escribir, pero la falta de medios económicos en la familia la llevó a trabajar enviando cartas y contando huevos en una fábrica.

Su madre la matriculó en el Instituto de Educación Profesional de la Mujer, donde (7) ...... la formación típica de aquellos tiempos que (8) ...... en preparar a las chicas para ser futuras amas de casa: cocina, cuidado de niños, corte y confección, etc. A los quince años, se le (9) ...... la madre. Esto junto con la Guerra Civil, la pérdida de su novio y sus propias experiencias (10) ...... su carácter para siempre. Se consideraba pacifista.

1939 vio la publicación de su primer relato para niños por la revista *Maravillas*. Allí mismo (11) ...... a trabajar como editora durante diez años. De 1940 a 1955 (12) ...... muchos cuentos en ambas revistas *Maravillas* y *Pelayo*.

El resto de su vida transcurrió con un sinfín de éxitos: antologías de poesía y libros de cuentos infantiles, la fundación de su revista *Arquero* y una estancia como profesora de literatura española en Pennsylvania. Su libro de versos, *Don Pato y Don Pito*, (13) ...... recomendado para lectura en las escuelas por el Ministerio de Educación y Ciencia. En los años setenta (14) ...... otra aventura, trabajando para Televisión Española en 'Un globo, dos globos, tres globos' y en 'La cometa blanca'.

(15) ...... su lucha contra un cáncer del pulmón en noviembre del año 1998 después de una larga vida prolífica.

> fue   publicó   marcaron   murieron   era   perdió
> nació   quiso   consistía   aprendió   recibió
> entró   pasó   murió   empezó

2 Traduce las siguientes citas.

> 'La educación es la clave del futuro, la clave del destino del hombre y de su posibilidad para actuar en el mundo.'
> **Robert F Kennedy**

> 'Tan sólo por la educación puede el hombre llegar a ser hombre. El hombre no es más que lo que la educación hace de él.'
> **Immanuel Kant**

> 'Es necesario aprender lo que necesitamos y no únicamente lo que queremos.'
> **Paulo Coelho**

> 'El éxito es aprender a ir de fracaso en fracaso sin desesperarse.'
> **Winston Churchill**

> 'Lo que importa es cuánto amor ponemos en el trabajo que realizamos.'
> **Mother Theresa of Calcutta**

> 'Aprender sin pensar es inútil. Pensar sin aprender es peligroso.'
> **Confucius**

> 'Educar a un niño no es hacerle aprender algo que no sabía sino hacer de él alguien que no existía.'
> **John Ruskin**

> 'Sólo sé que no sé nada.'
> **Socrates**

> 'Lo que tenemos que aprender a hacer, lo aprendemos haciéndolo.'
> **Aristotle**

Exam Practice

Listening skills

You have been given lots of useful tips throughout this book about how to approach listening tasks. It is important to put this advice to good use when revising for your final examination and when completing the actual paper.

The listening examination

This paper is worth 40 marks (20% of the final mark). The test for Foundation level lasts 30 minutes and for Higher, 40 minutes.

You are allowed five minutes to read the question paper before the recording is played. Use this time to make notes and look carefully at every question, to make sure you are clear about what to do. You will hear all the items twice.

There are five exercises in both the Foundation level and Higher level examinations. Exercises 1 and 2 at Higher level are the same as 4 and 5 at Foundation level. The questions are progressively more difficult, perhaps starting with tick boxes and ending by requiring fuller answers.

All instructions are in English. Where you are asked to write, answers will be in English. Each question will give an example of the type of answer needed. Dictionaries are not allowed.

Key skills for Foundation level

Most of the tasks will rely on understanding single words or short phrases, and in the first three exercises you would only expect to hear the present tense. In exercises 4 and 5 you will hear other tenses too, but you are only expected to recognise them.

Take notes as you listen, and listen particularly for:

- key words and phrases.
- tone of the voice, to identify emotion, questions and answers.
- negatives, opposites and linking words such as *porque*.

Check your answers for sense. If you have guessed, is it a logical guess?

Additional skills for Higher level

At this level you may be required to listen for specific details such as when, how and why. Clarify exactly what the question requires you to do: understand every word, identify one small detail, recognise one word, deduce a person's feelings from what they have said.

You may also be expected to make deductions from the recording you hear. This means you may have to link several pieces of information – so always listen to the whole of a section before deciding on your answer. Use the context – if you are told that an interview is between an environmentalist and a journalist, what are they likely to be discussing?

Listen once for gist and a second time for detail. Listen carefully for:

- linking words which alter a person's opinion, like *sin embargo, a pesar de, aunque, mientras*.
- small words with shades of meaning: *más, menos, casi, cada, apenas*.
- tenses and time references: *ayer, la semana que viene, hace un mes*.
- adjectival agreements to identify what or whom is being talked about.

General tips

Vocabulary is the most important thing. Make sure you develop lots of strategies for learning vocabulary – and you could gain valuable marks by revising all topic vocabulary in the run-up to the exam.

Read the instructions! However much you have practised listening exercises before – when it comes to the exam itself, read all the instructions carefully.

Exposure to the language is vital for increasing your confidence. It can be fun too, so why not listen to Spanish music, radio stations, TV soaps and Spanish study websites with listening exercises.

Remember there are no catches or trick questions – the listening exam has been planned very carefully, so just be confident and stay calm.

Remember you don't need to get everything right! An A* requires you to get about 80% of the answers right. Looked at another way, that means you can get one question in five wrong and still get an A* – so think positively!

These are all skills you have already been practising. All the hard work will be worthwhile if you can listen to the final test and understand what is being said. There is nothing more satisfying and rewarding!

Practice listening questions

Foundation level

Exercise 1: questions 1–8

Listen to these short statements in Spanish about planned activities for holiday makers. You will hear each statement twice.

Read the questions below and choose the correct answer, one per question. (8 marks)

> **Example:** *El domingo vamos a visitar una iglesia muy antigua.*
> **A** church
> **B** beach
> **C** art gallery
> Answer: A

1 **A** cathedral
  B castle
  C museum

2 **A** shops
  B bar
  C ice cream parlour

3 **A** sailing
  B beach
  C sunbathing

4 **A** asleep in bed
  B dinner in restaurant
  C party on beach

5 **A** organised excursion
  B lie-in
  C exploring the city

6 **A** coach with people on it
  B trip on boat
  C hotel pool

7 **A** glass factory
  B pottery factory
  C chocolate factory

8 **A** dinner on beach
  B packed lunch
  C dinner in hotel

Exercise 2: questions 9–16

Listen to the tour guide, Manolo, telling you about himself and his job, then answer the questions. (8 marks)

9 Manolo gets up at
  A 6.45 a.m.
  B 7.45 a.m.
  C 5.45 a.m.

10 Manolo has breakfast
  A on his own at home.
  B with his family.
  C in a bar.

11 Manolo goes to work
  A by bus.
  B on his motorbike.
  C by car.

12 When he arrives at the office, he
  A makes phone calls.
  B reads the newspaper.
  C works on the computer.

13 He goes to the airport to
  A see his customers off home.
  B meet arriving flights.
  C collect left luggage.

14 Manolo
  A starts work at nine
  B sometimes has to work at night.
  C never works at weekends.

15 The only thing Manolo is unhappy about is
  A the salary.
  B the responsibility.
  C having to pay his own expenses.

16 Manolo wishes to
  A leave his job now.
  B work abroad.
  C get a promotion.

Exercise 3: questions 17–24

What have the following people lost? Choose only one answer for each question. (8 marks)

17 **A** white bag with keys and purse
  B black bag with keys and umbrella
  C black bag with keys and purse

18 **A** wallet with 75 euros and photo of dad
  B wallet with 65 euros and photo of mum
  C wallet with 75 euros and photo of mum

19 **A** sports bag with white trainers and grey T shirt
  B sports bag with black trainers and white T shirt
  C sports bag with white trainers and white T shirt

20 **A** car with number B256 APZ
  B car with number B256 ADZ
  C car with number B257 AGZ

21 **A** rucksack with four magazines and umbrella
  B rucksack with two books and glasses
  C rucksack with four books and sunglasses

22 **A** little girl, blond, long trousers, striped jumper
  B little girl, blond, shorts, spotted jumper
  C little girl, blond, shorts, striped jumper

23 **A** cat with number 9553417
  B cat with number 9053416
  C cat with number 9153417

24 **A** shopping bag with eggs, soup and bread
  B shopping bag with ham, soap and bread
  C shopping bag with rice, soap and bread

Exercise 4: questions 25–32

Listen to Pablo's account of his weekend, then answer the questions. (8 marks)

25 Who is Arturo?
26 Where did they have supper exactly?
27 How did they feel when the bill arrived?
28 What was the problem with Julia?
29 When did the disco start to fill up?
30 What sports fixture did Pablo have the next day?
31 Why did he not play very well?
32 What was the score?

Exercise 5: questions 33–40

Listen to the weather forecast and fill in the blanks. (8 marks)

> **Example:** Gijón
> There will be quite a lot of *rain*.
> Temperatures will be *low*.

33 y 34: Valencia
It will be windy on the ...
Ideal conditions for ...

35 y 36: Granada
Great news for ...
During the night it will ...

37 y 38: Málaga
A perfect day for ...
The waves will reach a height of ...

39 y 40: Madrid
During the morning the skies will be ...
In the afternoon you may need ...

Higher level

Exercises 1 and 2 at Higher Level are the same as exercises 4 and 5 at Foundation level – see above.

Exercise 3: questions 17–24

Listen to these people talking about their environmental concerns. Match the person with the problem that concerns them. (8 marks)

17	Pablo	A	Packaging
18	Rosa	B	Queues at traffic lights
19	Sara	C	Flights
20	Juan	D	Factory smoke
21	Inma	E	Publishing
22	Nacho	F	Traffic jams
23	Lidia	G	Recycling
24	Esteban	H	Use of car

Exercise 4: questions 25–32

Listen to these young people talking about their future. Then complete the positive (P) and negative (N) comments, in English. (8 marks)

> **Example,** Sonia:
> (P) Won't have to *share her bedroom with her sister*.
> (N) Will *miss* her cat.

Ana:
25 (P) It will be great to ...
26 (N) Has to rely on ...

José:
27 (P) If you are prepared to work hard ...
28 (N) There are lots of people ...

Teresa:
29 (P) Won't have to ...
30 (N) Worried about ...

Jorge:
31 (P) Looking forward to ...
32 (N) Concerned about having to ...

Exercise 5: questions 33–40

Listen to the interview with María Gómez Pando, a Minister for Health and Safety in a Latin American county. Then complete these notes, in English. (8 marks)

33 Name the two events which sparked her interest in politics as a little girl.
34 In Nicaragua, she helped to ...
35 In Nicaragua, María learnt that ...
36/37 María wanted to help abandoned children, old people with no family and ... , so she joined ...
38 María feels that difficult times ...
39 Working late is hard because ...
40 What does she feel particularly satisfied about having achieved?

Speaking skills

Speaking the language is what language learning is all about, and this is the area of the examination where you will probably pick up the most marks. Some learners find it the most demanding part of the exam, but there is no reason to. You are totally in control − all you need to do is prepare well. Listen to Spanish and practise speaking as much as you can, to gain confidence.

The speaking assessment

The speaking assessment is worth 60 marks (30% of the final mark). It is internally assessed by your teacher and moderated by an external examiner.

You will perform two tasks, each lasting 4−6 minutes and worth 30 marks. The tasks must be on different topics and for different purposes, and must involve interaction with another speaker. You can use a dictionary for preparation but not during the tasks. Marks for each task are awarded as follows:

Communication	15 marks
Quality of language	10 marks
Pronunciation and intonation	5 marks
Total	**30 marks**

Throughout the GCSE course you will carry out a number of these speaking tasks and you may choose your best two to be included in the final mark.

How much help can I have?

This must be your own work, and any evidence to the contrary could cost you marks. Be clear from the outset how much support you can receive, in consultation with your teacher. Remember also that the assessment should not be a regurgitated speech, it should be as natural and spontaneous as possible.

Key skills for the speaking assessment

As part of your preparations:
- Read out loud, in front of a mirror, to see how your mouth moves.
- Practise using your hands and shoulders to feel the language − act the part.
- Make sure you know how to ask for a question to be repeated.

- Learn a set of useful opinions, so you will be able to say more than *es interesante*.

When speaking Spanish:
- Remember to sound out your vowels clearly.
- Use intensifiers to sound more convincing: *muy, bastante, demasiado, tan* ...
- Use idioms to enhance your language.
- Stress certain words to sound more convincing.
- Think about the tone of your voice − what are you trying to convey?
- Extend your answers by giving examples.

During the assessment, to avoid awkward silences:
- Begin to formulate the next sentence in your head.
- Use fillers to gain time to think.
- Ask questions in a variety of ways.
- If unsure what you're being asked, ask for clarification, or use your common sense and the context.

To improve your marks:
- Remember you get lots of marks for getting the message across, so if you get stuck find the simplest and most direct way to do this.
- Keep talking and don't worry too much if what you say isn't true. Feel free to invent pets, sisters or ambitions etc if it gives you more to say.

How do your skills match the requirements?

For communication:
- Do I back up my opinions with reasons?
- Can I speak without being prompted?
- Can I keep talking without drying up?
- Can I think on my feet and respond to unexpected questions?

Communicating well is about being in control and speaking with conviction.

For quality of language:
- Is my spoken Spanish accurate or full of grammatical errors?
- Have I thought about tense? Have I recognised tense in questions?
- Is my vocabulary limited or extensive and ambitious?
- Do I speak in simple sentences or do I use more sophisticated structures?

Improve the quality of your spoken Spanish by applying the grammatical rules. Improve your vocabulary and sentences by digging a bit deeper and using resources.

For pronunciation and intonation:
- Is my accent a good imitation or do I sound too foreign?
- Do I speak with colour in my voice or like a robot?
- Do I think about the meaning behind what I am saying, to sound convincing?
- Am I engaging with the person I am talking to? Are they drawn in to what I am saying?

With a little extra effort and a sense of fun, you can make your Spanish come alive!

Controlled speaking assessment tasks

Give some real thought to what you are going to talk about. Being ambitious does not necessarily mean that your choice of topic has to be difficult. You could choose a simple topic but give it an interesting angle. If it is original, well presented, confidently expressed and accurate you should do well.

Remember too that you must interact with another speaker, so preparing well for questions on your topic will stand you in good stead. And remember to show off everything you have learnt. Don't wait to be told that the language is too simplistic. Look up exciting vocabulary structures and use them.

Examples

a   Argue your case to be voted onto the school/youth parliament – sounds complex but what exactly could you include?
  ● Personal information about your character.
  ● Details about your studies.
  ● Information about work experience you have been on.
  ● Your hopes and dreams for the future.
  ● What frustrates you about the world and how would you like to change it?
  ● Be prepared to stand up for your views when questioned. What are you likely to be asked?
  ● This could be a debate between a number of you, fighting your corner!

b   Make the case for changes to school lunches – don't worry if it sounds too limited.
  ● Give information about current system.
  ● Discuss possible changes.
  ● Get hold of some simple statistics about healthy eating.
  ● Talk about the importance of keeping fit.
  ● Link eating well to school performance.
  ● Talk about diet to back up your argument, e.g. low in salt, high cholesterol etc, make a comparison between eating in the past and the impact of fast-food today.
  ● Think of the likely questions you may be asked on the topic, from the Head maybe.

c   Do a presentation to promote a Spanish-speaking city for a tourist company – a good choice, maybe, especially if you have visited a particular place.
  ● Describe the city how it was in the past.
  ● Describe how it is today.
  ● Mention its attractions and be convincing with interesting descriptions.
  ● You could mention climate, population, transport.
  ● Give tips to visitors about accommodation, safety etc.
  ● Think of the obvious enquiries that a tourist might make regarding a trip to the city and be ready to answer them.

d   Do a presentation on an important historical event – why not choose to research an event which has always interested you? Why not a topic you are studying in another subject?
  ● Outline the event briefly.
  ● Discuss the people involved and their personalities.
  ● Talk about the impact of the event on the rest of the world.
  ● Outline people's different view points on the event.
  ● Give your personal reaction to the event.
  ● What questions might the public have asked about this event? What might people ask nowadays?

e   Describe your ideal holiday – a boring topic at first sight but why not give it a twist?
  ● Go to the moon.
  ● Set up a teenage travel company.
  ● Invent an alternative hotel chain.
  ● Explain your reasons for these choices of travel.
  ● Contrast your ideas with holidays which people generally choose.
  ● Imagine you are being interviewed for a magazine. How could you structure the interview with interesting and probing questions?

Research

Your speaking assessment will be as good as you make it. Be methodical about how you begin to get to grips with the topic.

1   Think about the content and structure of your topic. Make a brief outline.
2   Begin by preparing your vocabulary, verbs, nouns, adjectives, idiomatic expressions. You are free to use the vocabulary which you feel is relevant. Just remember to check that it is correct.
3   Experiment by using new vocabulary in simple sentences.
4   Build up your sentences by using conjunctions and interesting structures.
5   Include descriptions, opinions and reasons for these.
6   Think of a logical way to involve a variety of tenses. This is essential if you wish to secure a higher mark.

Reading skills

Just like the listening paper, the key to doing well with reading is knowing lots of vocabulary. Think about the reading skills you have been developing, and the techniques you can employ to get to grips with more challenging texts. Take time to read the passages carefully. You often don't need to know every word to get to the answers. Just stay focused and keep at it!

The reading examination

The reading examination is worth 40 marks (20% of the final mark). The test for Foundation level lasts 35 minutes and for Higher, 45 minutes.

There are five exercises in both the Foundation level and Higher level examinations. Exercises 1 and 2 at Higher level are the same as exercises 4 and 5 at Foundation level. The questions are progressively more difficult, perhaps starting with tick boxes and ending by requiring fuller answers.

All instructions are in English. Where you are asked to write, answers will be in English. Each question will give an example of the type of answer needed. Dictionaries are not allowed.

Key skills

When you read a text for the first time:
- Skim through, reading for gist.
- Keep the question in mind – are you looking for whole text, a word, a phrase?
- Use the context to make assumptions: look at photos, headlines, visual clues.

When you read again for detail:
- Use key words from the question to help you find the answer.
- Look out for common sound-spelling links.
- Identify similar vocabulary to the English – but watch out for 'false friends'.
- Look for words related to others you know, such as *facilitar, fácil*.
- Use prefixes to help you decipher words: *pre-, re-, dis-* etc.
- Look at word endings to identify verbs, nouns, adjectives.
- Look at adjective agreements to help make sense of the text.

Practice reading questions

Foundation level

Exercise 1: questions 1–8

Look at the categories of books (A–I) on offer in the school library at your exchange school. Match the content to the correct book. (8 marks)

Example: cars I		**Example:** cars	
A	Idiomas	1	art
B	Moda y Ropa	2	swimming
C	Ciencias	3	computing
D	Deporte	4	fashion
E	Dibujo	5	sport
F	Cocina	6	cookery
G	Natación	7	languages
H	Informática	8	science
I	Coches		

Exercise 2: questions 9–16

Read this email from your new Mexican pen-friend. Then choose the correct letter. (8 marks)

Hola Steve,

Soy Juanita y vivo en una casa pequeña cerca del mar. No tenemos mascotas en casa pero me gustaría tener un perrito. Soy hija única pero mi abuela vive con nosotros. Tengo el pelo largo y rizado. Es rubio. Mi padre es profesor y mi madre es enfermera. Me encanta cantar y escribir cartas. Trabajo los viernes en una panadería. No tengo novio en este momento. ¿Tienes novia?

Un beso, Juana

Example: Juana lives in

A a big house
B a small house
C an apartment
Answer: B

9 Juana's home is
   A inland
   B in mountains
   C near the sea

10 Juana would love
    A a cat
    B a big dog
    C a puppy

11 Juana lives with
    A mum, dad, gran
    B mum, dad, gran, grandad
    C mum, dad, sister

12 Juana's hair is
    A long, curly, black
    B long, curly, blond
    C long, straight, blond

13 Juana's mother is
    A a nurse
    B a doctor
    C a teacher

14 Juana loves to
    A play cards and ride bike
    B sing and write stories
    C sing and write letters

15 Juana works on
    A Wednesdays
    B Fridays
    C Thursdays

16 Juana has
    A no boyfriend
    B two boyfriends
    C one boyfriend

Exercise 3: questions 17–24
Read the complaints about home life sent in to a magazine problem page. Write the name of the correct person.   (8 marks)

JORGE: Tengo que arreglar mi habitación los sábados cuando preferiría estar con mis amigos.

ANA: Nunca hay agua caliente cuando quiero ducharme.

MARTA: Mi hermana se coge mi ropa sin pedirme permiso.

JUAN: No puedo invitar a mis amigos a casa porque no tenemos espacio.

SUSI: Sólo hay un ordenador en casa entonces no encuentro hueco para charlar con mis amigos.

PACO: A mí me toca sacar la basura y el reciclaje todas las semanas.

CARLOS: Es mi responsabilidad limpiar la jaula del periquito. Es un trabajo horrible.

BEA: Pues yo debo pasar la aspiradora cada semana pero no me importa.

PAULA: Yo ayudo mucho a mis padres. Riego las plantas del jardín y lavo el coche.

Example: Who tidies his bedroom every Saturday? Jorge

17 Who is in charge of the household rubbish?
18 Whose house is too small to have friends round?
19 Who wishes there was more hot water?
20 Who is in charge of the budgie?
21 Who finds it hard to get on-line?
22 Whose clothes 'disappear'?
23 Who prefers the outdoor chores?
24 Who doesn't mind doing the vacuuming?

Exercise 4: questions 25–32
Read the following statements about eating and cooking arrangements. Then write the name of the correct person.
(8 marks)

Roberto: Cocinar me pone de muy mal humor.

Javi: Mi madre siempre cocina porque yo no tengo tiempo para esas cosas.

Nacho: Yo cocinaré esta noche porque es el cumpleaños de mi novia.

Pili: Para mí es más conveniente comprar platos hechos del supermercado.

Sara: Como trabajo en un restaurante, suelo comer allí.

Claudia: Compartimos la cocina en la casa. Es lo más justo.

Inés: Lo que menos quiero hacer al llegar a casa después de un día largo es cocinar.

Rafa: Vivo con una amiga pero ella no hace nada para ayudarme a preparar el almuerzo.

Pedro: Yo preparé la cena anoche porque mis padres estaban trabajando.

Example: Who gets in a bad mood when cooking? Roberto

25 Who only cooks on special occasions?
26 Who is left to do all the cooking ?
27 Who usually buys ready–cooked meals?
28 Who has no time to help with the cooking?
29 Who is a kind and considerate son?
30 Who lives in a house where the cooking is shared?
31 Who works too hard to want to cook?
32 Who doesn´t have to pay for meals?

Exercise 5: questions 33–40

Read this letter from Isabel and answer the questions in English.
(8 marks)

Hola Peter,

Siento no haberte escrito antes pero he tenido tantos deberes últimamente que no he podido ni ir a mis clases de baile. Y ya sabes, ése es mi pasatiempo preferido.

Los profesores creen que no tenemos nada mejor que hacer que pasarnos tres horas cada noche, haciendo ejercicios y aprendiendo vocabulario. Entiendo que estudiar es importante pero también es necesario que los jóvenes tengamos tiempo libre para relajarnos. Anoche no terminé de estudiar hasta las diez y veinte. Es demasiado. Mis padres no comprenden mi punto de vista tampoco.

Este fin de semana es el aniversario de mis abuelos. Llevan casados casi cuarenta y seis años y mi abuela dice que nunca se han peleado. Están tan enamorados todavía. La verdad es que me parece una maravilla después de tanto tiempo juntos.

Bueno Cómo te va la vida? Ves mucho a tus abuelos?

Un beso, Isi

33 Why hasn't Isabel written recently?
34 What is her favourite hobby?
35 Give an example of the kind of work she has to do.
36 Why was last night particularly bad?
37 How did her parents feel about this?
38/39 Give two pieces of evidence of her grandparents' happy marriage.
40 What is the last question that Isabel asks?

Higher level

Exercises 1 and 2 at Higher level are the same as exercises 4 and 5 at Foundation level – see above.

Exercise 3: questions 17–24

Read the following article about Santa Teresa School. Then complete each sentence, using a word or phrase from the box, as in the example. (8 marks)

El Colegio Santa Teresa se encuentra en las afueras de Gijón, cerca de las viejas fábricas y el río. Es un instituto mixto que consta con quinientos alumnos entre las edades de doce y diecinueve años. Desde fuera todo parece muy normal pero al entrar, uno se da cuenta de que aquí están ocurriendo cosas extraordinarias. Para empezar, los alumnos sólo asisten a clase si quieren o si hay una asignatura que prefieren no estudiar en absoluto, pues simplemente no la hacen. Y cuando se trata de la relación entre el alumnado y el profesorado, eso también es bastante única. Se llaman por el nombre de pila y se tutean. Y otra cosa. No hay exámenes al final del curso. El director del centro explicó que realmente la única forma de aprender es sin presión. Subrayó que trabajar en equipo es fundamental para el desarrollo de cada individuo. Si uno no aprende a cooperarse con los demás, no puede aprender a ser un buen ciudadano.

formal	outside	staff	repeat the year
learning	citizen	understand	cooperation
attend lessons	develop	~~on the outskirts~~	near
help in lessons	relaxed	sit exams	next to
student	surname	far away	first name

Example: Santa Teresa school is *on the outskirts* of Gijón.

17 The school is located ...... the river.
18 It seems like an ordinary school from the ......
19 Pupils only have to ...... if they feel like it.
20 The atmosphere inside the school is very ......
21 At the end of the year, pupils are not required to ......
22 The Head feels that exams prevent the students from ......
23 He believes that team work is the only way for an individual to ......
24 The Head feels that being a good citizen is about ......

Exercise 4: questions 25–32
Read the following article about immigration in USA. Answer the questions in English. (8 marks)

La frontera que separa México de Estados Unidos es una de las más transitadas del mundo. Cada año, casi medio millón de personas tratan de atravesarla para entrar en los Estados Unidos, buscando forma de ganarse la vida e intentando escaparse de la pobreza de su país de orígen.

La mayor parte de ellos son detenidos y deportados. Algunos mueren en el intento dado que es una ruta llena de peligros. Otros consiguen pasar y siguen su viaje hacia una ciudad para buscar su fortuna.

Más de 30 millones de latinos viven hoy en los Estados Unidos. En 50 años, uno de cada cuatro estadounidenses será hispano.

La comunidad latina representa sólo el 5% de la fuerza laboral en el país anglosajón y sin embargo, muchos norteamericanos se quejan de la cantidad de inmigrantes que llegan a su país. No se dan cuenta de que si no fuera por los mejicanos, a muchas compañías les resultaría muy difícil encontrar trabajadores.

25 How many people try to cross the border every year?
26/27 Give two reasons why they choose to do this.
28 What happens to the majority of them?
29 Why do some of them lose their lives?
30 What are we told about USA in 50 years time?
31 What is significant about the statistic 5%?
32 Why are Mexican immigrants essential to the USA?

Exercise 5: questions 33–40
Read this article about Pilar´s first trip abroad. Then choose the correct answer. (8 marks)

El año pasado fuimos a Grecia de vacaciones. Yo estaba muy emocionada porque nunca había ido al extranjero. Tampoco había viajado en avión.

El día de la salida, llegamos al aeropuerto dos horas y media antes del despegue de nuestro vuelo y fuimos a facturar el equipaje. Entonces fue cuando empezaron los problemas. Los ordenadores no funcionaban. Tuvimos que esperar tres horas hasta que los arreglasen.

Por fin nos deshicimos del equipaje y entramos en la zona de embarque para sentarnos a tomar algo. Vaya lío.

Las máquinas en las cafeterías tampoco funcionaban porque nada más entrar, hubo un corte de electricidad. Tenía tanta sed que acabé por beber agua del grifo aunque odio el agua sin gas.

Como si eso fuera poco, hubo un retraso con el vuelo y no nos marchamos hasta las diez y media de la noche, siete horas después de haber llegado al aeropuerto.

Todo esto y una tormenta durante el vuelo – no podía dormir. Y al llegar el hotel, no sabían nada de nuestra reserva. Menos mal que el hotel no estuviera completo porque habríamos tenido que dormir en la recepción.

La próxima vez, me quedo en España.

33 Pilar estaba emocionada porque
  A era su segundo viaje a Grecia.
  B no quería coger el avión.
  C era su primera vez visitando otro país.

34 Pilar llegó al aeropuerto
  A muy temprano.
  B sin tiempo para tomar una bebida.
  C justo a tiempo.

35 Hubo un problema con su equipaje porque
  A pesaba demasiado.
  B el mostrador había averiado.
  C había mucha gente en la cola.

36 Para beber, Pilar
  A tomó un café de máquina.
  B llevaba agua con gas en su mochila.
  C bebió agua del grifo.

37 El avión
  A despegó a tiempo.
  B se marchó sin tres pasajeros.
  C tardó en despegar.

38 Durante el vuelo, Pilar
  A estaba atormentada.
  B estaba despierta.
  C gozó de la tormenta.

39 Cuando Pilar llegó al hotel,
  A tuvo que dormir en la recepción.
  B había bastantes dormitorios para todos.
  C no le gustaba su habitación.

40 En el futuro Pilar
  A no veraneará en España.
  B pasará sus vacaciones en España.
  C irá de vacaciones al extranjero.

Writing skills

You have been practising your writing skills since the start of this book. When you do your written tasks for assessment, don't be boring – take the bull by the horns and aim to produce work which is interesting and exciting!

The writing assessment

This is worth 60 marks (30% of the final mark). You will complete the assessment in school but it will be marked by an external examiner.

You will send off two written tasks, each worth 30 marks. The tasks must be on different topics and for different purposes (letter, article, story etc.). Foundation students should aim to write a total of 350 words across the two tasks, Higher pupils should produce 600 words.

You can use a dictionary for both preparing and completing your tasks, but online grammar and spell-checkers are NOT allowed.

Marks for each writing tasks are awarded as follows:

Communication	15 marks
Quality of language	15 marks
Total	**30 marks**

Maximising your marks

It's worth thinking very carefully about how you can do well in these tasks. Success depends on understanding the requirements. Take another look at the Speaking section (page 194) and how communication and quality of language are marked – the principles are very similar.

Communication: Take control, give your opinions and justify them, go beyond basic responses, develop your ideas fully.

Quality of language: Push yourself to your linguistic ceiling, using a variety of vocabulary and sentence structures. But don't forget to check your work for inaccuracies!

How much help can I have?

You can only be rewarded for your own work. Don't risk losing marks by handing in work which is not entirely your own. It is not acceptable to learn a passage off by heart then reproduce it in the timed assessment. Your teacher will know if you have done this, and is bound by the examining board code of practice to make sure it doesn't happen.

Choosing your writing topics

Consider seriously what you are going to write about. Your teacher will be able to suggest suitable ideas, but you can choose your own topics if you prefer. Try to find interesting angles on the ones you choose. Don't choose a difficult topic unless you're sure you can cope.

If your topic is original, well presented, confidently expressed and accurate, you should do well. And remember to show off everything you have learnt. You can only get top marks if your writing shows variety in vocabulary, structures and tense.

These are the writing topic areas:

1 Home and Local Area
2 Health and Sport
3 Leisure and Entertainment
4 Travel and the Wider World
5 Education and Work

A few practical tips

When you start writing about a topic:

- It's always a good idea to do a draft first.
- Try to think in Spanish so your words sound natural.
- Structure your work with paragraphs. This helps you to be logical and not miss things out.
- Make sure your vocabulary is relevant and varied.

When you have finished your first draft:

- Check that you have used a variety of tenses. This will increase your mark, especially if your verbs are accurate!
- Check methodically for accuracy – look at adjectives first, then nouns and gender, then verbs and tenses. If you try to do it all in one go, you will miss some mistakes.
- Do a word count to check you have met the requirement.

And above all – try to enjoy the examination experience! That might sound strange, but if you are happy and positive in your approach, you will perform much better.

Remember the aim of all this work is not the exam, it's to understand, speak and write Spanish. Make language learning part of your everyday life. You are developing a vital skill for your future. ¡Olé!

Active Grammar

Unit 1A

1.1 Nouns

Nouns describe objects, animals, people, places, or ideas. All nouns are either masculine or feminine. Generally if they end in 'o' they are masculine and in 'a' they are feminine.

Masculine exceptions	Feminine exceptions
el problema, el clima, el mapa	*la mano, la radio*

Making nouns plural:

- Add –s for nouns ending in a vowel.
- Add –es to nouns ending in a consonant.

Example: elefante – elefantes, papel – papeles

1.2 Articles

	Determined article (the)		Undetermined article (a, an, some)	
	Masculine	Feminine	Masculine	Feminine
Singular	el	la	un	una
Plural	los	las	unos	unas

When the definite article **el** follows the prepositions **a** or **de** it contracts into **al** and **del** respectively: *al parque* (to the park), *del jardín* (from/of the garden).

Ex 1.1 Form the plural of these:
Example: *el campo – los campos*

1 el campo
2 un ojo
3 la oreja
4 el pelo
5 un reloj
6 una cantante
7 un país
8 la ventana

Ex 1.2 Translate:

1 to the house
2 from the park
3 to the car
4 to the bedroom
5 of the bed
6 from the city
7 from the village
8 to the airport
9 to the college
10 to the swimming pool
11 of the station
12 to the church

---

parque	casa	coche	aeropuerto	instituto	pueblo
dormitorio	piscina	iglesia	estación	cama	ciudad

1.3 Subject pronouns

Singular		Plural	
yo	I	*nosotros/as*	we
tú	you (familiar)	*vosotros/as*	you (familiar)
él/ella/usted	he/she/you (polite)	*ellos/as/ustedes*	they/you (polite)

Use the plural masculine to refer to a group of males or a mixed group.

Use *usted* and *ustedes* (often *Ud.* and *Uds.*) to address strangers and people to whom you want to show respect.

1.4 Verbs

A verb indicates **what** is happening, the tense indicates **when** and its endings indicate **who** is carrying out the action.

The original form of a verb is the Infinitive. Spanish infinitives fall into three groups: *–ar* ending, *–er* ending and *–ir* ending.

1.5 Present tense of regular verbs

Use it to indicate what is happening now or happens regularly.

	hablar *(to speak)*	comer *(to eat)*	vivir *(to live)*
yo	habl**o**	com**o**	viv**o**
tú	habl**as**	com**es**	viv**es**
él/ella/Ud.	habl**a**	com**e**	viv**e**
nosotros/as	habl**amos**	com**emos**	viv**imos**
vosotros/as	habl**áis**	com**éis**	viv**ís**
ellos/ellas/Uds.	habl**an**	com**en**	viv**en**

To work out a regular verb:

- Choose what group it belongs to according to its infinitive ending (what column in the table).
- Choose who is doing the action (what row in the table).
- Take out the *–ar*, *–er*, or *–ir* ending and replace with the relevant ending (the ending where your chosen column and row meet).

Ex 1.3 Find these verbs in a dictionary and group them according to their infinitive.

to study, to learn, to smoke, to share, to help, to hate, to play, to speak, to sleep, to drink

Ex 1.4 Translate the following:

1 we study
2 you (singular, familiar) learn
3 I smoke
4 you (plural, familiar) share
5 they help
6 you (singular, polite) hate
7 we play
8 she speaks

Ex 1.5 Complete the sentences with the correct form of the present tense of the verb in brackets.

1 Pedro ...... un periódico. (comprar)
2 Alex ...... en Madrid. (vivir)
3 Yo ...... a Susana. (escribir)
4 Los padres de Sofía ...... demasiado. (fumar)
5 José y María ...... francés e italiano. (hablar)
6 Normalmente nosotros ...... Navidades en casa. (celebrar)
7 Mi hermano ...... inglés en el instituto. (aprender)
8 Mis tíos ...... a mis padres con el jardín. (ayudar)

1.6 Present tense of irregular verbs

Irregular verbs are those that don't follow the patterns and their conjugations must be learnt by heart.

ser *(to be)*	estar *(to be)*	tener *(to have)*	hacer *(to do/to make)*	ir *(to go)*
soy	estoy	tengo	hago	voy
eres	estás	tienes	haces	vas
es	está	tiene	hace	va
somos	estamos	tenemos	hacemos	vamos
sois	estáis	tenéis	hacéis	vais
son	están	tienen	hacen	van

Use **ser** for inherent characteristics or permanent states such as identity, possession, origin, material of which something is made, nationality, origin, expressions of time, physical and personality description and occupation.

Use **estar** for temporary states or conditions such as mood and for location.

Example: *Soy alto* (I am tall). *Estoy cansado* (I am tired).

Beware! There are a number of expressions in Spanish that use *tener* where English uses 'to be'. Here are some examples:

tener ... años	to be ... years old
tener calor/frío	to be hot/cold
tener hambre/sed	to be hungry/thirsty

Use the expression **tener que** followed by an infinitive to convey the meaning of 'must'.

Example: *Tengo que hacer los deberes.* – I must do my homework.

Ex 1.6a Choose the correct verb.
1 Soy/Estoy Isabel.
2 Álvaro es/está muy alto.
3 El padre de María es/está arquitecto.
4 Soy/Estoy enfermo.
5 Hoy somos/estamos muy cansados.
6 Málaga es/está en Andalucía.
7 El café es/está frío.
8 Mi amigo Pepe es/está de Madrid

Ex 1.6b Use the correct form of the present tense of the irregular verbs *ser, estar, tener, hacer* and *ir* to fill in the gaps in this paragraph.

Todas las mañanas yo ...... al instituto en autobús aunque si ...... sol a veces ...... a pie con mi hermano. Mi hermano ...... dos años menos que yo, ... bajo y ...... el pelo rubio. ...... simpático pero a veces puede ser un poco pesado cuando ...... los deberes porque siempre quiere ayuda.

1.7 Reflexive verbs

The action of a subject is directed back to him/her: *me ducho* – I have a shower (I shower myself).

The infinitive has *–se* after its ending: *ducharse* (to have a shower).

To conjugate, place the corresponding reflexive pronoun (*me, te, se, nos, os, se*) immediately before the verb.

	du**charse** *(to have a shower)*
yo	**me** ducho
tú	**te** duch**as**
él/ella/Ud.	**se** ducha
nosotros/as	**nos** duch**amos**
vosotros/as	**os** duch**áis**
ellos/ellas/Uds.	**se** duch**an**

With the infinitive (*-ar, -er, -ir*), gerund (*-ando, -iendo*) and commands attach the reflexive pronoun to the end of the verb.

Example: *antes de ducharme* (before showering **myself**)

Ex 1.7a What do these reflexive verbs mean?
1 levantarse
2 afeitarse
3 quitarse
4 cepillarse
5 ducharse
6 despertarse
7 secarse
8 mirarse
9 bañarse
10 ponerse
11 maquillarse
12 lavarse

Ex 1.7b Use the verbs of exercise 1.7a to complete each sentence using the 'yo' form.
1 *Habitualmente el despertador suena a las seis pero no ...... hasta las seis y media.* Usually the alarm clock goes off at six but I don't get up until six thirty.
2 *Voy al cuarto de baño donde ...... la cara y ...... en el espejo.* I go into the bathroom where I wash my face and look at myself in the mirror.
3 *Después ...... el pijama y entro en la ducha.* Aftewards I take off my pijamas and go into the shower.
4 *Cuando termino ...... con la toalla y ...... el uniforme.* When I finish I dry myself with the towel and I put on my uniform.

Ex 1.7c Rewrite the sentences of exercise 1.7b in the third person singular (he/she).

1.8 Negative form

Form the negative by putting the word **no** in front the verb:

Es simpático. – He is nice.
No es simpático. – He is not nice.

Ex 1.8 Answer these questions using the negative form.
Example: *¿Es alto? No, no es alto.*

1 ¿Tienes 18 años?
2 ¿Vives en Madrid?
3 ¿Eres un(a) buen(a) estudiante?
4 ¿Hay seis personas en tu familia?
5 ¿Te gusta ver la tele?
6 ¿Pasas la aspiradora en casa?
7 ¿Te llevas mal con tus padres?
8 ¿Lleváis uniforme en el instituto?

1.9 Immediate future

Use the present tense of the verb *ir + a + infinitive* to say what you or someone else is going to do.

Voy a ir	I am going to go
Vas a ir	you (singular) are going to go
Va a ir	he/she is going to go
Vamos a ir	we are going to go
Vais a ir	you (plural) are going to go
Van a ir	they are going to go

Ex 1.9a Translate the following:
1 I am going to visit my grandma.
2 We are going to study maths.
3 They are going to play tennis in the sports centre.
4 We are going to do the shopping after breakfast.
5 I am going to watch TV in the lounge.
6 Mum is going to dance with her friends.

Ex 1.9b Say what your plans are for tomorrow.
1 Si mañana llueve …
 … primero − desayunar en la cocina.
 … después − leer mis emails.
2 Por la tarde …
 … ir a casa de mi amigo/a.
 … jugar con el ordenador.
3 Por la noche …
 … alquilar un DVD.
 … leer veinte minutos.

1.10 Adjectives

Use adjectives to describe people and things. Place them after the noun they describe.

Use the correct ending depending on the gender (masculine/feminine) and number (singular/plural) of the noun being described:

	Masculine	Feminine
Singular	*un* chico *alto* a tall boy	*una* chica *alta* a tall girl
Plural	*unos* chic*os* alt*os* some tall boys	*unas* chic*as* alt*as* some tall girls

Many adjectives end in *-o* in the masculine and in *-a* in the feminine form: *un niño bueno, una niña buena* (a good boy, a good girl).

Adjectives that end in *-e* or *-l* in the masculine don't change in the feminine form: *un coche verde* (a green car), *una casa verde* (a green house), *un ejercicio fácil* (an easy exercise), *una tarea fácil* (an easy task).

The few adjectives that end in *-a* in the masculine don't change in the feminine form: *un jóven deportista* (a sporty young boy), *una joven deportista* (a sporty young girl).

Some adjectives (mostly of quantity) are positioned before the noun and lose the *-o* before a masculine noun: *un **buen** profesor* (a good teacher), *un **mal** momento* (a bad momento), *el **primer** examen* (the first exam), *el **tercer** piso* (the third floor), ***ningún** problema* (no problem), ***algún** amigo* (some friend).

At times the position of the adjectives changes the meaning of the word: *un **pobre** chico* (an unfortunate boy), *un **chico** pobre* (a poor boy).

Grande becomes ***gran*** before both masculine and feminine nouns: *un **gran** artista* (a great artist), *una **gran** exhibición* (a great exhibition).

Ex 1.10a Complete the table.

English	Masculine singular	Feminine singular	Masculine plural	Feminine plural
Example: red	rojo	roja	rojos	rojas
	loco			
	alto			
	azul			
	débil			
	guapo			
	exigente			
	amable			

Ex 1.10b Translate the following:
1 a kind friend
2 a pretty girlfriend
3 some crazy teachers
4 the intelligent women
5 the blue trousers
6 a big day
7 the tall girls
8 a great singer
9 the artistic director
10 the weak students
11 the unfortunate parents
12 the third day

1.11 Comparatives

Use to compare one thing or person with another.

Regular	Exceptions
más …que (more … than) *menos … que* (less … than) *tan … como* (as… as) *Example: Ana es **más** alta **que** yo.* Ana is taller (more tall) than me.	*más bueno − mejor* (better) *más malo − peor* (worse) *más viejo − mayor* (older) *más joven − menor* (younger) *Example: Elsa es **mayor que** Alex.* Elsa is older than Alex.

Ex 1.11a Compare the following.
Example: madre/padre/estricta − Mi madre es más estricta que mi padre.
1 Mi abuelo/mi padre/mayor
2 Mi dormitorio/la cocina/pequeño
3 El colegio/la piscina/cerca
4 Los pantalones vaqueros/el vestido/caros

Ex 1.11b Now compare the following hobbies adding your own adjective.
1 Judo/lectura/……
2 Boxeo/ver la tele/……
3 Baloncesto/golf/……
4 Fútbol/navegar por internet/……

1.12 Superlative

Use the superlative to compare one thing or person to several others.

	Masculine	Feminine
Singular	el más ...	la más ...
Plural	los más ...	las más ...

*Este profesor es **el más** inteligente del colegio.* This is the most intelligent teacher in the school.

Leave out *el/la/los/las* when the superlative adjective follows the noun immediately:

*Éste es el libro **más** interesante que he leído recientemente.* This is the most interesting book I have read recently.

lo mejor/lo peor − the best thing/the worst thing
Lo mejor *de mi casa es el jardín.* The best thing about my house is the garden.

1.13 Absolute superlative

Add the endings *-ísimo, -ísima, -ísimos, -ísimas* to adjectives to add emphasis.
Mi madre es pesadísima. My mum is really, really annoying.

Ex 1.12 Look at the line up and make sentences using the adjectives in the box.

Example: Javier es el más elegante.

alto bajo gordo delgado guapo feo elegante serio

Ex 1.13 Now rephrase your sentences emphasising the adjectives.

Example: Javier es elegantísimo.

1.14 Possession

One way to express possession is by using the preposition *de*:
*el dormitorio **de** mi hermano* − my brother's bedroom

When using possessive adjectives, they must agree with the noun they describe:

	Masculine singular	Feminine singular	Masculine plural	Feminine plural
my	mi	mi	mis	mis
your (familiar)	tu	tu	tus	tus
his/her/your (formal)	su	su	sus	sus
our	nuestro	nuestra	nuestros	nuestras
your (familiar)	vuestro	vuestra	vuestros	vuestras
their/your (formal)	su	su	sus	sus

My:	Masculine	Feminine
Singular	mi hermano	mi hermana
Plural	mis hermanos	mis hermanas

Ex 1.14 Complete the sentences with the correct possessive adjectives.

1 ... padres no me dejan salir de noche.
2 Sofía tiene que compartir ... dormitorio con ... dos hermanas pequeñas.
3 Carlos, ¿Tienes ... entrada para el concierto?
4 Los chicos olvidaron ... libros en clase.
5 Vivo en una casa grande con ... padres, ... hermanos y ... perro Lepe.
6 Jorge y Luisa viven en Córdoba, ... casa es muy grande.

1.15 Quantifiers

Use to add additional information. When the quantifier is followed by an adjective it does not change:

un poco (a little), *muy* (very), *demasiado* (too) + adjective: **muy** *contento* (very happy), **muy** *contenta* (very happy).

When the quantifier is followed by a noun use the gender and number of the noun it refers to:

mucho café (a lot of coffee) BUT *muchas casas* (lots of houses)

Ex 1.15 Translate the following:

1 very friendly
2 a lot of homework
3 too cold
4 a little tired
5 too big
6 very small
7 lots of people
8 very strict

1.16 Interrogatives

Use an upside question mark at the beginning of the sentence and a regular one at the end to differentiate between questions and statements:

Statement:	**Question:**
Tienes hermanos.	*¿Tienes hermanos?*
You have siblings.	Do you have siblings?

Note that all question words have accents:

¿Qué? What?	*¿A qué hora?* At what time?
¿Por qué? Why?	*¿Cómo?* How?
¿Quien/quienes? Who?	*¿Cuál/Cuáles?* Which?
¿(A)Dónde? Where (to) ?	*¿Cuándo?* When?
¿Cuánto/Cuánta/Cuántos/Cuántas?	How much/how many?

Ex 1.16 Write the correct question word to complete the sentence so that it makes sense.

1 ¿..... sale el tren a Salamanca?
2 ¿..... es tu cumpleaños?
3 ¿..... es el chico de la camisa blanca?
4 ¿..... vamos a ir el sábado por la noche?
5 ¿..... están mis llaves?
6 ¿..... cuestan estos pantalones?
7 ¿..... te gusta más?
8 ¿..... es tu pueblo?

1.17 Personal 'a'

Use the preposition *'a'* after all verbs, except *tener*, when the direct object is a person or an animal:

*Llamo **a** Bea. I call Bea.* BUT *Compro un libro. I buy a book.*

Ex 1.17 Rewrite the following sentences filling in the blanks with the personal 'a' where necessary.

1 Voy a ver ... mi familia.
2 Tenemos que ayudar ... nuestros padres.
3 Tengo ... cinco hermanos.
4 Están llamando ... su hija.
5 Esperamos ... un email de Silvia.
6 Voy a beber ... un café.

Unit 1B

1.18 Adverbs

Use adverbs to describe verbs. Form by using the feminine adjective and the ending *-mente*:

lenta (slow) – *lentamente* (slowly)

Some adverbs do not end in *-mente*:

siempre/nunca – always/never
a menudo/rara vez – often/seldom
ALSO: *poco, bastante, muy, demasiado, bien, mal.*

Ex 1.18 Form adverbs from these adjectives.

1	claro	6	verdadero
2	rápido	7	feliz
3	cierto	8	agradable
4	nuevo	9	afortunado
5	triste	10	normal

1.19 Preterite tense

Use to speak about actions that began and ended in the past.

	hablar (to speak)	comer (to eat)	vivir (to live)
yo	habl**é**	com**í**	viv**í**
tú	habl**aste**	com**iste**	viv**iste**
él/ella/Ud.	habl**ó**	com**ió**	viv**ió**
nosotros/as	habl**amos**	com**emos**	viv**imos**
vosotros/as	habl**asteis**	com**isteis**	viv**isteis**
ellos/ellas/Uds.	habl**aron**	com**ieron**	viv**ieron**

Watch out for spelling changes:

c – qu: to**c**ar – to**qu**é   g – gu: ju**g**ar – ju**gu**é

Ex 1.19 Use your imagination and answer these questions.

1 ¿A qué hora salió el tren para París?
2 ¿Viajaste en avión?
3 ¿Fuisteis al cine el domingo?
4 ¿Cuándo cerró la tienda?
5 ¿A qué hora empezaron las clases?
6 ¿Hablaste con el alcalde?

1.20 Imperfect tense

Use for actions repeated over an indefinite period of time, to set the scene or to speak about what was happening when something else occurred.

	hablar (to speak)	comer (to eat)	vivir (to live)
yo	habl**aba**	com**ía**	viv**ía**
tú	habl**abas**	com**ías**	viv**ías**
él/ella/Ud.	habl**aba**	com**ía**	viv**ía**
nosotros/as	habl**abamos**	com**íamos**	viv**íamos**
vosotros/as	habl**abais**	com**íais**	viv**íais**
ellos/ellas/Uds.	habl**aban**	com**ían**	viv**ían**

Ex 1.20a Think back to when you were in primary school and use the verbs in the box to make sentences using the imperfect tense.

Example: **Jugaba** con mis amigos en el recreo.

jugar   levantarse   estudiar   gustar   tener   llamar
leer   hacer

Ex 1.20b Preterite or imperfect? Circle the correct verb.

1 Mi padre durmió/dormía cuando Elena llegó/llegaba a casa.
2 Hubo/había rebajas en mi tienda favorita cuando fui/iba el jueves pasado. ¡Las rebajas fueron/eran fenomenales!
3 Entré/entraba en el mercado cuando empezó/empezaba a llover.
4 Me bañé/Me bañaba cuando sonó/sonaba el despertador.
5 Mientras escuché/escuchaba la radio mi padre me interrumpió/interrumpía.
6 Estuve/estaba en mi dormitorio cuando Silvia telefoneó/telefoneaba.

1.21 Prepositions (including *por* and *para*)

Prepositions indicate where a person or object is:
   en – in, on, by: *en el parque, en la estación, en coche*

Many other prepositions are followed by *de*: *delante de, en frente de, al lado de*.

Use *por* to specify motive, means or exchange. It translates as: by, through, because of, out of, for the sake of, for:
   *Le di las gracias **por** su ayuda.* I thanked him for his help.

Use **para** to indicate purpose, suitability or destination.
It translates as: for, to, in order to, so as to:
   *Es un regalo **para** Clara.* It's a present for Clara.

Ex 1.21 Fill in the gaps with '*por*' or '*para*' as appropriate

1 No pudo venir al cine ... estar enfermo.
2 Vamos a salir ... Marruecos el jueves.
3 Hay que ser rico ... viajar a menudo.
4 Elisa es demasiado joven ... comprender el problema.
5 Estas revistas no son ... mí.
6 Voy a llamar a Cecilia ... teléfono esta noche.
7 Normalmente voy de vacaciones ... descansar.
8 Pagó 60€ ... las entradas.

1.22 Demonstrative adjectives and pronouns

Demonstrative adjectives always precede the noun and agree with it in gender and number.

	this/these		that/those		that one/those ones (over there)	
	Masc.	Fem.	Masc.	Fem.	Masc.	Fem.
Singular	este	esta	ese	esa	aquel	aquella
Plural	estos	estas	esos	esas	aquellos	aquellas

estas bicis – these bikes   *esas bicis* – those bikes
aquellas bicis – those bikes over there (even further away)

Demonstrative pronouns replace a noun, agreeing with its gender and number. They usually take an accent.
No es esta bici, es ésa. It is not this bike, it is that one.

Use the neuter form of the pronoun *esto* (this), *eso* (that) and *aquello* (that over there) for things whose gender is unknown. These forms have no plural.
   ¿Qué es esto? What is this?

Ex 1.22a Who are these gifts for? Follow the example.
Example: libro – Sara, Soraya, Elías
Este libro es para Sara pero **ese** es para Soraya y **aquel** para Elías.

1 pantalones – Jesús, Jorge, Gema
2 zapatos – papá, mamá, la abuela
3 pelota – perro, gato, hamster
4 camiseta – hermano, primo, amigo
5 flores – mamá, mi novia, mi profesora
6 CD – mi amiga, mi hermana, mi padre

Ex 1.22b Replace the words in brackets by the correct form of the demonstrative adjective or pronoun.

1 No son (*these*) bicicletas, son (*those*).
2 No es (*this*) doctor, it's (*that one over there*).
3 No es (*that* one over over there) mochila, es (*this one*).
4 No es (*that*) competición, es (*that one over there*).
5 (*This*) camiseta me queda mejor que (*that one*).
6 (*That*) desayuno es más sano que (*this one*).
7 (*These*) caballos son más rápidos que (*those*).
8 (*These*) deportistas ganaron más medallas que (*those over there*).

1.23 Cardinal numbers

1 uno/a	10 diez	100 cien
2 dos	20 veinte	200 dos cientos/as
3 tres	30 treinta	300 tres cientos/as
4 cuatro	40 cuarenta	400 cuatrocientos/as
5 cinco	50 cincuenta	500 quinientos/as
6 seis	60 sesenta	600 seiscientos/as
7 siete	70 setenta	700 setecientos/as
8 ocho	80 ochenta	800 cientos/as
9 nueve	90 noventa	900 novecientos
1000 mil	20.000 veinte mil	1.000.000 un millón
2000 dos mil	200.000 doscientos mil	2.000.000 dos millones

Beware: veintiuno, veintidós BUT treinta **y** uno, sesenta **y** dos

Ex 1.23a Practice saying these phone numbers out loud.

Example: 91 347 74 93 noventa y uno, tres cuatro siete, siete cuatro, nueve tres.

1 94 803 34 30
2 92 706 49 94
3 93 869 93 93
4 97 877 39 65
5 93 384 94 20
6 93 445 35 25
7 97 234 93 19
8 91 882 83 15

Ex 1.23b Write these numbers out.

1 1.008.907
2 87.798
3 14.679
4 176.077
5 768.909
6 3.467.892
7 7.945.932
8 78.657

1.24 Ordinal numbers

Do not use ordinal numbers for dates except for 'first': *El **primero** de agosto* BUT *el **ocho** de diciembre*.

Place the ordinal number in front of the noun it describes.
Primero and *tercero* drop the *-o* before masculine nouns: *el primer piso* (the 1st floor).

Use the feminine ending when describing a feminine noun: *el segundo piso* BUT *la segunda planta*.

1st	primero/a	6th	sexto/a
2nd	segundo/a	7th	séptimo/a
3rd	tercero/a	8th	octavo/a
4th	cuarto/a	9th	noveno/a
5th	quinto/a	10th	décimo/a

Ex 1.24 Translate the following:
1 the third floor
2 the fifth year
3 the tenth street
4 the third table
5 the ninth of January
6 the first books
7 the third student
8 the sixth door

Unit 2A

2.1 Radical-changing verbs

Some verbs change their stem vowels when the stress falls on them. Example: *jugar* – *juego*.

There are three groups of stem-changing verbs in the present tense:

o or u – ue: s**o**ler (*to usually ...*)	e – ie: p**e**nsar (*to think*)	e – i: rep**e**tir (*to repeat*)
su**e**lo	p**ie**nso	rep**i**to
su**e**les	p**ie**nsas	rep**i**tes
su**e**le	p**ie**nsa	rep**i**te
solemos	pensamos	repetimos
soléis	pensáis	repetís
su**e**len	p**ie**nsan	rep**i**ten

The 'we' and 'you plural' form remain regular because the stem vowel is not stressed.

Ex 2.1a Classify these verbs in three groups according to their stem change:
dormir (to sleep)
jugar (to play)
contar (to count)
empezar (to begin)
volver (to return)
entender (to understand)
conseguir (to obtain)
preferir (to prefer)
cerrar (to close)
pedir (to ask for)
volar (to fly)
elegir (to choose)

Ex 2.1b Complete the sentences with the correct form of the verb in brackets.
1 En verano, yo ...... (preferir) tomar el sol en la playa.
2 El cocinero no ...... (recomendar) el pescado.
3 Los estudiantes ...... (entender) las instrucciones del profesor.
4 Kelly siempre ...... (pensar) antes de responder.
5 Mi hermano y yo ...... (jugar) al tenis por la tarde.
6 Si ...... (llover), voy al gimnasio.
7 Susana y Clara, ¿qué ...... (soler) hacer al mediodía?
8 Cuando están de vacaciones, ... (almorzar) más tarde.

2.2 Opinions and third person verbs

In opinions such as *me gusta, me fascina, me interesa* ... etc:
• Use the determined article *el, la, los, las* before the noun. Add *'n'* to the verb when it is followed by a plural noun.
• Use the pronouns *me, te, le, nos, os, les.*

Me gusta el té. – I like tea. *Les gusta el té.* – They like tea.
But: *Me gustan los gatos.* – I like cats. *Les gustan los gatos.* – They like cats.

This also occurs with a few other verbs such as doler (to hurt):
Me duele la cabeza. – My head hurts. (I have a headache)
Me duelen los brazos. – My arms hurt.

Ex 2.2 Say in Spanish that ...
1 ... you love bungee-jumping
2 ... canoeing facinates her
3 ... we are interested in rock climbing
4 ... they love fútbol
5 ... you don't like tennis
6 ... he is not interested in science
7 ... they are fascinated by medicine
8 .... you are interested in losing weight
9 ... your feet hurt
10 ... her tummy aches

2.3 Time clauses

Use *hace* or the verb *llevar* to indicate the length of time an action has been taking place.

I have been studying for three days:

Hace + time + que + present : *Hace tres días que estudio.* OR
Present + *desde hace* + time : *Estudio desde hace tres días.* OR
Llevar + time + gerund: *Llevo tres días estudiando.*

Use *hace* with preterite to mean 'ago': *Aprendí a nadar hace tres años.* I learnt to swim three years ago.

Ex 2.3 Answer the questions.
1 ¿Hace cuánto tiempo que estudias español?
2 ¿Desde cuándo vives en tu casa?
3 ¿Cuánto tiempo hace que conoces a tu mejor amigo?
4 ¿Cuántas horas hace desde que desayunaste?
5 ¿Cuánto tiempo llevas sin visitar a tus abuelos?
6 ¿Hace cuánto tiempo que vas a tu colegio actual?
7 ¿Hace cuánto tiempo que practicas tu deporte favorito?
8 ¿Cuánto tiempo llevas viviendo en tu ciudad?

2.4 Present perfect

Use the present tense of *haber* (*he, has, ha, hemos, habéis, han*) followed by the past participle.

Beware that *haber* is an auxiliary verb and cannot be used as a synonym of *tener*.

To form the past participle add *-ado* to the stem of *-ar* verbs and *-ido* to the stem of *-er* and *-ir* verbs.

He jugado a las cartas. – I have played cards.
Hemos ido al cine. – We have gone to the cinema.

Here are some common irregular past participles to learn:

abrir (to open)	*abierto*	*poner* (top put)	*puesto*
escribir (to write)	*escrito*	*romper* (to break)	*roto*
hacer (to do)	*hecho*	*ver* (to see)	*visto*
morir (to die)	*muerto*	*volver* (to return)	*vuelto*

Ex 2.4 Use the verbs in the box with their correct present perfect forms to complete these sentences.

1 Mi hermana se levantó a las seis pero yo ...... hasta las doce.
2 Mis padres no ...... del trabajo todavía.
3 Kike, ¿...... al rugby esta mañana?
4 Ellos ...... temprano porque tenían hambre.
5 Mi amiga y yo ...... la natación desde los seis años.
6 Me ...... los oídos toda la semana.
7 Estoy tan ocupada que no ...... la tele desde el jueves.
8 Sara ...... tres emails a Jorge.

> volver   doler   dormir   escribir   desayunar   jugar
> practicar   ver

2.5 Dates, months and expressions of time

Do not use a capital letter for days and months unless they are found at the beginning of a sentence.

Los días de la semana	**Los meses del año**
lunes, martes, miércoles, jueves, viernes, sábado, domingo	enero, febrero, marzo, abril, mayo, junio, julio, agosto, septiembre, octubre, noviembre, diciembre

Always use the definite articles el/los before days of the week:
El martes iré al cine. – On Tuesday I will go to the cinema. (once)
Los lunes voy al cine. – On Mondays I go to the cinema. (regular)

Use the preposition *por* to refer to a particular part of the day: *el lunes **por** la mañana* (on Monday morning).

Other expressions of time:

el lunes pasado, la semana pasada, ayer	last Monday, last week, yesterday
mañana, pasado mañana	tomorrow, the day after tomorrow
el año que viene, el verano que viene	next year, next summer

Ex 2.5 Translate these sentences.

1 My birthday is on the 25th February.
2 On Wednesdays I play golf with my brother.
3 On Tuesday night I go to the cinema with my friend.
4 The day before yesterday I had a headache.
5 Next year I will buy a horse.
6 On Mondays and Tuesdays I go to the gym.

2.6 Impersonal verbs

Use *se* + **third person** to communicate the idea of 'one' or 'you/we' in a generalised way.

> *Se cometieron muchos errores.* Many mistakes were made.

A very useful impersonal verb is *se debe* + **infinitive** which translates into 'one must/we must':

> *Se debe comer sano.* One must eat healthily.

In Spanish impersonal verbs are often used to avoid the passive.

Ex 2.6a Answer the questions.

1 ¿Qué se habla en Perú?
2 ¿Qué se come en Inglaterra?
3 ¿Qué deportes se practican en tu instituto?
4 ¿Qué se bebe en tu casa?
5 ¿Qué se hace en la piscina?
6 ¿Dónde se come bien?

Ex 2.6b Join the two parts of the sentences so that it makes the most sense.

1 En la pescadería ...	5 En los museos ...
2 En las montañas...	6 En la piscina ...
3 En el hospital ...	7 En España ...
4 En el bar ...	8 En los lugare públicos ...

a ... se curan los enfermos.
b ... se sirven cafés.
c ... se exhiben obras de arte.
d ... se come la dieta mediterránea.
e ... se prohíbe fumar.
f ... se compra el pescado.
g ... se aprende a nadar.
h ... se practica el esquí.

Unit 2B

2.7 Direct object pronouns

They precede the verb and replace nouns to avoid repetition. To identify the direct object ask 'what?' or 'whom'?
Singular: *me, te, lo/la*   Plural: *nos, os, los/las*

*Prepara **la cena**. – **La** prepara.*
He prepares dinner. – He prepares it. (What does he prepare?)

Ex 2.7 Answer these questions. Use direct object pronouns to avoid repetition.

1 ¿Invitaste a Sofía? Sí, ...
2 ¿Compraste los patines? No, ...
3 ¿Tienes las mochilas? Sí, ...
4 ¿Llamaste a tus padres? No, ...
5 ¿Comiste el helado? Sí, ...
6 ¿Ganaron la carrera? Sí, ...

2.8 Indirect object pronouns

Use the indirect object pronoun to tell **for whom** or **to whom** the action is done.

Singular: *me, te, le*   Plural: *nos, os, les*

> *Elisa **me** compró un libro.* – Elisa bought **me** a book.
> *Susana **le** dio la entrada.* – Susana gave **him/her** the ticket.

When you have more than one pronoun in a sentence, use RID (reflexive, indirect, direct).

Note that the indirect object pronouns *le/les* becomes se when there is a direct object *lo/la* in the same sentence:

> *Le doy el CD a Jaime.* – I give the CD to Jaime.
> *Se lo doy.* (NOT *le lo doy*) – I give it to him.

Object pronouns are generally placed immediately before the verb except for infinitive, gerund and command forms, in which case they follow the verb and they become part of the same word: *¡Cómpratelas!* – buy them for you!

Ex 2.8a Rewrite the sentences substituting the underlined words for the correct pronoun.

1 Pidió dinero <u>a su madre</u>.
2 Devolví los libros <u>a la biblioteca</u>.
3 Luisa prepara comida <u>para ellos</u>.
4 Escribí un email <u>a ti</u>.
5 Repartimos los juguetes <u>a los niños</u>.
6 Envió una postal <u>a mí</u>.

Ex 2.8b Substitute the direct and indirect objects

Example: Él compra/las películas/a su novia. – Él se las compra.

1 El agente de viajes hace/las reservas/para ellos.
2 El hombre del tiempo explica/el tiempo/a los televidentes.
3 Jorge trae/los regalos/a nosotras.
4 Rosario prepara/un café irlandés/para mí.
5 Pedro no dice/las buenas noticias/a vosotros.
6 El médico da/una receta/al enfermo.

2.9 Present and past continuous

Use the present continuous to express a continuing action in the present which is still in progress and not yet completed:

> *Estoy estudiando español.* – I am studying Spanish.

Use the present tense of the verb *estar* + gerund. To form the gerund, add *-ando* to the stem of *-ar* verbs and add *-iendo* to the stem of *-er* or *-ir* verbs:

> *hablar* (to speak) – *hablando* (speaking)
> *comer* (to eat) – *comiendo* (eating)
> *vivir* (to live) – *viviendo* (living)

Use the past continuous to express a continuing action in the past which is often interrupted by a second shorter action in the preterite:

> *Estaba cocinando (cuando llegaste).* – I was cooking (when you arrived).

Ex 2.9 Complete these sentences with the present or past continuous of the verbs in the box.

1 El chico ...... la radio.
2 En la playa, los niños ...... un castillo de arena.
3 Yo ...... la tele cuando mi hermano llegó a casa.
4 Mi hermano ...... en la piscina.
5 Mis padres ...... la comida para mi fiesta.
6 Sofía ...... francés cuando la profesora enfermó.
7 Ahora yo ...... la cena para mi familia.
8 Mis amigos y yo ...... una película.

> ver   escuchar   preparar   nadar   comprar
> estudiar   hacer   mirar

Unit 3A and 3B

3.1 Relative pronouns

These may refer to people, things, actions, events or ideas and generally introduce a subordinate clause.

que – that
quien/quienes – who
el/la cual, los/las cuales – which
Fernando, quien ganó el concurso de cocina, es un buen cocinero.
Fernando, who won the competition, is a good cook.

Use *lo que* or *lo cual* to refer to a statement, concept or idea previously mentioned:

> *La dieta mediterranea es más sana, **lo que** me resulta interesante.* The Mediterranean diet is healthy, which I find interesting.

Ex 3.1 Combine both sentences in one using a relative pronoun to avoid repetition.

Example: La casa está cerca del colegio. La casa es de Juanjo.
– La casa que está cerca del colegio es de Juanjo.

1 Las flores son más bonitas. Las flores están en el parque.
2 Vimos los leones en el zoo. Los leones son de Kenia.
3 Vimos la película. La película no fue interesante.
4 Esteban vio a las mujeres. Las mujeres no pagaron por sus entradas.
5 La cantante es muy famosa. La cantante tiene miedo a engordar.
6 Marlo es un buen amigo. Marlo toca el piano.

3.2 Negatives

Remember, use *no* in front of a statement to make it negative:

> *Juego al golf.* (I play golf.) – *No juego al golf.* (I don't play golf.)

Other common negatives:

nunca, jamás	never	*tampoco*	neither
nada	nothing	*ninguno/a*	none
nadie	no one	*ni ... ni*	neither ... nor

Be aware that two or even three negative words can be used in the same sentence in Spanish:

> ***Nunca** viene **nadie** temprano.* – No one ever comes early.

Ex 3.2 Fill in the blanks with the appropriate negative word.

1 Juan no quiere hacer ......
2 No conozco a ...... en este colegio.
3 No hay ...... nuevo.
4 Yo todavía no he trabajado ......
5 ...... iría de vacaciones con mis padres.
6 Marisol no viene ...... a verme.

3.3 Possessive pronouns

They agree in gender and number with the noun they replace. Always use the appropriate definite article except after the verb *ser*:

*mi piso y **el tuyo** –* my flat and yours
*Estas manzanas son **nuestras**.* – These apples are ours.

	Singular	Plural
mine:	el mío, la mía	los míos, las mías
yours:	el tuyo, la tuya	los tuyos, las tuyas
his, hers, its, yours:	el suyo, la suya	los suyos, las suyas
ours:	el nuestro, la nuestra	los nuestros, las nuestras
yours:	el vuestro, la vuestra	los vuestros, las vuestras
theirs, yours:	el suyo, la suya	los suyos, las suyas

3.4 Volver a and acabar de

Use *volver a* + **infinitive** when you want to say 'again':

Volvió a llegar tarde. – He was late again.

Use *acabar de* + **infinitive** to say that something has just happened:

Acabo de llamar a Lucia. – I have just called Lucia.

Ex 3.3 Replace the word in brackets with the appropriate form of the possessive pronoun.

1 Tu perro y (*hers*)
2 Su médico y (*mine*)
3 Sus deberes y (*yours singular*)
4 Mis amigos y (*yours plural*)
5 Nuestro instituto y (*theirs*)
6 Tu madre y (*mine*)
7 Mi cerveza y (*yours singular*)
8 Nuestra dieta y (*yours plural*)

Unit 4A

4.1 Future simple

Use this future to talk about what you **will** do.

Keep the full infinitive and add the relevant ending which is the same for *-ar, -er* and *-ir* verbs.

*viajar**é**, viajar**ás**, viajar**á**, viajar**emos**, viajar**éis**, viajar**án***

Check tables on pages 211 and 212 for common irregular verbs.

Ex 4.1 Rewrite these sentences in the future simple.

1 Este verano voy a ir a Vietnam de vacaciones.
2 Va a hacer muy buen tiempo.
3 Vamos a ir a una fiesta después del instituto.
4 Soraya va a ir a Honduras y va a aprender español allí.
5 Voy a viajar en avión porque es más rápido.
6 Voy a dormir hasta muy tarde todas las mañanas.

4.2 Conditional

Use to express what you **would** do or what **would** happen.

Keep the full infinitive and add the relevant ending which is the same for *-ar, -er* and *-ir* verbs.

Hablaría, hablarías, hablaría, hablaríamos, hablaríais, hablarían

Ex 4.2 Imagine what would you do if you won the lottery. Write ten sentences.
Example: Compraría una mansión con doce habitaciones.

4.3 Imperative mood

The imperative is used for commands, direct orders, instructions or guidelines. A command can only be given to the second person 'you' singular or plural and in either familiar or polite forms.

	-AR hablar *(to speak)*		-ER beber *(to drink)*		-IR subir *(to go up)*	
	Positive	Negative	Positive	Negative	Positive	Negative
tú	¡habla!	¡no hables!	¡bebe!	¡no bebas!	¡sube!	¡no subas!
usted	¡hable!	¡no hable!	¡beba!	¡no beba!	¡suba!	¡no suba!
vosotros	¡hablad!	¡no habléis!	¡bebed!	¡no bebáis!	¡subid!	¡no subáis!
ustedes	¡hablen!	¡no hablen!	¡beban!	¡no beban!	¡suban!	¡no suban!

Ex 4.3a Complete the sentences with the familiar form of the imperative of one of the verbs in the box.

1 Por favor Ana, ... más alto, no te entiendo.
2 Sol, ... tu número de teléfono por favor.
3 A ver, ... una vez más tu problema.
4 Juan, ... mis instrucciones.
5 ¡Luís, ... el teléfono ya!
6 ...... al señor Rodriguez inmediatamente.

hablar   llamar   explicar   colgar   repetir   escuchar

Ex 4.3b Now use the polite form of the imperative in the sentences above, if necessary.

Ex 4.3c Write the negative of these commands.

1 ¡Lee los folletos!
2 ¡Haz tu reservar!
3 ¡Practica el golf!
4 ¡Esfuérzate con el idioma!

Verb Tables

Infinitive	Present tense		Present perfect	Preterite tense	Imperfect tense	Future tense	Conditional
Regular verbs							
Regular –AR hablar (*to speak*)	hablo hablas habla	hablamos habláis hablan	he/has/ha/ hemos/ habéis/han hablado	**habl**é, aste, ó, amos, asteis, aron	**hablab**a, as, a, amos, ais, an	**hablar**é, ás, á, emos éis, án	**hablar**ía, ías, ía, íamos, íais, ían
Regular –ER comer (*to eat*)	como comes come	comemos coméis comen	he/has/ha/ hemos/ habéis/han comido	**com**í, iste, ió, imos, isteis, ieron	**com**ía, ías, ía, íamos, íais, íeron	**comer**é, ás, á, emos, éis, án	**comer**ía, ías, ía, íamos, íais, ían
Regular –IR vivir (*to live*)	vivo vives vive	vivimos vivís viven	he/has/ha/ hemos/ habéis/han vivido	**viv**í, iste, ió, imos, isteis, ieron	**viv**ía, ías, ía, íamos, íais, ían	**vivir**é, ás, á, emos, éis, án	**vivir**ía, ías, ía, íamos, íais, ían
Irregular verbs							
dar (*to give*)	doy das da	damos dais dan	he/has/ha/ hemos/ habéis/han dado	**d**i, iste, io, imos, isteis, ieron	**da**ba, bas, ba, bamos, bais, ban	**dar**é, ás, á, emos, éis, án	**dar**ía, ías, ía, íamos, íais, ían
despertarse (*to wake up*)	me despierto te despiertas se despierta	nos despertamos os despertáis se despiertan	me he/te has/ se ha/nos hemos/os habéis/se han despertado	(me) **despert**é, aste, ó, amos, asteis, aron	(me) **desperta**ba, bas, ba, bamos, bais, ban	(me) **despertar**é, ás, á, emos, éis, án	**me despertar**ía, ías, ía, íamos, íais, ían
estar (*to be*)	estoy estás está	estamos estáis están	he/has/ha/ hemos/ habéis/han estado	**estuv**e, iste, o, imos, isteis, ieron	**esta**ba, bas, ba, bamos, bais, ban	**estar**é, ás, á, emos, éis, án	**estar**ía, ías, ía, íamos, íais, ían
hacer (*to do/ to make*)	hago haces hace	hacemos hacéis hacen	he/has/ha/ hemos/ habéis/han hecho	**hi**ce, ciste, zo, cimos, cisteis, cieron	**hac**ía, ías, ía, íamos, íais, ían	**har**é, ás, á, emos, éis, án	**har**ía, ías, ía, íamos, íais, ían
ir (*to go*)	voy vas va	vamos vais van	he/has/ha/ hemos/ habéis/han ido	**fu**i, iste, e, imos, isteis, eron	**i**ba, bas, ba, bamos, bais, ban	**ir**é, ás, á, emos, éis, án	**ir**ía, ías, ía, íamos, íais, ían
jugar (*to play*)	juego juegas juega	jugamos jugáis juegan	he/has/ha/ hemos/ habéis/han jugado	**jug**ué, aste, ó, amos, asteis, aron	**juga**ba, bas, ba, bamos, bais, ban	**jugar**é, ás, á, emos, éis, án	**jugar**ía, ías, ía, íamos, íais, ían

Infinitive	Present tense		Present perfect	Preterite tense	Imperfect tense	Future tense	Conditional
pensar (*to think*)	pienso piensas piensa	pensamos pensáis piensan	he/has/ha/ hemos/ habéis/han pensado	**pens**é, aste, ó, amos,t asteis, aron	**pens**aba, bas, ba, bamos, bais, ban	**pens**aré, ás, á, íamos, éis, án	**pens**aría, ías, ía, íamos, íais, ían
poner (*to put/ to set*)	pongo pones pone	ponemos ponéis ponen	he/has/ha/ hemos/ habéis/han puesto	**pus**e, iste, o, imos, isteis, ieron	**pon**ía, ías, ía, íamos, íais, ían	**pondr**é, ás, á, emos, éis, án	**pondr**ía, ías, ía, íamos, íais, ían
poder (*to be able to*)	puedo puedes puede	podemos podéis pueden	he/has/ha/ hemos/ habéis/han podido	**pud**e, iste, o, imos, isteis, ieron	**pod**ía, ías, ía, íamos, íais, ían	**podr**é, ás, á, emos, éis, án	**podr**ía, ías, ía, íamos, íais, ían
preferir (*to prefer*)	prefiero prefieres prefiere	preferimos preferís prefieren	he/has/ha/ hemos/ habéis/han preferido	**prefer**í, iste, ió, imos, isteis, ieron	**prefer**ía, ías, ía, íamos, íais, ían	**preferir**é, ás, á, emos, éis, án	**preferir**ía, ías, ía, íamos, íais, ían
querer (*to want*)	quiero quieres quiere	queremos queréis quieren	he/has/ha/ hemos/ habéis/han querido	**quis**e, iste, o, imos, isteis, ieron	**quer**ía, ías, ía, íamos, íais, ían	**querr**é, ás, á, emos, éis, án	**querr**ía, ías, ía, íamos, íais, ían
saber (*to know*)	sé sabes sabe	sabemos sabéis saben	he/has/ha/ hemos/ habéis/han sabido	**sup**e, iste, o, imos, isteis, ieron	**sab**ía, ías, ía, íamos, íais, ían	**sabr**é, ás, á, emos, éis, án	**saber**ía, ías, ía, íamos, íais, ían
salir (*to go out*)	salgo sales sale	salimos salís salen	He/Has/ Ha/Hemos/ Habéis/Han salido	**sal**í, iste, ió, imos, isteis, ieron	**sal**ía, ías, ía, íamos, íais, ían	**saldr**é, ás, á, emos, éis, án	**saldr**ía, ías, ía, íamos, íais, ían
ser (*to be*)	soy eres es	somos sois son	he/has/ha/ hemos/ habéis/han sido	**fu**i, iste, e, imos, isteis, eron	**er**a, as, a, amos, ais, an	**ser**é, ás, á, emos, éis, án	**ser**ía, ías, ía, íamos, íais, ían
tener (*to have*)	tengo tienes tiene	tenemos tenéis tienen	he/has/ha/ hemos/ habéis/han tenido	**tuv**e, iste, o, imos, isteis, ieron	**ten**ía, ías, ía, íamos, íais, ían	**tendr**é, ás, á, emos, éis, án	**tendr**ía, ías, ía, íamos, íais, ían
venir (*to come*)	vengo vienes viene	venimos venís vienen	he/has/ha/ hemos/ habéis/han valido	**vin**e, iste, o, imos, isteis, ieron	**ven**ía, ías, ía, íamos, íais, ían	**vendr**é, ás, á, emos, éis, án	**vendr**ía, ías, ía, íamos, íais, ían
volver (*to go back*)	vuelvo vuelves vuelve	volvemos volvéis vuelven	he/has/ha/ hemos/ habéis/han vuelto	**volv**í, iste, ió, imos, isteis, ieron	**volv**ía, ías, ía, íamos, íais, ían	**volver**é, ás, á, emos, éis, án	**volver**ía, ías, ía, íamos, íais, ían

Vocabulario español—inglés

A

de **abajo** below
abierto/abierta adj open
un/una **abogado/abogada** nm/nf a lawyer
un **abono** nm season ticket
un **abrazo** nm a hug
una **abreviatura** nf an abbreviation
abrir v to open
un/una **abuelo/abuela** nm/nf a grandfather/grandmother
aburrido/aburrida adj bored
aburrirse v to get bored
acabar de ... v to have just ...
acceder v to gain access
el **aceite de oliva** nm olive oil
las **aceitunas** nf pl olives
un **acento** nm an accent
acercarse v to approach
acogedor/acogedora adj friendly
acoger v to take in
acompañar to accompany
acostarse v to go to bed
una **actividad** nf an activity
un/una **actor/actriz** nm/f an actor
la **actualidad** nf news
actualmente nowadays
de **acuerdo** agreed
acústico/acústica adj noise
adecuado/adecuada adj suitable
además what's more, besides
adentrarse v to go deep into
adivinar v to guess
la **aduana** nf customs
una **aeronave** nm an airliner
el **aeropuerto** nm airport
una **afición (por)** nf a liking (for)
una **afirmación** nf a statement
agarrar v to take hold of
un **agobio** nm a nightmare
agotado/agotada adj exhausted
agradable adj pleasant
agradecer v to be grateful
agredir v to attack
el **agua** nf water

un **aguacate** nm an avocado
aguantar v to endure
ahora now
ahuyentar v to frighten off
el **aire acondicionado** nm air-conditioning
al **aire libre** outdoors
aislado/aislada adj isolated
aislar v to isolate
el **ajedrez** nm chess
ajeno/ajena adj alien, foreign
albergar v to accommodate
alegre adj happy
algo something
algún/alguna adj some, any
aliviar v to relieve
allí there
el **almuerzo** nm lunch
el **alojamiento** nm accommodation
alojarse v to stay
el **alquiler** nm rent
alrededor around
alto/alta adj tall
amable adj kind
un **ambiente** nm atmosphere
una **amenaza** nf a threat
amenazar v to threaten
amistoso/amistosa adj friendly
amplio/amplia adj spacious
un/una **anciano/anciana** nm/nf older man/woman
un **andén** nm platform
andino/andina adj Andean
anglosajón/anglosajona adj Anglo-Saxon
la **ansiedad** nf anxiety
con **antelación** in plenty of time
anterior adj previous
antes before
antiguo/antigua adj old
antipático/antipática adj unpleasant
un **anuncio** nm an advert
añadir v to add
apagar v to switch off
un **aparcamiento** nm a parking space
un/una **apasionado/apasionada** nm/nf a fan
apoderarse v to take

control of
apoyar v to rest
aprender v to learn
un/una **aprendiz/aprendiza** nm/nf an apprentice
aprovechar v to take advantage of
apuntar v to make a note of
aquí here
una **araña** nf a spider
un **árbol** nm a tree
la **arena** nf sand
un **armario** nm a wardrobe
un/una **arquitecto/arquitecta** nm/nf an architect
arreglar v to tidy
arriba above
el **arroz** nm rice
asado/asada adj roast
un **ascensor** nm a lift
asegurar v to secure
los **aseos** nm pl toilets
una **asignatura** nf subject
asqueroso/asquerosa adj disgusting
un **atasco** nm a traffic jam
aterrizar v to land
atrevido/atrevida adj cheeky
el **atún** nm tuna
el **aula** nf classroom
aunque although
ausente adj absent
averiado/averiada adj broken-down
un **avión** nm a plane
ayudar v to help
un/una **azafata** nm/nf flight attendant
azul adj blue

B

el **bacalao** nm cod
el **bachillerato** nm A-level exams
bailar v to dance
un **baile** nm a dance
el **baloncesto** nm basketball
un **banco** nm a bench
una **banda sonora** nf a soundtrack
bañarse v to have a bath
un **baño** nm a bath
barato/barata adj cheap
un **barco** nm a boat
un **barrio** nm a district
bastante quite
la **basura** nf rubbish

la **batería** nf a drum kit
beber v to drink
una **bebida** nf a drink
la **belleza** nf beauty
bello/bella adj beautiful
un **bicho** nm an insect
una **bici** nf a bike
un **billete sencillo** nm a single ticket
un **bocadillo** nm a sandwich
una **boda** nf a wedding
el **bodrio** nm rubbish
la **bolera** nf bowling alley
un **bolígrafo** nm a ballpoint pen
los **bolos** nm pl bowling
una **bolsa** nf a bag
bonita/bonito adj pretty
los **bosques** nm pl woods
el **botellón** nm (street) drinking party
breve adj short
una **broma** nf a joke
el **buceo** nm diving
buen provecho enjoy your meal
bueno all right
buscar v to look for
un **buzo** nm a diver

C

un **caballo** nm a horse
la **cabeza** nf head
cabezudo/cabezuda adj stubborn
cada each
caer v to fall
una **caja** nf a box
la **calefacción** nf heating
el **calentamiento global** nm global warming
caliente adj hot
una **calificación** nf qualification
el **calimocho** nm red wine and cola
callado/callada adj quiet
la **calle** nf street
camaleónico/camaleónica adj chameleon-like
un/una **camarero/camarera** nm/nf waitress
cambiar v to change
el **cambio climático** nm climate change
un **cambio** nm a change
caminar v to walk
un **camión** nm a lorry
una **camiseta** nf a T-shirt

un **campamento** *nm* a camp
un/una **campesino/campesina**
  nm/nf country person
una **cancha** *nf* a court
una **canción** *nf* a song
un **canguro** *nm* a kangaroo
hacer **canguro** *v* to babysit
una **canoa** *nf* a canoe
  cansado/cansada *adj*
  tired
un/una **cantante** *nm/nf* a singer
un/una **cantautor/cantautora**
  nm/nf singer-songwriter
la **cara** *nf* face
  cariñoso/cariñosa *adj*
  affectionate
el **carné de conducir** *nm*
  driving licence
un/una **carnicero/carnicera** *nm/*
  nf a butcher
un/una **carpintero/carpintera**
  nm/nf a carpenter
una **carrera** *nf* a race, career
una **carretera** *nf* road
una **carta** *nf* a letter
la **cartelera** *nf* publicity
  board
una **casa** *nf* a house
un **casco** *nm* a helmet
  casi almost
un **castaño** *nm* chestnut tree
  castigar *v* to punish
unas **cebollas** *nf pl* onions
  célebre *adj* famous
una **celebridad** *nf* a celebrity
la **cena** *nf* dinner
  cenar *v* to have dinner
  cercano/cercana *adj*
  nearby
un **cerdo** *nm* a pig
el **cero** *nm* zero
la **cerveza** *nf* beer
el **césped** *nm* grass, lawn
un **chapulín** *nm* a
  grasshopper
  charlar *v* to chat
  chato/chata *adj* snub
  (nose)
un/una **chaval/chavala** *nm/nf* a
  kid
  chiflarse *v* to be crazy
  about
un/una **chiquillo/chiquilla** *nm/nf* a
  youngster
un/una **chiquito/chiquita** *nm/nf* a
  little girl/boy
una **chuchería** *nf* trinket,
  knick-knack
una **chuleta** *nf* a chop
una **cicatriz** *nf* a scar
un **ciclo** *nm* a series
un/una **cirujano/cirujana** *nm/nf* a
  surgeon
una **ciudad** *nm* a town
  claro *adj* pale (colour)
  cobarde *adj* cowardly

la **cocina** *nf* kitchen
  cocinar *v* to cook
un/una **cocinero/cocinera** *nm/nf*
  a cook
  codiciado/codiciada *adj*
  coveted
el **codo** *nm* elbow
  coger *v* to take
una **cola** *nf* a queue
un **colchón** *nm* a mattress
el **cole** *nm* school
un/una **colega** *nm/nf* a colleague
una **colina** *nf* a hill
  colocar *v* to put
  comenzar *v* to begin
  comer *v* to eat
una **cometa** *nf* a kite
la **comida** *nf* food
el **comienzo** *nm* beginning
  cómodo/cómoda *adj*
  comfortable
un **compact** *nm* CD
una **comparación** *nf* a
  comparison
  competir *v* to compete
  comprar *v* to buy
las **compras** *nf pl* the
  shopping
  con with
  concienciar *v* to make
  aware
  concordar *v* to agree
  concurrido/concurrida
  adj busy
el **concurso** *nm* competition
un/una **conejo/coneja** *nm/nf* a
  rabbit
un **conjunto** *nm* a group
  conocer *v* to know
un **consejo** *nm* a piece of
  advice
el **conserje** *nm* caretaker
una **consola de videojuegos**
  nf a games console
un/una **contable** *nm/nf* an
  accountant
un **contado** *nm* a county
  contagiar *v* to pass on
la **contaminación** *nf*
  pollution
  contar *v* to count
  contrario/contraria *adj*
  opposite
  convencer *v* to convince
una **copa** *nf* a drink
el **corazón** *nm* heart
una **cordillera** *nf* mountain
  range
un **cormorán** *nm* a
  cormorant
un **coro** *nm* a choir
un/una **corredor/corredora** *nm/*
  nf a rider
un **correo electrónico** *nm*
  an e-mail
  correr *adj* to run

una **corrida (de toro)** *nm* a
  bullfight
  cortar *v* to cut
  cortés *adj* polite
  corto/corta *adj* short
una **cosa** *nf* a thing
la **costumbre** *nf* the habit
una **costurera** *nf* a seamstress
  cotillear *v* to gossip
  creer *v* to believe
un **crepa** *nf* a pancake
un **crucero** *nm* a cruise
un **crucigrama** *nm* a
  crossword
  crujiente *adj* crunchy
  cruzar *v* to cross
una **cualidad** *nf* a quality
  cualquier any
  ¿cuándo? when?
  cuarto/cuarta *adj* fourth
  cubierto/cubierta *adj*
  covered
los **cubiertos** *nm pl* cutlery
un **cubo** *nm* a bucket, cube
la **cuenta** *nf* the bill
una **cueva** *nf* a cave
un **cuí** *nm* a guinea pig
  cuidar *v* to look after
un **cumpleaños** *nm* a
  birthday
  cumplir *v* to achieve
una **cuna** *nf* a cot

D

el **daño** *nm* damage
  dar *v* to give
  dar vuelta *v* to turn round
los **datos** *nmpl* details
los **deberes** *nm pl* homework
  décimo/décima *adj* tenth
  decir *v* to say
  dedicarse *v* to devote
  oneself
el **dedo gordo** *nm* thumb
un **dedo** *nm* a finger
la **deforestación** *nf*
  deforestation
  dejar *v* to leave
  delante de in front of
un **delfín** *nm* a dolphin
los/las **demás** the remaining
  demasiado/demasiada
  adj too much, many
  demostrar *v* to prove
  densamente densely
  dentro de inside, within
un/una **dependiente/**
  dependienta *nm/nf*
  shop assistant
el **deporte** *nm* sport
un/una **deportista** *nm/nf*
  sportsman/sportswoman
  deprimente *adj*
  depressing
el **derecho** *nm* right

  desagradable *adj*
  unpleasant
  desarrollarse *v* to take
  place
  desayunar *v* to have
  breakfast
el **desayuno** *nm* breakfast
  descansar *v* to have a rest
  desconocido/
  desconocida *adj*
  unknown
un **descuento** *nm* a discount
  desde from, since
  desear *v* to wish
los **desechos radioactivos**
  nm pl radioactive waste
la **desembocadura** *nf*
  mouth, estuary
por **desgracia** unfortunately
  deshabitado/
  deshabitada *adj*
  uninhabited
  desnudo/desnuda *adj*
  naked
  desordenado/
  desordenada *adj* untidy
  despedir to see someone
  off
un **despegue** *nm* take-off
  despeinado/despeinada
  adj dishevelled
  despertarse *v* to wake up
la **despoblación** *nf*
  depopulation
  después de after
  destruir *v* to destroy
un **desvío** *nm* a detour
  devolver *v* to give back,
  return
un **día** *nm* a day
el **dinero** *nm* money
  disfrazado/disfrazada *adj*
  in fancy dress
  dislocar *v* to dislocate
  disponible *adj* available
  divertido/divertida *adj*
  funny
  divertirse *v* to have a
  good time
  doler *v* to hurt
  ¿dónde? where?
  dorado/dorada *adj*
  golden
  dormido/dormida *adj*
  asleep
  dormirse *v* to go to sleep
un **dormitorio** *nm* a
  bedroom
una **droguería** *nf* chemist's
  ducharse *v* to have a
  shower
  dudar *v* to doubt
  dulce *adj* gentle, kind
los **dulces** *nm pl* sweets
  duro/dura *adj* hard

E

echar de menos v to miss
ecológico/ecológica adj ecological
el **ecoturismo** nm ecotourism
un **edificio** nm a building
egoísta adj selfish
un/una **electricista** nm/nf an electrician
elegir v to choose
embarazada adj pregnant
emborracharse v to get drunk
unos **embutidos** nm pl sausages
emparejar v to match up
empezar v to begin
un **empleo** nm a job
una **empresa** nm a company
en lugar de instead of
encantar v to love (something)
encerrar v to lock up
encima de on top of
encontrarse v to meet up with
una **encuesta** nf a survey
el **enero** nm January
enfadarse v to get angry
una **enfermedad** nf an illness
un/una **enfermero/enfermera** nm/nf a nurse
enfrente de opposite
engordar v to put on weight
enhorabuena congratulations
enriquecedor/enriquecedora adj enriching
ensayar v to rehearse
ensuciar v to get/make dirty
entender v to understand
entero/entera adj whole
la **entonación** nf intonation
entonces then
el **entorno**
entretenido/entretenida adj enjoyable
el **entretenimiento** nm entertainment
una **entrevista** nf an interview
entrevistar v to interview
equilibrado/equilibrada adj well-balanced
el **equipaje** nm luggage
la **equitación** nf riding
una **equivocación** nf a mistake
equivocado/equivocada adj wrong
equivocarse v to make a mistake
érase una vez once upon a time

la **escalada** v climbing
escoger v to choose
un/una **escritor/escritora** nm/nf a writer
el **escritorio** nm a desk
un **esfuerzo** nm an effort
la **espalda** nf back
un **espejo** nm a mirror
el **espeleología** nm potholing
las **espinacas** nf pl spinach
esquiar v to ski
una **esquina** nf a corner
estable adj stable
la **estación** nf station
una **estantería** nf bookcase
estar v to be
una **estatua** nf a statue
una **estatuilla** nf a statuette
un **estilo de vida** nm a lifestyle
el **estilo libre** nm front crawl, freestyle
estimulante adj stimulating
una **estrategia** nf a strategy
una **estrella** nf a star
el **estrés** nm stress
estresado/estresada adj under stress
estricto/estricta adj strict
una **estructura** nf a structure
evitar v to avoid
exigente adj demanding
un **éxito** nm a success
una **exposición** nf an exhibition
un **extintor** nm an extinguisher
el **extranjero** nm abroad
extranjero/extranjera adj foreign
extrovertido/extrovertida adj outgoing
exuberante adj flamboyant

F

una **fábrica** nf a factory
una **faceta** nf an aspect
una **faena** nf a chore
falso/falsa adj false
una **falta** nm a lack
faltar v to be missing
un **fastidio** nm a nuisance
una **fecha** nf date
feo/fea adj ugly
festejar v to celebrate
fijamente fixedly
fijo/fija adj fixed
la **filosofía** nf philosophy
una **finca** nf a farm
firmar v to sign
la **fluidez** nf fluency

una **fobia** nf a phobia
una **foca** nf a seal
un **folleto** nm a leaflet
el **fondo** nm bottom
un/una **fontanero/fontanera** nm/nf a plumber
el **footing** nm jogging
fregar los platos v to wash the dishes
un **freno** nm a brake
el **frente** nm front
fresco/fresca adj fresh
los **frijoles** nm pl beans
frío/fría adj cold
un **fuego** nm a fire
fuera outside
fuerte adj strong
fumar v to smoke
una **fundación** nf a foundation

G

las **gafas** nf pl glasses
una **gallina** nf a hen
unas **gambas** nf pl prawns
ganar v to earn, gain
la **garganta** nf throat
una **garza** nf a heron
los **gastos** nm expenses
un/una **gatito/gatita** nm/nf kitten
gemelo/gemela adj twin
generosa/generosa adj generous
la **gente** nf people
una **gira** nf a tour
girar v to go round
gitano/gitana adj gypsy
el **gobierno** nm the government
goloso/golosa adj a sweet-toothed
golpear v to knock
gordo/gorda adj fat
la **grabación** nf recording
gracioso/graciosa adj funny
un/una **granjero/granjera** nm/nf a farmer
grasiento/grasienta adj greasy
gratis free
un **grifo** nm a tap
un **grito** nm a cry, shout
guapo/guapa adj good-looking
guay cool
el **guía** nm guide
me **gusta** I like

H

hablador/habladora adj talkative
hablar v to speak
hacer v to do
hacia towards
una **hamaca** nf a hammock
el **hambre** nm hunger

hartarse de v to be fed up with
harto/harta adj fed up
hasta till
una **herida** nf an injury
un/una **hermanastro/hermanastra** nm/nf half-brother/half-sister
un/una **hermanito/hermanita** nm/nf little bother/sister
un/una **hermano/hermana** nm/nf brother/sister
hermoso/hermosa adj beautiful
un/una **hijo/hija** nm/nf a son/daughter
hispanohablante adj Spanish-speaking
el **hombro** nm shoulder
honrado/honrada adj honest
la **hora** nf the time
un/una **huérfano/huérfana** nm/nf an orphan
un **huevo** nm an egg
huir v to escape
la **humedad** nf humidity

I

un **idioma** nm a language
idóneo/idónea adj ideal
una **iglesia** nf a church
igual the same
una **imagen** nf a picture
impaciente adj impatient
importar v to matter
imprescindible adj essential
indígena adj native
infeliz adj unhappy
un/una **ingeniero/ingeniera** nm an engineer
los **ingresos** nm pl income
la **iniciativa** nf initiative
innovador/innovadora adj innovative
inolvidable adj unforgettable
insoportable adj unbearable
el **instituto** nm school
inteligente adj intelligent
inundar v to flood
un/una **invasor/invasora** nm/nf an invader
el **invierno** nm winter
ir al grano v to get to the point
ir v to go

J

el **jabón** nm soap
el **jamón** nm ham
el **jarabe** nm syrup
una **jaula** nf a cage

un/una **jefe/jefa de cocina** *nm/nf* a chef
el/la **jefe/jefa** *nm/nf* boss
la **jornada** *nf* day
joven *adj* young
un/una **jugador/jugadora** *nm/nf* a player
jugar *v* to play
junto/junta *adj* together
la **juventud** *nf* youth

L

laboral *adj* work-related
labrar *v* to work
el **lado** *nm* side
un **lago** *nm* a lake
lanzar *v* to throw
largo/larga *adj* long
una **lástima** *nf* a shame
lastimar *v* to hurt
una **lata** *nf* a can
un **látigo** *nm* a whip
una **lavadora de platos** *nf* a dishwasher
una **lavadora de ropa** *nf* a washing machine
un **lavaplatos** *nm* a dishwasher
una **lechuga** *nf* a lettuce
leer *v* to read
una **lema** *nf* a slogan
la **lencería** *nf* lingerie
lento/lenta *adj* slow
un **león** *nm* a lion
levantarse *v* to get up
la **libertad** *nf* freedom
un **libro** *nm* a book
un/una **licenciado/licenciada** *nm/nf* a graduate
el **liderazgo** *nm* leadership
ligero/ligera *adj* light
limpiar el coche *v* to wash the car
limpio/limpia *adj* clean
lindo/linda *adj* sweet, cute
llamativo/o *adj* striking
una **llave** *nf* a key
llegar *v* to arrive
lleno/llena *adj* full
llevar *v* to wear
llevarse bien *v* to get along
llorar *v* to cry
llover *v* to rain
la **lluvia ácida** *nf* acid rain
un/una **lobo/loba** *nm/nf* a wolf
un/una **loco/loca** *nm* a fanatic
una **locura** *nf* madness
lograr *v* to manage
un/una **loro/lora** *nm/nf* a parrot
lucir *v* to look
un **lugar** *nm* a place
lujoso/lujosa *adj* luxurious
un **lunar** *nm* a beauty spot
una **luz** *nf* light

M

una **maceta** *nf* a flowerpot
la **madera** *nf* wood
una **madrastra** *nf* stepmother
la **madrugada** *nf* early morning
madrugar *v* to get up early
maduro/madura *adj* mature
mal wrongly
el **malestar** *nm* discomfort
una **maleta** *nf* a suitcase
malo/mala *adj* bad
maltratar *v* to mistreat
mandar *v* to send
una **manguera** *nf* a hosepipe
las **manos** *nf pl* hands
la **mantequilla** *nf* butter
una **manzana** *nf* an apple
la **mañana** *nf* morning
maquillarse *v* to put on makeup
una **máquina** *nf* a machine
la **maquinaria** *nf* machinery
una **marca** *nf* a brand
mareado/mareada *adj* feeling sick
marinero/marinera *adj* seaside
la **mariposa** *nf* butterfly
el **marisco** *nm* shellfish
más more
mediano/mediana *adj* medium-sized
un/una **médico/médica** *nm/nf* a doctor
el **medio ambiente** *nm* the environment
medir *v* to measure
mejor better
mejorar *v* to improve
la **menor idea** the slightest idea
mentir *v* to lie
a **menudo** often
el **mercado** *nm* market
merecer *v* to deserve
la **merienda** *nf* afternoon snack
un **mes** *nm* a month
la **mesa** *nf* a table
una **mesita de noche** *nf* a bedside table
una **mezcla** *nf* a mixture
el **microondas** *nm* microwave (oven)
mientras while
el **milagro** *nm* a miracle
mimado/mimada *adj* spoiled
una **mina** *nf* a mine
un/una **minusválido/ minusválida** *nm/nf* a disabled person
un **mirador** *nm* a viewpoint

mismo/misma *adj* the same
la **mitad** *nf* half
mítico/mítica *adj* mythical
una **mochila** *nf* a rucksack
un/una **modista** *nm/nf* a designer
de **modo que** so that
mojar *v* to get wet
molestar *v* to bother
un/una **mono/mona** *nm/nf* a monkey
un **monopatín** *nm* a skateboard
el **montañismo** *nm* mountaineering
morder *v* to bite
morir *v* to die
el **mostrador** *nm* check-in desk
un/una **muchacho/muchacha** *nm/nf* boy/girl
mudarse *v* to move
los **muebles** *nm pl* furniture
las **muelas** *nf pl* teeth
una **muerte** *nf* a death
el **municipio** *nm* a town
la **música rocanrol** *nf* rock and roll
un **músico** *nm* musician

N

nacer *v* to be born
el **nacimiento** *nm* birth
la **nacionalidad** *nf* nationality
nada nothing
la **naranjada** *nf* orangeade
la **nariz** *nf* nose
la **natación** *nf* swimming
la **Navidad** *nf* Christmas
en **negrita** in bold (type)
una **nevera** *nf* a fridge
el **nieve** *nm* snow
ningún/ninguna *adj* none, no
un/una **niñero/niñera** *nm/nf* a nanny
el **nivel** *nm* level
la **noche** *nf* night
nombrar *v* to name
las **noticias** *nf pl* news
una **novela** *nf* a novel
noveno/novena *adj* ninth
un/una **novio/novia** *nm/nf* girlfriend
los **novios** *nm pl* the bride and groom
nublado/nublada *adj* cloudy
nuevo/nueva *adj* new
nunca never

O

o mejor **dicho** or rather
obedecer *v* to obey

un/una **obrero/obrera** *nm* a worker
el **ocio** *nm* leisure time
octavo/octava *adj* eighth
ocultar *v* to hide
odiar *v* to hate
ofrecer *v* to offer
oír *v* to hear
los **ojos** *nm pl* eyes
una **ola** *nf* a wave
olvidar *v* to forget
ordenado/ordenada *adj* tidy
un **ordenador** *nm* a computer
un **orfanato** *nm* an orphanage
orgulloso/orgullosa *adj* proud
la **orilla** *nf* shore
un/una **oriundo/oriunda** *nm/nf* native
el **oro** *nm* gold
una **orquesta** *nf* an orchestra
la **ortografía** *nf* spelling
un/una **oso/osa** *nm/nf* a bear

P

paciente *adj* patient
un **padrastro** *nm* stepfather
los **padres** *nm pl* parents
una **paga** *nf* a payment
pagado *adj* paid
un **pájaro** *nm* a bird
una **palabra** *nf* word
un **palillo** *nm* toothpick
un **palmarés** *nm* record
un **palo** *nm* a stick
una **panadería** *nf* bakery
una **pandilla** *nf* a gang
una **pantalla** *nf* a screen
el **papel** *nm* role
un **paraíso** *nm* a paradise
me **parece** it seems to me
parecerse *v* to look like
una **pared** *nf* a wall
una **pareja** *nf* pair
el **parlamento** *nm* parliament
pasar la aspiradora *v* to vacuum
pasar *v* to spend
los **pasos** *nm pl* footsteps
una **patada** *nf* a kick
las **patatas** *nf pl* potatoes
patinar *v* to skate
un **pato** *nm* a duck
pedir *v* to ask for, order
peinarse *v* to do one's hair
pelar *v* to peel
una **pelea** *nf* an argument
pelearse *v* to quarrel
una **película** *nf* a film
el **peligro** *nm* danger
peligroso/peligrosa *adj* dangerous

el **pelo** *nm* hair
la **pelota** *nf* ball
una **peluquería** *nf* a hairdresser's
un/una **peluquero/peluquera** *nm/nf* a hairdresser
pensar *v* to think
peor worse
de **pequeño** when I was little
pequeño/pequeña *adj* small
perder peso *v* to lose weight
una **pérdida (de tiempo)** *nf* a waste (of time)
perezoso/perezosa *adj* lazy
un/una **periodista** *nm/nf* a journalist
pero but
un **perro** *nm* a dog
perseguir *v* to pursue
una **pesadez** *nf* a drag
pesado/pesada *adj* annoying
a **pesar de** despite
pesar *v* to weigh
la **pesca** *nf* fishing
el **pescado** *nm* fish
un/una **pescador/pescadora** *nm/nf* fisherman/fisherwoman
picante *adj* spicy
al **pie de** at the bottom of
a **pie** on foot
la **pierna** *nf* leg
los **pies** *nm pl* feet
una **pila** *nf* a battery
un **pingüino** *nm* a penguin
pintar *v* to paint
pintoresco/pintoresca *adj* picturesque
una **piña** *nf* a pineapple
el **piragüismo** *nm* canoeing
el **piso** *nm* floor
una **pista de hielo** *nf* an ice-rink
la **pista** *nf* a track
plagado/plagada (de) *adj* full (of)
la **planta** *nf* floor
un **plátano** *nm* a banana
un **plato** *nm* a dish
una **playa** *nf* a beach
poblado/poblada *adj* populated
un **poco** a little
poco/poca *adj* few
poder *v* to be able
poderoso/poderosa *adj* powerful
polémico/polémica *adj* controversial
el **pollo** *nm* chicken
el **polvo** *nm* dust

poner la mesa *v* to lay the table
ponerse *v* to wear
un **poquito** a little
por encima de on top of
¿por qué? why?
porque because
un **portátil** *nm* laptop
el **postre** *nm* dessert
el **precio** *nm* price
predecible *adj* predictable
una **pregunta** *nf* a question
un **premio** *nm* a prize
una **preposición** *nf* a preposition
presentarse *v* to introduce yourself
primer/primero/primera *adj* first
un/una **primo/prima** *nm/nf* a cousin
la **privacidad** *nf* privacy
probarse *v* to try on
el/la **profe** *nm/nf* teacher
profundo/profunda *adj* deep
un **pronombre** *nm* a pronoun
pronto soon
una **propuesta** *nf* a proposal
los **pros y los contras** for and against
un/una **protagonista** *nm/nf* a star, actor
un **proyecto** *nm* a plan
un **pueblo** *nm* a town
el **puenting** *nm* bungee jumping
pues well
un **puesto** *nm* a job
los **pulmones** *nm pl* lungs
un **puñetazo** *nm* a punch
de **pura cepa** through and through

Q

quedarse atrapado *v* to get trapped
una **queja** *nf* a complaint
quejarse *v* to complain
quemarse *v* to burn oneself
querer *v* to want
querido/querida *adj* dear
el **queso** *nm* cheese
¿quién? who
quieto/quieta *adj* still
una **quincena** *nf* a fortnight
quinto/quinta *adj* fifth
un **quiosco de prensa** *nm* newspaper kiosk
quizás maybe

R

un **rato** *nm* a while
un **ratón** *nm* a mouse

realizar *v* to carry out
un/una **recepcionista** *nm/nf* a receptionist
una **receta** *nf* a recipe
reciclar *v* to recycle
recién nacido/nacida new-born
recoger *v* to pick up
recogido/recogida *adj* quiet
reconocido/reconocida *adj* recognised
una **recopilación** *nf* a compilation
recordar *v* to remember
recorrer *v* to travel
un **recuerdo** *nm* a souvenir
redondo/redonda *adj* round
un **refresco** *nm* a drink
un **regalo** *nm* a present
regar las plantas *v* to water the plants
regresar *v* to return
reír *v* to laugh
relajado/relajada *adj* relaxed
relatar *v* to talk about
rellenar *v* to fill in
un **reloj** *nm* a watch
resaltado/a *adj* highlighted
una **reseña** *nf* a review
respetar *v* to respect
respingado/respingada *adj* turned-up
una **respuesta** *nf* an answer
los **resultados** *nm pl* results
una **revista** *nf* a magazine
un **riesgo** *nm* a risk
un **río** *nm* a river
risueño/risueña *adj* cheerful
rocoso/rocosa *adj* rocky
el **ron** *nm* rum
la **ropa** *nf* clothes
roto/rota *adj* broken
una **rueda** *nf* a wheel
el **ruido** *nm* noise
ruidoso/ruidosa *adj* noisy
el **ruso** *nm* Russian
una **rutina** *nf* a routine

S

las **sábanas** *nf pl* sheets
saber *v* to know
sabroso/sabrosa *adj* tasty
sacar la basura *v* to take out the rubbish
la **sal** *nf* salt
la **sala de comedor** *nf* dining room
el **salchichón** *m* spicy sausage
salir *v* to go out, to leave

un **saltamontes** *nm* a grasshopper
saltar *v* to jump
un **salto** *nm* a jump
saludable *adj* healthy
saludar *v* to say hello to
salvaje *adj* wild
sangrar *v* to bleed
sano/sana *adj* healthy
el **santuario** *nm* sanctuary
una **sartén** *nf* frying pan
satisfacer *v* to satisfy
secar *v* to dry
en **seguida** immediately
seguir *v* to follow
segundo/segunda *adj* second
seguro/segura *adj* sure
la **Semana Santa** *nf* Holy Week/Easter
semanal weekly
sencillo/sencilla *adj* simple
el **senderismo** *nm* walking, hiking
sentado/sentada *adj* seated
un **sentido** *nm* direction
sentir *v* to feel
señalar *v* to mark
la **señalización** *nf* signposting
séptimo/séptima *adj* seventh
ser *v* to be
serio/seria *adj* serious
servicial *adj* helpful
sexto/sexta *adj* sixth
siempre always
lo **siento** I'm sorry
el **siglo** *nm* century
significar *v* to mean
una **silla** *nf* a chair
simpático/simpática *adj* nice
sin embargo however
sincronizado/sincronizado *adj* synchronized
un **sinfín** *nm* a great many
un **sinónimo** *nm* a synonym
un/una **sirviente/sirvienta** *nm* a servant
un **sitio web** *nm* a website
sobrar *v* to be unnecessary
sobre about
la **sobreexplotación** *nf* over-exploitation
sobrevivir *v* to survive
el/la **sobrino/sobrina** *nm* nephew/niece
un/una **soldado** *nm/nf* a soldier
soler *v* to be usual
solo/sola *adj* alone
soltar *v* to release

soltero/soltera *adj* single
solucionar *v* to solve
el **sonido** *nm* sound
soñador/soñadora *adj* dreamy
la **sopa** *nf* soup
soportar *v* to put up with
sorprender *v* to surprise
soso/sosa *adj* bland, tasteless
suave *adj* gentle, soft
la **subida** *nf* rise
el **submarinismo** *nm* scuba-diving
subrayado/subrayada *adj* underlined
sucio/sucia *adj* dirty
el **suelo** *nm* ground
la **suerte** *nf* luck
una **sugerencia** *nf* a suggestion
el/la **suizo/suiza** *nm/nf* Swiss
un **supermercado** *nm* a supermarket

T

tacones *nm pl* heels
tal vez perhaps
un **taller** *nm* a workshop
también also
un **tambor** *nm* drum
tampoco not … either
una **taquilla** *nm* a ticket office
taquillero/taquillera *adj* box office hit
las **tareas domésticas** *nf pl* household chores
una **tarjeta** *nf* a card
una **tatuaje** *nf* a tattoo
un **teléfono móvil** *nm* mobile phone
una **telenovela** *nf* a soap opera
un **televisor** *nm* TV
un **tema** *nm* a theme
temprano early
un **tenedor** *nm* a fork
tener fiebre *v* to have a fever
tener ganas de *v* to look forward to
tener hambre *v* to be hungry
tener lugar *v* to take place
tener miedo *v* to be afraid
tener que *v* to have to
tener razón *v* to be right
tener sed *v* to be thirsty
tener *v* to have
tercer/tercero/tercera *adj* third
un **tiempo** *nm* a tense
el **tiempo** *nm* time
a **tiempo** on time
a **tiempo parcial** part-time

una **tienda** *nf* a shop
la **tierra** *nf* earth
tímido/tímida *adj* shy
un/una **tío/tía** *nm/nf* an aunt/uncle
un **tipo de transporte** *nm* a means of transport
tirar *v* to throw
un **titular** *nm* a title
una **toalla** *nf* a towel
el **tobillo** *nm* ankle
tocar *v* to play
todavía still
todoterreno *adj* off-road
todo/toda/todos/todas *adj* all
tomar *v* to take
tonto/tonta *adj* silly
torcer *v* to twist
el **torniquete** *nm* turnstile
una **tortuga** *nf* a turtle
trabajador/trabajadora *adj* hard working
trabajar *v* to work
el **trabajo** *nm* work
un/una **traductor/traductora** *nm/nf* a translator
traer *v* to bring
la **transcripción** *nf* transcript
tras after
tratar *v* to try
tratarse de *v* to be about
una **travesía** *nf* a crossing
travieso/traviesa *adj* naughty
triste *adj* sad
tropezar *v* to trip, stumble
un **trotamundos** *nm* a globetrotter
por **turnos** in turns
el **turrón** *nm* nougat

U

la **ubicación** *nf* situation, position
último/última *adj* last
unir *v* to link
utilizar *v* to use
unas **uvas** *nf pl* grapes

V

las **vacaciones** *nf pl* holidays
vaciar *v* to empty
vago/vaga *adj* lazy
vale OK
valer *v* to be worth
valiente *adj* brave
valorar *v* to value
un **vals** *nm* a waltz
unos **vaqueros** *nm pl* jeans
la **variedad** *nf* variety
varón *adj* male
un **vaso** *nm* a glass
¡vaya! well!
a **veces** sometimes
los **vecinos** *nm pl* inhabitants

un **vehículo todoterreno** *nm* a 4x4 vehicle
la **velocidad** *nf* speed
un/una **vendedor/vendedora** *nm/nf* a salesperson
vender *v* to sell
una **ventaja** *nf* an advantage
veranear *v* to spend the summer
la **verdad** *nf* truth
verdaderamente really
verdadero/verdadera *adj* true
las **verduras** *nf pl* green vegetables
verificar *v* to check
en **vez de** instead of
un **viaje** *nm* a journey
un/una **viajero/viajera** *nm/nf* a traveller
la **vida** *nf* life
el **vidrio** *nm* glass
el **vino** *nm* wine
una **vocal** *nf* vowel
volar *v* to fly
la **voz** *nf* voice
el **vuelo** *nm* flight
una **vuelta** *nf* a walk

Y

un **yate** *nm* a yacht

Z

zambullirse *v* to dive in
unas **zanahorias** *nf pl* carrots
las **zapatillas** *nf pl* trainers
un/una **zorro/zorra** *nm/nf* a fox
un **zumo** *nm* a juice
zurdo/zurda *adj* left-handed

Vocabulario inglés—español

nm *masculine noun*   nf *feminine noun*   pl *plural noun*   v *verb*   adj *adjective*   pp *past participle*

A

to be **able** poder v
about (roughly, approximately) unos
about sobre
abroad el extranjero nm
absent ausente adj
an **accent** un acento nm
accommodation el alojamiento nm
to **accompany** acompañar v
an **accountant** un/una contable nm/nf
to **achieve** cumplir v
across a través (de)
an **activity** una actividad nf
an **actor** un/una actor/actriz nm/f
address la dirección nf
admission charge la entrada nf
an **advantage** una ventaja nf
an **advert** un anuncio nm
affectionate cariñoso/cariñosa adj
to be **afraid** tener miedo v
after después (de)
in the **afternoon** por la tarde
afternoon snack la merienda nf
again otra vez
against contra
age la edad nf
to **agree** concordar v
agreed de acuerdo
air-conditioning el aire acondicionado nm
airport el aeropuerto nm
an **alarm clock** un despertador nm
A-level exams el bachillerato
all right bueno
all todo/toda/todos/todas adj
almost casi
alone solo/sola adj
along por
already ya
also también
although aunque
always siempre
and y
angry enfadado/enfadada adj
ankle el tobillo nm
to **annoy** molestar v

annoying pesado/pesada adj
an **answer** una respuesta nf
an **apple** una manzana nf
an **apprentice** un/una aprendiz/aprendiza nm/nf
an **apricot** un albaricoque nm
an **architect** un/una arquitecto/arquitecta nm/nf
an **argument** una pelea nf
an **arm** un brazo nm
an **armchair** un sillón nm
around alrededor
arrival la llegada nf
to **arrive** llegar v
an **art gallery** un museo nm de arte
to **ask for** pedir v
an **aspect** una faceta nf
at (+ place) en
at (+ time) a
at all (not) nada
an **atmosphere** un ambiente nm
an **aunt/uncle** un/una tío/tía nm/nf
autumn el otoño
available disponible adj
an **avocado** un aguacate nm
to **avoid** evitar v

B

to **babysit** hacer canguro v
at the **back** detrás
back la espalda nf
bad malo/mala adj
a **bag** una bolsa nf
a **bakery** una panadería nf
ball la pelota nf
a **ballpoint pen** un bolígrafo nm
a **banana** un plátano nm
basketball el baloncesto nm
to have a **bath** bañarse v
a **bath** un baño nm
a **bathroom** un cuarto nm de baño
to **be about** tratarse de v
to **be** estar, ser v
a **beach** una playa nf
beans las judías nf pl
a **beard** una barba nf

beautiful hermoso/hermosa adj
because porque
a **bed** una cama nf
bedlinen la ropa de cama nf
a **bedroom** un dormitorio nm
a **bedside table** una mesita de noche nf
a **bee** una abeja nf
beef la carne nf de vaca
a **beer** una cerveza nf
before antes de
to **begin** comenzar, empezar v
beginning el comienzo nm
behind detrás
to **believe** creer v
below, under debajo de
a **belt** un cinturón nm
a **bench** un banco nm
better mejor
between entre
a **bike** una bici nf
bill (in restaurant) la cuenta nf
a **bird** un pájaro nm
birth el nacimiento nm
a **birthday** un cumpleaños nm
biscuits las galletas nf pl
bitter amargo/amarga adj
black negro/negra adj
to **bleed** sangrar v
blind ciego/ciega adj
a **block of flats** un edificio nm
blonde, fair rubio/rubia adj
blue azul adj
board (white) la pizarra nf (electrónica)
boarding house la pensión nf
a **boarding school** un internado nm
a **boat** un barco nm
body el cuerpo nm
a **book** un libro nm
a **bookcase** una estantería nf
bored aburrido/aburrida adj
to be **born** nacer v
a **boss** un/una jefe/jefa nm/nf

both ... and tanto ... como ....
both ambos
to **bother** molestar v
a **bottle (opener)** un abrebotellas nm
at the **bottom** al fondo
at the **bottom of** al pie de
a **bowling alley** una bolera nf
bowling los bolos nm pl
box office hit taquillero/taquillera adj
a **boyfriend** un novio nm
a **brand** una marca nf
brave valiente adj
to have **breakfast** desayunar v
breakfast el desayuno nm
to **bring** traer v
broken roto/rota adj
brother/sister un/una hermano/hermana nm/nf
a **building** un edificio nm
bungee jumping el puenting nm
bus stop la parada de autobús nf
busy concurrido/concurrida adj
but (contradicting) sino
but (however) pero
a **butcher** un/una carnicero/carnicera nm/nf
butter la mantequilla nf
to **buy** comprar v

C

caliente adj hot
a **camera** una cámara nf
a **camp** un campamento nm
a **can** una lata nf
a **canoe** una canoa nf
canoeing el piragüismo nm
canteen la cantina nf
a **cap** una gorra nf
a **car park** un aparcamiento nm
a **car** un coche nm
cards (playing) los naipes nm pl
careful! ¡cuidado!
a **carpenter** un/una carpintero/carpintera nm/nf

a **carpet** una alfombra *nf*
carrots unas zanahorias *nf pl*
to **carry out** realizar *v*
cartoons los dibujos animados *nm pl*
a **cash dispenser** un cajero automático *nm*
a **castle** un castillo *nm*
a **cat** un gato *nm*
a **CD** un compact *nm*
a **CD/DVD player** un lector *nm* de CD/DVD
ceiling el techo *nm*
to **celebrate** festejar *v*
a **celebrity** una celebridad *nf*
a **chair** una silla *nf*
to **change** cambiar *v*
changing room el vestuario *nm*
chapel la capilla *nm*
to **chat** charlar *v*
cheap barato/barata *adj*
check-in desk el mostrador *nm*
cheerful risueño/risueña *adj*
cheers! ¡salud!
cheese el queso *nm*
a **chef** un/una jefe/jefa de cocina *nm/nf*
a **chemist's** una farmacia *nf*
chemistry la química *nf*
chess el ajedrez *nm*
chewing gum el chicle *nm*
chicken el pollo *nm*
a **child** un/una niño/niña *nm/nf*
a **chimney** una chimenea *nf*
chips las patatas fritas *nf pl*
to **choose** elegir, escoger *v*
a **chop, cutlet** una chuleta *nf*
a **chore** una faena *nf*
Christmas Eve la Nochebuena *nf*
Christmas la Navidad *nf*
a **church** una iglesia *nf*
a **cigarette** una cigarrillo *nf*
a **city** una ciudad *nf*
a **civil servant** un/una funcionario/funcionaria *nm/nf*
a **classmate** un/una compañero/compañera *nm/nf*
a **classroom** una aula *nf*
clean limpio/limpia *adj*
climate el clima *nm*
climate change el cambio climático *nm*

a **climbing** la escalada *v*
a **clock** un reloj *nm*
closed cerrado/cerrada *adj*
clothes la ropa *nf*
cloudy nublado/nublada *adj*
coal el carbón *nm*
coast la costa *nf*
a **coffee pot** una cafetera *nf*
a **coin** una moneda *nf*
cold frío/fría *adj*
a **cold (illness)** resfriado *nm*
college el cole *nm*
a **comb** un peine *nm*
to **comb your hair** peinarse *v*
comfortable cómodo/cómoda *adj*
to **compete** competir *v*
competition el concurso *nm*
a **compilation** una recopilación *nf*
to **complain** quejarse *v*
a **comprehensive/grammar school** un instituto *nm*
a **computer game** un videojuego *nm*
a **computer programmer** un/una programador/programadora *nm/nf*
a **computer** un ordenador *nm*
controversial polémico/polémica *adj*
to **convince** convencer *v*
to **cook** cocinar *v*
a **cook** un/una cocinero/cocinera *nm/nf*
cool guay
a **corner (in a room)** un rincón *nm*
a **corner (of a street)** una esquina *nf*
a **corridor** un pasillo *nm*
cotton el algodón *nm*
a **cough** una tos *nf*
to **count** contar *v*
a **country** un país *nm*
country (as opposed to town) el campo *nm*
countryside (scenery) el paisaje *nm*
a **county** un contado *nm*
a **couple (e.g. married)** una pareja *nf*
a **couple** un par *nm*
of **course** claro
a **cousin** un/una primo/prima *nm/nf*
a **cow** una vaca *nf*
to be **crazy about** chiflarse *v*
cream la nata *nf*

a **credit card** un tarjeta de crédito *nm*
crisps las patatas fritas *nf pl*
to **cross** cruzar *v*
a **crossword** un crucigrama *nm*
to **cry** llorar *v*
a **cucumber** un pepino *nm*
a **cup** una taza *nf*
a **curly (haired)** rizado/rizada *adj*
a **curtain** una cortina *nf*
Customs la Aduana *nf*
to **cut** cortar *v*
cutlery los cubiertos *nm pl*
cycling el ciclismo *nm*
a **cyclist** un/una ciclista *nm/nf*

D

dad papá *nm*
daily diario/diaria *adj*
to **dance** bailar *v*
a **dance** un baile *nm*
dangerous peligroso/peligrosa *adj*
dark (haired) moreno/morena *adj*
a **date** una fecha *nf*
day after tomorrow pasado mañana
day before yesterday anteayer
a **day** un día *nm*
dead muerto/muerta *adj*
dear querido/querida *adj*
a **death** una muerte *nf*
demanding exigente *adj*
department stores los (grandes) almacenes *nm pl*
depressing deprimente *adj*
to **deserve** merecer *v*
a **designer** un/una modista *nm/nf*
a **desk** una mesa de trabajo *nf*
despite a pesar de
dessert el postre *nm*
to **destroy** destruir *v*
details los datos *nmpl*
a **detective film** una película policiaca *nf*
a **detour** un desvío *nm*
a **diary** un diario *nm*
to **die** morir *v*
a **dining room** un comedor *nm*
to have **dinner** cenar *v*
dinner la cena *nf*
a **direction** un sentido *nm*

dirty sucio/sucia *adj*
a **disabled person** un/una minusválido/minusválida *nm/nf*
disgusting asqueroso/asquerosa *adj*
a **dish** un plato *nm*
dishwasher el lavaplatos *nm*
a **district** un barrio *nm*
diving el buceo *nm*
to **do** hacer *v*
to **do the shopping** hacer las compras *v*
a **doctor** un/una médico/médica *nm/nf*
a **documentary** un documental *nm*
a **dog** un perro *nm*
a **dozen** una docena *nf*
a **drag** una pesadez *nf*
a **drink (soft)** un refresco *nm*
to **drink** beber *v*
a **drink** una bebida *nf*
driving licence el carné/permiso de conducir *nm*
drum kit la batería *nf*
drum un tambor *nm*
to **dry** secar *v*
dry seco/seca *adj*
a **duck** un pato *nm*
dudar to doubt *v*
during durante
a **duvet** un edredón *nm*

E

each cada
an **ear** una oreja *nf*
early temprano
to **earn** ganar *v*
an **earring** un pendiente *nm*
earth la tierra *nf*
east el este *nm*
Easter la Semana Santa/Pascua *nf*
easy fácil
to **eat** comer *v*
ecological ecológico/ecológica *adj*
ecotourism el ecoturismo *nm*
an **egg** un huevo *nm*
either … or o … o
elbow el codo *nm*
an **electrician** un/una electricista *nm/nf*
an **e-mail** un correo electrónico *nm*
to **empty** vaciar *v*
empty vacío/vacía *adj*
to **endure** aguantar *v*
an **engineer** una/una ingeniero/ingeniera *nm/nf*

England Inglaterra *nf*
English (language/ person) ingles/inglesa *adj*
enjoy your meal! ¡buen provecho!
enough bastante, suficiente
environment el medio ambiente *nm*
to **escape** huir *v*
essential imprescindible *adj*
evening la tarde *nf*
everybody todo el mundo
everywhere por todas partes
an **examination** un examen *nm*
an **excursion, trip** una excursión *nf*
exhausted agotado/ agotada *adj*
an **exhibition** una exposición *nf*
an **express train** un TALGO *nm*
eyes los ojos *nm pl*

F

face la cara *nf*
a **factory** una fábrica *nf*
to **fall** caer *v*
famous célebre *adj*
a **fan** un/una apasionado/ apasionada *nm/nf*
a **fanatic** un/una loco/loca *nm*
in **fancy dress** disfrazado/ disfrazada *adj*
far (from) lejos de
a **farm** una finca, una granja *nf*
a **farmer** un/una granjero/ granjera *nm/nf*
fashionable de moda
a **fast food restaurant** un restaurante *nm* de comida rápida
fat gordo/gorda *adj*
father el padre *nm*
favourable ventajoso/ ventajosa *adj*
fed up harto/harta *adj*
to be **fed up** with hartarse de *v*
to **feel** sentir *v*
feeling sick mareado/ mareada *adj*
feet los pies *nm pl*
a **felt-tip pen** un rotulador *nm*
a **female** una hembra *nf*
to have a **fever** tener fiebre *v*
few poco/poca *adj*

a **film** una película *nf*
a **finger** un dedo *nm*
a **fire** un fuego *nm*
a **firefighter** un/una bombero/bombera *nm/nf*
fireworks los fuegos artificiales *nm pl*
a **firm, company** una empresa *nf*
at **first** al principio
fish el pescado *nm*
fishing la pesca *nf*
a **flight attendant** un/una azafata *nm/nf*
flight el vuelo *nm*
to **flood** inundar *v*
floor (storey) el piso *nm*, la planta *nf*
floor el suelo *nm*
flu la gripe *nf*
to **fly** volar *v*
to **follow** seguir *v*
food la comida *nf*
on **foot** a pie
foreign extranjero/ extranjera *adj*
to **forget** olvidar *v*
a **fork** un tenedor *nm*
a **fortnight** una quincena *nf*
free (no charge) gratuito, gratis
free (seat) libre
freedom la libertad *nf*
fresco/fresca fresh *adj*
a **fridge** una nevera *nf*
friendly amistoso/ amistosa *adj*
from, since desde
at the **front** delante
front el frente *nm*
full lleno/llena *adj*
funny divertido/divertida *adj*
furniture los muebles *nm pl*

G

to **gain** ganar *v*
a **games console** una consola de videojuegos *nf*
a **gang** una pandilla *nf*
a **garage** un taller *nm*
GCSE exams los examines de ESO *nm pl*
generous generosa/ generosa *adj*
gentle, kind dulce *adj*
to **get along** llevarse bien *v*
to **get angry** enfadarse *v*
to **get bored** aburrirse *v*
to **get to the point** ir al grano *v*

to **get up** levantarse *v*
to **get wet** mojarse *v*
a **girlfriend** una/novia *nf*
to **give** dar *v*
glass el vidrio *nm*
a **glass** un vaso *nm*
glasses las gafas *nf pl*
global warming el calentamiento global *nm*
a **globetrotter** un trotamundos *nm*
to **go** ir *v*
to **go out** salir *v*
to **go shopping** ir de compras *v*
to **go to bed** acostarse *v*
to **go to sleep** dormirse *v*
to have a **good time** divertirse *v*
good-looking guapo/ guapa *adj*
to **gossip** cotillear *v*
government el gobierno *nm*
a **graduate** un/una licenciado/licenciada *nm/nf*
a **grandfather/ grandmother** un/una abuelo/abuela *nm/nf*
a **grandson/ granddaughter** un/ una nieto/nieta *nm/nf*
grapes unas uvas *nf pl*
grasiento/grasienta *adj* greasy
grass, lawn el césped *nm*
to be **grateful** agradecer *v*
a **grocer's shop** una tienda de comestibles *nf*
ground el suelo *nm*
ground floor la planta *nf* baja, el piso *nm* bajo
to **guess** adivinar *v*
a **guinea pig** un cobayo *nm*

H

habit la costumbre *nf*
hair el pelo *nm*
a **hairdresser** un/una peluquero/peluquera *nm/nf*
a **hairdresser's (salon)** una peluqería *nf*
half la mitad *nf*
a **half-brother** un hermanastro *nm*
a **half-sister** una hermanastra *nf*
ham el jamón *nm*
hands las manos *nf pl*
happy alegre *adj*
hard duro/dura *adj*

hard working trabajador/ trabajadora *adj*
to **hate** odiar *v*
to **have** tener *v*
to **have to** tener que *v*
head la cabeza *nf*
headteacher le/la director/directora *nm/ nf*
healthy sano/sana *adj*
to **hear** oír *v*
heart el corazón *nm*
heating la calefacción *nf*
heavy pesado/pesada *adj*
heels tacones *nm pl*
hello? (on phone) ¡dígame!
a **helmet** un casco *nm*
to **help** ayudar *v*
a **helping, portion** una ración *nf*
here aquí
a **hobby** un pasatiempo *nm*
holidays las vacaciones *nf pl*
homework los deberes *nm pl*
honest honrado/ honrada *adj*
a **horse** un caballo *nm*
a **house (semi-detached)** una casa (adosada) *nf*
household chores las tareas domésticas *nf pl*
how are you? ¿qué tal?
how many? ¿cuántos?
how much is it? ¿cuánto es?
how? ¿cómo?
however sin embargo
a **hug** un abrazo *nm*
hunger el hambre *nm*
hungry: to be hungry tener hambre *v*
to **hurt** doler *v*

I

an **ice-rink** una pista de hielo *nf*
an **illness** una enfermedad *nf*
immediately en seguida
impatient impaciente *adj*
to **improve** mejorar *v*
in front of delante de
income los ingresos *nm pl*
inhabitants los vecinos *nm pl*
an **injury** una herida *nf*
inside, within dentro de
instead of en lugar de

intelligent inteligente *adj*

an **interview** una entrevista *nf*

to **introduce yourself** presentarse *v*

isolated aislado/aislada *adj*

IT el informática *nm*

J

jeans unos vaqueros *nm pl*

a **job** un trabajo *nm*

jogging el footing *nm*

a **joke** una broma *nf*

a **journalist** un/una periodista *nm/nf*

a **journey** un viaje *nm*

a **juice** un zumo *nm*

to **jump** saltar *v*

to have **just ...** acabar de ...*v*

K

a **key** una llave *nf*

a **kick** una patada *nf*

kind amable *adj*

a **kiss** un beso *nm*

a **kitchen** una cocina *nf*

a **kitten** un/una gatito/gatita *nm/nf*

a **knee** una rodilla *nf*

to **know (a fact)** saber *v*

to **know (a person, place)** conocer *v*

L

a **lack** una falta *nm*

a **lake** un lago *nm*

a **language** un idioma *nm*

a **laptop** un portátil *nm*

at **last** finalmente

last último/última *adj*

Latin America(n) América Latina (latinoamericano)

to **laugh** reír *v*

a **lawyer** un/una abogado/abogada *nm/nf*

to **lay (the table)** poner (la mesa) *v*

lazy perezoso/perezosa *adj*

a **leaflet** un folleto *nm*

to **learn** aprender *v*

to **leave** salir *v*

left izquierdo/izquierda *adj*

left-handed zurdo/zurda *adj*

leg la pierna *nf*

leisure time el ocio *nm*

a **letter** una carta *nf*

a **lettuce** una lechuga *nf*

level el nivel *nm*

to **lie** mentir *v*

life la vida *nf*

a **lifestyle** un estilo de vida *nm*

a **lift** un ascensor *nm*

a **light** una luz *nf*

I **like ...** me gusta ...

a **liking (for)** una afición (por) *nf*

to **link** unir *v*

little (when I was) de pequeño

a **little bother/sister** un/una hermanito/hermanita *nm/nf*

a **little** un poco

a **living room** un salón *nm*

London Londres *nm*

long largo/larga *adj*

to **look after** cuidar *v*

to **look for** buscar *v*

to **look forward to** tener ganas de *v*

to **look like** parecerse *v*

a **lorry** un camión *nm*

to **lose weight** perder peso *v*

a **lost property office** una oficina *nf* de objetos perdidos

a **lot, much, many** mucho

to **love (e.g a person)** querer *v*

to **love (e.g an activity)** encantar (+ me, etc.) *v*

luck la suerte *nf*

luggage el equipaje *nm*

lunch el almuerzo *nm*

M

a **magazine** una revista *nf*

to **make a mistake** equivocarse *v*

to **make the bed** arreglar la cama *v*

a **man** un hombre nm

a **market** un mercado *nm*

to **marry** casarse con *v*

maths las matemáticas *nf pl*

to **matter** importar *v*

mature maduro/madura *adj*

maybe quizás

to **mean** significar *v*

a **means of transport** un tipo de transporte *nm*

to **measure** medir *v*

medicine los medicamentos *nm pl*

medium-sized mediano/mediana *adj*

to **meet up with** encontrarse con *v*

Mexico (Mexican)

Méjico (mejicano)

a **mirror** un espejo *nm*

to **miss** echar de menos *v*

to be **missing** faltar *v*

a **mistake** una equivocación *nf*

to **mistreat** maltratar *v*

a **mobile (phone)** un (teléfono) móvil *nm*

money el dinero *nm*

a **month** un mes *nm*

more más

morning la mañana *nf*

motorway services una área *nf* de servicio

motorway una autopista *nf*

a **mountain bike** una bicicleta *nf* de montaña

a **mountain range** una cordillera *nf*

mountain(s) una montaña *nf* (sierra)

mountaineering el montañismo *nm*

to **move** mudarse *v*

a **musician** un músico *nm*

N

to **name** nombrar *v*

a **nanny** un/una niñero/niñera *nm/ nf*

nationality la nacionalidad *nf*

naughty travieso/traviesa *adj*

nearby cercano/cercana *adj*

never nunca

new nuevo/nueva *adj*

New Year el Año Nuevo *nm*

New Year's Eve la Nochevieja *nf*

news las noticias *nf pl*

a **newspaper** un periódico *nm*

next próximo/próxima *adj*

next to al lado (de)

nice simpático/simpática *adj*

night la noche *nf*

a **nightmare** un agobio *nm*

no (not any) ninguno/ninguna *adj*

no longer ya no

noise el ruido *nm*

noisy ruidoso/ruidosa *adj*

nonsense las tonterías *nf pl*

no-one, nobody nadie

north el norte *nm*

nose el nariz *nm*

not ... either tampoco

nothing nada

a **novel** una novela *nf*

now ahora

now and again de vez en cuando

nowadays actualmente

a **nuisance** un fastidio *nm*

a **nurse** un/una enfermero/enfermera *nm/nf*

O

an **off-road vehicle** un vehículo todoterreno *nm*

often a menudo

OK vale

old antiguo/antigua *adj*

an **older man/woman** un/una anciano/anciana *nm/nf*

olive oil el aceite de oliva *nm*

olives las aceitunas *nf pl*

on top of encima de

onions unas cebollas *nf pl*

an **only child** un hijo único/una hija única *nm/nf*

open abierto/abierta *adj*

to **open** abrir *v*

open air (in the) (al) aire libre

opposite enfrente de

orangeade la naranjada *nf*

to **order** pedir *v*

outgoing extrovertido/extrovertida *adj*

outside fuera

P

paid (well/badly) (bien/mal) pagado

to **paint** pintar *v*

a **pair** una pareja *nf*

pale (colour) claro/clara *adj*

a **pancake** un crepa *nf*

parents los padres *nm pl*

parliament el parlamento *nm*

part-time a tiempo parcial

party una fiesta *nf*

patient paciente *adj*

a **payment** una paga *nf*

PE la educación física *nf*

peanuts los cacahuetes *nm pl*

to **peel** pelar *v*

pen friend un/una corresponsal *nm/nf*

people la gente *nf*

perhaps tal vez

a **phobia** una fobia *nf*
to **phone** llamar *v*
to **pick up** recoger *v*
picturesque pintoresco/
pintoresca *adj*
a **pineapple** una piña *nf*
a **place** un lugar *nm*
a **plane** un avión *nm*
a **platform** un andén *nm*
to **play (sports/cards)**
jugar *v*
to **play (instrument)** tocar
v
player un/una jugador/
jugadora *nm/nf*
pleasant agradable *adj*
a **plumber** un/una
fontanero/fontanera
nm/nf
pocket knife/pen-knife
una navaja *nf*
pocket money el dinero
nm de bolsillo
police station la
comisaría *nf*
polite cortés *adj*
pollution la
contaminación *nf*
pork la carne de cerdo
nm
post code el código *nm*
postal
to **post** echar al buzón *v*
post office Correos *nm*
pl
a **postman/postwoman**
un/una cartero/cartera
nm/nf
potatoes las patatas *nf*
pl
potholing el
espeleología *nm*
a **pound (sterling/
weight)** una libra *nf*
prawns unas gambas *nf*
pl
a **prescription** una receta
nf
a **present** un regalo *nm*
pretty bonita/bonito *adj*
previous anterior *adj*
price el precio *nm*
privacy la privacidad *nf*
a **prize** un premio *nm*
proud orgulloso/
orgullosa *adj*
to **punish** castigar *v*
a **pupil** un/una alumno/
alumna *nm/nf*
to **put** colocar *v*
to **put on makeup**
maquillarse *v*
to **put on weight** engordar
v
to **put up with** soportar *v*

Q

a **qualification** una
calificación *nf*
a **quality** una cualidad *nf*
to **quarrel** pelearse *v*
a **quarter** un cuarto *nm*
a **question** una pregunta
nf
a **queue** una cola *nf*
quiet recogido/recogida
adj
quite bastante

R

a **rabbit** un/una conejo/
coneja *nm/nf*
a **race** una carrera *nf*
**railway company
(Spanish, national)** la
RENFE *nf*
to **rain** llover *v*
a **raincoat** un
impermeable *nm*
to **read** leer *v*
really verdaderamente
really? ¿de veras?
a **receptionist** un/una
recepcionista *nm/nf*
to **recycle** reciclar *v*
to **remember** recordar *v*
rent el alquiler *nm*
to **rent, hire** alquilar *v*
to **respect** respetar *v*
to have a **rest** descansar *v*
results los resultados
nm pl
to **return** regresar *v*
a **return ticket** un billete
nm de ida y vuelta
rice el arroz *nm*
riding la equitación *nf*
right (on the) (a la)
derecha *nf*
to be **right** tener razón *v*
a **river** un río *nm*
a **road** una carretera *nf*
rock and roll la música
rocanrol *nf*
room (enough space)
el sitio *nm*
a **room (single/double)**
una habitación *nf*
(individual/doble)
round redondo/redonda
adj
a **routine** una rutina *nf*
a **rowing boat** un bote
nm a remo
rubbish la basura *nf*
a **rucksack** una mochila
nf
to **run** correr *adj*

S

sad triste *adj*
to **sail** hacer la vela *v*

a **salesperson** un/una
vendedor/vendedora
nm/nf
salt la sal *nf*
same mismo/misma *adj*
sand la arena *nf*
a **sandwich** un bocadillo
nm
to **satisfy** satisfacer *v*
sausages unas
salchichas *nf pl*
to **save (money)** ahorrar *v*
to **say** decir *v*
to **say hello to** saludar *v*
a **scar** una cicatriz *nf*
school el instituto *nm*
Scotland (Scottish)
Escocia (escocés)
a **screen** una pantalla *nf*
scuba-diving el
submarinismo *nm*
a **season ticket** un abono
nm
a **season** una estación *nf*
selfish egoísta *adj*
to **sell** vender *v*
to **send** mandar *v*
serious serio/seria *adj*
shampoo el champú *nm*
a **sheep** una oveja *nf*
sheets las sábanas *nf pl*
shellfish el marisco *nm*
a **shirt** una camisa *nf*
a **shoe** un zapato *nm*
a **shop assistant** un/
una dependiente/
dependienta *nm/nf*
a **shop** una tienda *nf*
short bajo/baja *adj*
short corto/corta *adj*
shoulder el hombro *nm*
to have a **shower** ducharse *v*
shy tímido/tímida *adj*
side el lado *nm*
silly tonto/tonta *adj*
a **singer** un/una cantante
nm/nf
single (person) soltero/
soltera *adj*
a **single ticket** un billete
sencillo/de ido *nm*
a **sink** un fregadero *nm*
to **skate** patinar *v*
a **skateboard** un
monopatín *nm*
to **ski** esquiar *v*
a **skirt** una falda *nf*
sky el cielo *nm*
slim delgado/delgada
adj
a **slogan** una lema *nf*
slowly despacio
small pequeño/pequeña
adj
to **smoke** fumar *v*
snacks las tapas *nf pl*
snow el nieve *nm*

snub (nose) chato/chata
adj
soap el jabón *nm*
a **soap opera** una
telenovela *nf*
a **soldier** un/una soldado
nm/nf
some, any algún/alguna
adj
someone, somebody
alguien
something algo
sometimes a veces
somewhere en alguna
parte
a **son/daughter** un/una
hijo/hija *nm/nf*
a **song** una canción *nf*
as **soon as** tan pronto
como
soon pronto
a **sore throat** un dolor
nm de garganta
sorry! ¡disculpe!
a **soundtrack** una banda
sonora *nf*
soup la sopa *nf*
south el sur *nm*
a **souvenir** un recuerdo
nm
spacious amplio/amplia
adj
Spain (Spanish) España
(español)
to **speak** hablar *v*
to **spend (money)** gastar *v*
to **spend (time)** pasar *v*
to **spend the summer**
veranear *v*
spicy picante *adj*
a **spider** una araña *nf*
spinach las espinacas
nf pl
spoiled mimado/
mimada *adj*
a **spoon** una cuchara *nf*
sport el deporte *nm*
a **sports centre** un
polideportivo *nm*
a **sports ground/school
field** un campo *nm* de
deportes
**sportsman/
sportswoman** un/una
deportista *nm/nf*
spring la primavera *nf*
a **stadium** un estadio *nm*
staircase la escalera *nf*
stamp (postage) un
sello *nm*
a **star** una estrella *nf*
a **statement** una
afirmación *nf*
station la estación *nf*
stationer's (shop) la
papelería
to **stay** alojarse *v*

a **stepfather** un padrastro *nm*

a **stepmother** una madrastra *nf*

still quieto/quieta *adj*

still todavía

stomach ache el dolor *nm* de estómago

straight (e.g. hair) liso/lisa *adj*

a **strawberry** una fresa *nf*

a **street** una calle *nf*

stress el estrés *nm*

strict estricto/estricta *adj*

strong fuerte *adj*

stupid tonto/tonta *adj*

a **subject (favourite)** una asignatura *nf* (preferida)

suitable adecuado/adecuada *adj*

a **suitcase** una maleta *nf*

a **sunburn** una quemadura *nf* de sol

a **supermarket** un supermercado *nm*

sure seguro/segura *adj*

a **surfboard** una tabla *nf*

a **surgeon** un/una cirujano/cirujana *nm/nf*

to **surprise** sorprender *v*

a **survey** una encuesta *nf*

to **survive** sobrevivir *v*

sweet-toothed goloso/golosa *adj*

sweets los dulces *nm pl*

swimming la natación *nf*

swimming pool una piscina *nf*

a **swimsuit** un traje *nm* de baño

to **switch off** apagar *v*

syrup el jarabe *nm*

T

a **table** la mesa *nf*

a **tablet/pill** *nf* un comprimido

to **take advantage of** aprovechar *v*

to **take** coger *v*

to **take off (plane)** despegar *v*

to **take out** sacar *v*

to **take place** tener lugar *v*

to **take** tomar *v*

a **take-away meal** un plato *nm* para llevar

talkative hablador/habladora *adj*

tall alto/alta *adj*

a **tap** un grifo *nm*

tasteless soso/sosa *adj*

tasty sabroso/sabrosa *adj*

a **tattoo** una tatuaje *nf*

teacher el/la profe *nm/nf*

teeth las muelas *nf pl*

a **theme** un tema *nm*

then entonces

there allí

a **thing** una cosa *nf*

to **think** pensar *v*

to be **thirsty** tener sed *v*

throat la garganta *nf*

through por

to **throw** lanzar *v*

to **throw** tirar *v*

thumb el dedo gordo *nm*

a **ticket office** una taquilla *nf*

to **tidy** arreglar *v*

tidy ordenado/ordenada *adj*

a **tie** una corbata *nf*

on **time** a tiempo

time la hora *nf*

tired cansado/cansada *adj*

together junto/junta *adj*

toilets los aseos *nm pl*

too much, many demasiado/demasiada *adj*

at the **top** por encima

towards hacia

a **towel** una toalla *nf*

a **town** un pueblo *nm*

a **traffic jam** un atasco *nm*

trainers las zapatillas *nf pl*

a **translator** un/una traductor/traductora *nm/nf*

a **tree** un árbol *nm*

a **trinket, knick-knack** una chuchería *nf*

trousers un pantalón *nm*

truth la verdad *nf*

to **try on** probarse *v*

to **try** tratar *v*

a **T-shirt** una camiseta *nf*

tuna el atún *nm*

turnstile el torniquete *nm*

a **TV** un televisor *nm*

twin gemelo/gemela *adj*

to **twist** torcer *v*

U

ugly feo/fea *adj*

unbearable insoportable *adj*

to **understand** entender *v*

unemployed en paro

unforgettable inolvidable *adj*

unhappy infeliz *adj*

United States (USA) Estados Unidos (EEUU) *nm pl*

university la universidad *nf*

unleaded (petrol) sin plomo

to be **unnecessary** sobrar *v*

unpleasant antipático/antipática *adj*

untidy desordenado/desordenada *adj*

until hasta

upstairs arriba

to **use** utilizar *v*

useful útil *adj*

useless inútil *adj*

V

to **vacuum** pasar la aspiradora *v*

to **value** valorar *v*

variety la variedad *nf*

vegetables las verduras *nf pl*

a **voice** una voz *nf*

W

wages el pago *nm*

a **waitress** un/una camarero/camarera *nm/nf*

to **wake up** despertarse *v*

to **walk** caminar *v*

a **walk** una vuelta *nf*

walking, hiking el senderismo *nm*

a **wall** una pared *nf*

to **want** querer *v*

a **wardrobe** un armario *nm*

to **wash the car** limpiar el coche *v*

to **wash the dishes** fregar los platos *v*

a **washing machine** una lavadora de ropa *nf*

a **waste (of time)** una pérdida (de tiempo) *nf*

a **watch** un reloj *nm*

water (drinking/mineral) el agua (potable/mineral) *nf*

to **water the plants** regar las plantas *v*

to **wear** llevar, ponerse *v*

weather forecast el pronóstico *nm* del tiempo

a **website** un sitio web *nm*

a **wedding** una boda *nf*

on **weekdays** entresemana

at the **weekend** el fin de semana

weekly semanal

to **weigh** pesar *v*

as **well as** además de

well-balanced equilibrado/equilibrada *adj*

west el oeste *nm*

a **western (film)** una película *nf* del oeste

wet mojado/mojada *adj*

what kind of ...? ¿qué tipo de ...?

what? ¿qué? ¿cuál?

what's more, besides además

a **wheel** una rueda *nf*

when? ¿cuándo?

where (from)? ¿(de) dónde?

where (to)? ¿(a)dónde?

which? ¿cuál?

while mientras

a **while** un rato *nm*

white blanco/blanca *adj*

who ¿quién?

whole entero/entera *adj*

why? ¿por qué?

wind el viento *nm*

a **window** una ventana *nf*

winter el invierno *nm*

to **wish** desear *v*

with con

without sin

a **woman** una mujer *nf*

a **word** una palabra *nf*

work el trabajo *nm*

to **work** trabajar *v*

a **worker** un/una trabajador/trabajadora *nm/nf*

a **workshop** un taller *nm*

worse peor *adj*

to be **worth** valer *v*

a **writer** un/una escritor/escritora *nm/nf*

wrong equivocado/equivocada *adj*

wrongly mal

Y

a **yacht** un yate *nm*

a **year** un año *nm*

yellow amarillo/amarilla *adj*

yesterday ayer

young joven *adj*

yours faithfully; yours sincerely le saluda atentamente

a **youth** hostel un albergue *nm* juvenil

youth la juventud *nf*